D0540120

« N'avez-vous jamais éprouvé cette sensation
qu'il devait y avoir autre chose ?
Autre chose ailleurs, hors de portée,
mais que si vous pouviez l'atteindre... »

DU MÊME AUTEUR

LE CHAOS EN MARCHE
LIVRE 1. LA VOIX DU COUTEAU
LIVRE 2. LE CERCLE ET LA FLÈCHE
LIVRE 3. LA GUERRE DU BRUIT

QUELQUES MINUTES APRÈS MINUIT

PATRICK NESS

ET PLUS ENCORE

Traduit de l'anglais par Bruno Krebs

GALLIMARD JEUNESSE

Pour Phil Rodak

Titre original : *More Than This*
Édition originale publiée en Grande-Bretagne
par Walker Books Ltd., 2013, Londres

© Patrick Ness, 2013, pour le texte
© Walker Books Ltd, 2013, pour l'illustration de couverture,
reproduite avec l'autorisation de Walker Books Ltd, Londre SE11 5HJ.
© Gallimard Jeunesse, 2014, pour la traduction française
Les paroles de « Borrowing Time » de Aimee Mann sont reproduites
avec l'autorisation de Aimee Mann et Fintage Publishing B. V.,
Tous droits réservés

You ask a question in the mirror.
Alas, no answer could be clearer.

Aimee Mann

Tu poses une question au miroir. / Hélas, la réponse ne saurait être plus claire.
Aimee Mann

Il se noie, le garçon.

En ces derniers instants, ce n'est pas l'eau finalement qui l'achève, c'est le froid. Le froid a saigné à blanc toute son énergie et contracté ses muscles en une inutilité douloureuse, malgré ses efforts désespérés pour rester à la surface. Il est fort, et jeune, presque dix-sept ans, mais les vagues hivernales ne cessent de revenir, chacune apparemment plus grosse que la dernière. Elles le roulent, le renversent, l'enfoncent plus bas, toujours plus bas. Même quand il reprend son souffle, pendant les quelques secondes terrifiantes où il parvient à pousser son visage à l'air libre, il tremble tellement qu'il peut tout juste aspirer une demi-bouffée avant de replonger. Cela ne suffit pas, c'est moins chaque fois, et il ressent un manque terrible dans sa poitrine, avec la douleur qui lui fait demander plus, en vain.

La panique l'envahit, maintenant. Il sait qu'il a dérivé juste assez loin du rivage pour ne plus pouvoir revenir, le courant glacé le tirant plus loin, toujours plus loin avec chaque vague, le poussant vers les rochers qui rendent cette partie de la côte si dangereuse. Il sait aussi que personne ne remarquera son retard, que personne ne donnera l'alerte avant que l'eau l'emporte. Il ne peut compter sur la chance non plus. Il n'y aura pas de promeneurs ou de touristes pour plonger du rivage et le sauver, pas à cette époque de l'année, et par une température aussi glaciale.

Il est trop tard pour lui.

Il va mourir.

Et il va mourir seul.

Cette horrible certitude lui bloque soudain la respiration, le fait paniquer plus encore. Il réessaye de crever la surface, n'osant penser que cela pourrait bien être la dernière fois, n'osant penser grand-chose. Il s'oblige à donner des coups de pied, oblige ses bras à le hisser, pour au moins tourner son corps dans le bon sens, essayer de reprendre encore son souffle quelques centimètres plus haut –

Mais le courant est trop fort. Un remous le rapproche de la surface, puis le retourne tête en bas avant qu'il n'y parvienne, l'entraînant plus près des rochers.

Les vagues jouent avec lui alors qu'il essaye encore.

En vain.

Puis, sans prévenir, le jeu que la mer semblait jouer, ce jeu cruel de le garder juste assez en vie pour qu'il croie encore pouvoir s'en sortir, ce jeu semble terminé.

Le flot monte, le balance contre les rochers meurtriers. Son omoplate droite se brise en deux, si fort qu'il entend *crac !* – même sous l'eau, même dans la poussée du courant. L'intensité brute de la douleur est si forte qu'il lâche un cri, emplissant instantanément sa bouche d'une eau glaciale et amère. Il tousse pour la refouler, mais en aspire encore plus dans ses poumons. Il s'arc-boute contre la douleur de son épaule, aveuglé par elle, paralysé par sa violence. Il ne peut même plus tenter de nager maintenant, incapable de résister quand les vagues le retournent une fois de plus.

« Pitié » – il ne se dit rien d'autre. Juste ce mot, qui résonne dans sa tête.

« Pitié » .

Le courant l'agrippe une dernière fois – reflue comme pour prendre son élan, et le projette tête la première contre les rochers. Il s'y heurte avec tout le poids d'un océan en colère massé derrière lui. Il ne peut même pas lever les mains pour essayer d'atténuer le choc.

L'impact, derrière son oreille gauche, lui fracture le crâne et enfonce des éclats dans sa cervelle, écrasant aussi sa troisième et sa quatrième vertèbre, tranchant son artère cérébrale et sa moelle épinière, une blessure qui ne lui laisse aucune chance de retour. Aucune.

Il meurt.

PREMIÈRE PARTIE

1

Les premiers moments qui suivent la mort du garçon s'écoulent dans un brouillard lourd et confus. Il est vaguement conscient de la douleur, mais surtout d'une immense *fatigue*, comme s'il reposait sous des couches successives de couvertures incroyablement pesantes. Il lutte contre ce poids, à l'aveuglette, avec des mouvements de plus en plus désordonnés, et il panique (encore) de se sentir comme ligoté par ces cordes invisibles.

Son cerveau n'est pas clair, accélérant et battant comme sous la pire des fièvres, et il n'a même pas l'impression de penser, juste d'obéir à une sorte d'instinct funèbre incontrôlé, une terreur de ce qui va advenir, une terreur de ce qui est arrivé.

Une terreur de sa propre mort.

Comme s'il pouvait encore lutter contre elle, encore lui échapper.

Il conserve même une sensation distante de mouvement, son corps continuant à lutter contre les vagues alors que, cette lutte, il l'a finalement perdue. Il sent une poussée soudaine, une montée de terreur le propulser en avant, en avant, et en avant encore, mais il doit s'être libéré de son corps car son épaule ne lui fait plus mal, tandis qu'il se débat aveuglément dans les ténèbres, incapable de rien ressentir, apparemment, sauf cette terrifiante nécessité de *bouger* –

Et puis une fraîcheur se répand sur son visage. Comme soufflée par une brise ou presque, quoiqu'une telle chose paraisse impossible, et pour des raisons évidentes. Mais c'est bien cette fraîcheur qui pousse sa conscience – son âme? son esprit? qui peut le dire? – à marquer une pause dans son tourbillon fiévreux.

Pendant un instant, il reste immobile.

Un changement intervient dans la vase qui brouille ses yeux. Une luminosité. Une luminosité qu'il peut pénétrer, plus ou moins, et il se sent doucement attiré par elle, son corps – si faible, presque impotent sous lui – cherchant cette lumière croissante.

Il tombe. Tombe sur du solide. La fraîcheur s'en élève, et il se laisse plonger dedans, la laisse l'envelopper tout entier.

Il est immobile. Il abandonne la lutte. Il laisse l'oubli le submerger.

L'oubli est un purgatoire tout gris. Il est vaguement conscient, pas endormi mais pas tout à fait éveillé non plus, juste déconnecté de tout, incapable de bouger, de penser ou de recevoir, capable seulement d'exister.

Une invraisemblable quantité de temps s'écoule, un jour, une année, peut-être même une éternité, il n'a aucun moyen de le savoir. Finalement, au loin, la lumière commence à changer, presque imperceptiblement. Une aura grise émerge, puis elle s'éclaircit, et il commence à revenir à lui.

Sa première impression, instinctive, c'est qu'il se sent comme écrasé contre un bloc de ciment. Il est juste conscient de sa fraîcheur, de sa solidité extrême, qui peut-être l'empêche de s'envoler dans l'espace. Il caresse cette pensée pendant un temps indéterminé, la laisse se clarifier, se connecter à son corps, à d'autres pensées –

Le mot « morgue » s'illumine soudain tout au fond de lui – car où, sinon, reposerait-on sur des blocs si frais et si compacts – et avec l'horreur qui monte, il ouvre les yeux, ignorant même qu'ils étaient fermés. Il essaye de crier, qu'ils ne doivent pas l'enterrer, qu'ils ne doivent pas lui ouvrir le corps, qu'il y a eu une terrible, terrible erreur. Mais sa gorge se révolte contre la formation des mots, comme s'ils n'avaient pas servi depuis des années, et il tousse et s'assied, terrifié, les yeux vaseux et brouillés, comme s'il regardait le monde à travers des couches et des couches de verre opaque.

Il cligne des yeux, essayant de distinguer quelque chose. Les formes vagues autour de lui prennent lentement place. Il voit qu'il n'est pas sur la dalle froide d'une morgue –

Il est –

Il est –

Où est-il ?

Hésitant, il plisse ses paupières douloureuses dans ce qui ressemble maintenant à un lever du jour. Il regarde autour de lui, tente de comprendre, de faire le tri, d'analyser.

Il lui semble être couché devant une maison, sur une allée en ciment qui relie le trottoir à la porte d'entrée derrière lui.

Cette maison n'est pas la sienne.

Et il y a bien d'autres choses qui ne collent pas.

Il cherche son souffle, sa respiration courte, son cerveau toujours brumeux, mais sa vision s'éclaircit tout doucement. Il tremble de froid, serre ses bras contre lui, une humidité couvrant ses –

Pas *ses* habits.

Il pose son regard dessus, sa réaction physique plus lente que la pensée qui l'a commandée. Il plisse encore les yeux, essayant de préciser sa vision. Ce ne sont pas vraiment des habits, juste des bandes de tissu blanc, très étroitement collées à son corps, et qu'on ne pourrait décemment nommer pantalon ou chemise. Et sur un côté, elles sont trempées de –

Il s'arrête.

Elles ne sont pas trempées d'eau de mer, pas imprégnées du froid iodé de l'océan où il était en train de –

(se noyer)

Et une moitié seulement est mouillée, d'ailleurs. L'autre moitié, celle qui se trouvait au contact du sol, est fraîche, mais plutôt sèche.

Il tourne les yeux, plus perplexe que jamais. Car seule la *rosée* a pu les mouiller. Le soleil brille bas dans le ciel, ce qui pourrait signifier le matin. Sous lui, il distingue même le contour sec de l'emplacement qu'il occupait.

Comme s'il était resté allongé là toute la nuit.

Mais c'est impossible. Il se rappelle la brutale froideur hivernale de l'eau, le gris glacial et sombre de ce ciel qui ne l'aurait jamais laissé survivre une nuit de plus –

Mais ce n'est pas le même ciel. Il lève son visage dans sa direction. Ce ciel n'est même pas l'hiver. Le froid n'est que celui du matin, d'un jour peut-être doux à venir, d'un jour *d'été*, peut-être même. Rien à voir avec l'âpre vent de la plage. Rien à voir avec quand –

Quand il est mort.

Il prend encore le temps de respirer un bon coup, juste faire ça, s'il le peut. Il n'y a que du silence autour de lui, juste le son que lui-même produit.

Il se tourne lentement pour regarder la maison. Elle se précise de plus en plus tandis que ses yeux s'habituent à la lumière, s'habituent – semble-t-il – à voir de nouveau.

Alors, à travers le brouillard et la confusion, il ressent une infime secousse traverser son cerveau cotonneux.

Un soupçon, une caresse, une impression de –

Quelque chose de –

Familier ?

2

Il essaye de se relever, et l'impression s'évanouit. Mais il a du mal à seulement se redresser, vraiment du mal. Il se sent terriblement faible, incapable d'imprimer la moindre tension à ses muscles. Le simple effort de s'asseoir bien droit le laisse essoufflé, et il doit s'arrêter un moment, cherchant à nouveau sa respiration.

Il tend la main pour saisir une plante d'allure robuste, au bord de l'allée, et il essaye encore de se lever –

Et retire aussitôt sa main, les doigts piqués par des épines.

Ce n'est pas une plante normale. C'est une mauvaise herbe, poussée incroyablement haut. Les parterres de fleurs qui bordent l'allée jusqu'à la porte de la maison ont tous poussé très haut, dépassant largement les murets en pierre. Les massifs ont presque l'air de créatures vivantes penchées vers lui, prêtes à lui faire du mal s'il s'approche trop près. D'autres plantes, mesurant un mètre, un mètre cinquante, et même deux mètres de haut, ont profité du plus petit interstice de terre et de la moindre fissure dans les dalles en ciment, l'une d'elles écrasée sous lui.

Il essaye une nouvelle fois de se lever. Réussit, mais vacille dangereusement pendant un instant. Sa tête lui pèse, lourde et enflée, et il frissonne toujours. Les bandelettes blanches qui l'entourent ne sont pas chaudes du tout, et – il s'en aperçoit avec effroi – ne couvrent même pas correctement son corps. Ses jambes et son torse sont étroitement enveloppés, ses bras aussi, et presque toute la largeur de son dos. Mais, bizarrement, la zone qui va de son nombril au milieu de ses cuisses s'expose à tous les regards, devant comme derrière, ses parties les plus privées affreusement livrées au soleil matinal. Il tente frénétiquement de tirer sur le tissu, mais les bandes lui collent solidement à la peau.

Il se couvre d'une main et regarde autour de lui, pour voir si quelqu'un l'observe.

Mais il n'y a personne. Absolument personne.

« Est-ce un rêve ? se demande-t-il, les mots arrivant lentement, épais, comme venus de très loin. Le dernier rêve avant la mort ? »

Tous les jardins sont aussi envahis que celui-ci. Certains qui avaient des pelouses étalent maintenant leurs herbes à hauteur d'épaule. Le revêtement de la chaussée est fissuré, lui aussi, d'autres plantes poussant de manière presque obscène en plein milieu, et certaines ont pris la taille de véritables arbustes.

Il y a des voitures stationnées le long des trottoirs, recouvertes d'une épaisse couche de poussière, vitres obscurcies par la saleté. Presque toutes se sont affaissées sur leurs quatre pneus dégonflés.

Rien ne bouge. Aucune voiture ne passe, et à voir les mauvaises herbes, aucune voiture n'est passée ici depuis très, très longtemps. La rue continue sur sa gauche jusqu'à une autre qui semble beaucoup plus importante, comme un boulevard. Aucune voiture ne l'emprunte non plus, et un énorme trou s'y est ouvert, de dix ou douze mètres de large. Où tout un bosquet de plantes et d'arbustes semble prospérer.

Il écoute. Il n'entend pas un seul bruit de moteur. Ni dans cette rue, ni dans la suivante. Il attend un long moment. Puis un long moment encore. Il scrute l'autre bout de la rue à sa droite, et dans l'ouverture entre deux immeubles, il aperçoit une voie ferrée surélevée. Il tend l'oreille, guettant le passage d'un train.

Mais il n'y a pas de train.

Et pas de gens.

Si c'est bien le matin, les gens devraient sortir de leur maison, monter dans leur voiture, se rendre à leur travail. Ou sinon, promener leur chien, relever leur courrier, prendre le chemin de l'école.

Les rues devraient être pleines de monde. Les portes devraient s'ouvrir et se fermer.

Mais il n'y a personne. Pas de voitures, pas de trains, pas de gens.

Et cette rue, maintenant qu'il la voit mieux avec ses yeux et son esprit qui commencent à s'éclaircir un peu, même sa géographie paraît étrange. Ces maisons sont tassées les unes contre les autres, toutes alignées sans garage ni grand jardin, mais avec des allées très étroites tous les quatre ou cinq numéros. Rien qui ressemble à la rue de sa maison. En fait, on ne dirait pas du tout une rue américaine. On dirait plutôt –

Une rue *anglaise*.

Le mot claque dans son crâne, apparemment important. Il essaye désespérément de le raccrocher à quelque chose, mais son cerveau est si brumeux, dans un tel état de choc, l'effort ne fait qu'empirer son anxiété.

Ce mot n'a pas de sens. Il n'a *aucun* sens.

Il tangue un peu et doit se rattraper aux tiges d'un épais buisson. Il ressent une forte envie d'entrer dans cette maison, pour y trouver de quoi se couvrir, et cette maison, cette maison –

Il plisse le front, en l'examinant.

Qu'est-ce qu'elle a, cette maison ?

Surpris lui-même par son mouvement, il avance presque sans y penser, d'un pas incertain, et manque de tomber. Il lutte encore pour organiser ses pensées. Il ne saurait dire pourquoi il marche vers cette maison, sauf qu'un instinct le pousse à pénétrer à l'intérieur, pour sortir de cet étrange monde désert, mais il se rend bien compte que tout cela (et d'ailleurs quoi ?) ressemble tellement à un rêve que seule la logique du rêve peut valablement s'y appliquer.

Il ignore pourquoi, mais cette maison l'attire.

Alors il s'avance.

Il atteint les marches, une fissure longeant la première, et il s'arrête devant la porte. Il s'arrête un instant, sans savoir que faire maintenant, si elle va s'ouvrir, ni ce qu'il fera si elle est fermée à clé, mais il tend la main –

Et il l'a à peine effleurée qu'elle s'ouvre en grand.

Ses yeux découvrent aussitôt un long couloir. Le soleil brille très clair à présent, emplissant le ciel limpide et bleu derrière lui – si chaud, ce doit bien être une sorte d'été, et il le sent déjà brûler sa peau nue, trop pâle, trop blanche sous une lumière si crue – et pourtant, même avec cette lumière, le couloir disparaît pratiquement dans la pénombre à mi-chemin. Il distingue tout juste l'escalier au bout, qui mène aux étages. À gauche des premières marches, une porte donne sur les pièces principales.

Aucune lumière électrique, aucun bruit.

Il regarde autour de lui, une fois encore. Toujours pas le

moindre bruissement d'engin ni de moteur, et il remarque aussi, pour la première fois, l'absence de tout bourdonnement d'insecte. Aucun chant d'oiseau non plus, pas même le froissement du vent dans les feuillages.

Rien que l'écho de son propre souffle.

Il se tient là immobile un instant. Il se sent épouvantablement mal, et si faible, si *fatigué*, il pourrait se coucher sur ces marches et dormir là pour toujours, pour toujours et ne jamais se réveiller –

Mais il entre dans la maison. Posant les mains de chaque côté sur les murs pour se stabiliser, il progresse lentement, imagine à chaque seconde devoir s'arrêter, imagine une voix lui demander ce qu'il fait là, à s'introduire dans une maison qui n'est pas la sienne. Comme il trébuche dans l'ombre, incapable d'ajuster sa vision au changement de luminosité, malgré tous ses efforts, il sent sous ses pieds une poussière si épaisse que sûrement personne n'a pu se trouver là depuis très, très longtemps.

L'obscurité s'épaissit étrangement à chaque pas, l'explosion du soleil à travers le seuil n'éclairant presque rien, alors que les ombres deviennent plus denses et plus menaçantes devant ses yeux brouillés. Il tâtonne, y voit de moins en moins, atteint le pied des marches mais se détourne, toujours sans percevoir le moindre son, aucun son de rien en dehors de lui-même.

Seul.

Il fait une pause devant l'entrée du salon, saisi par une nouvelle vague de frayeur. Il pourrait y avoir n'importe quoi dans ces ténèbres, n'importe quoi qui pourrait le guetter en silence, mais il se force à jeter un coup d'œil à l'intérieur, laissant ses pupilles s'accoutumer à la lumière.

Et alors, il voit.

Inscrit dans les rares rayons d'un soleil poussiéreux filtré par des stores, il distingue un salon tout simple, combiné à une salle à manger sur la droite et menant par une porte ouverte à la cuisine, à l'arrière.

Il y a des meubles, comme dans toute pièce normale, mais sous une poussière si épaisse qu'on dirait un grand voile tendu partout.

Le garçon, malgré son épuisement, cherche dans sa tête les mots qui correspondent à ces formes.

Ses yeux s'adaptent à cette nouvelle lumière, et la pièce devient plus réelle, prend des contours, révèle des détails –

Révélant le cheval qui hurle au-dessus de la cheminée –

Œil révulsé, langue pointée comme une pique, emprisonné dans un monde en flammes, il le fixe du fond de son cadre.

Le fixe droit dans les yeux.

Le garçon pousse un cri parce que tout à coup il *sait*, sans l'ombre d'un doute, et cette prise de conscience le submerge comme une lame de fond.

Il sait où il est.

3

Il court aussi vite que ses jambes épuisées peuvent le porter, titube dans le couloir, soulève des nuages de poussière, se précipite vers le soleil comme –

(comme un homme qui se noie cherche l'air -)

Il s'entend lancer, affolé, des cris muets, étouffés, des mots toujours informes.

Mais il sait.

Il sait, il sait, il sait.

Il trébuche sur les marches du perron, conserve de justesse son équilibre, puis le perd. Il tombe sur les genoux et ne trouve pas la force de se relever, comme si cette soudaine vague de conscience pesait trop lourd sur son dos.

Il se retourne vers la maison, paniqué, pensant que quelque chose, *quelqu'un* forcément le poursuit, va surgir –

Mais il n'y a rien.

Toujours aucun son. Ni machines, ni gens, animaux ou insectes – rien du tout. Rien qu'un silence très profond où il entend son cœur battre dans sa poitrine.

« Mon cœur », pense-t-il. Et les mots viennent clairement, crevant le brouillard de son cerveau.

Son cœur.

Son cœur mort. Son cœur noyé.

Il se met à trembler, comme si la terrible conscience de ce qu'il a vu, la terrible conscience de sa *signification* commençait à le submerger.

C'est la maison où il habitait.

La maison d'il y a si longtemps. La maison en *Angleterre*. La maison dont sa mère jurait qu'elle ne voulait jamais plus la revoir. Quitte à mettre un océan, un continent tout entier derrière eux pour la fuir.

Mais c'est impossible. Il n'a pas vu cette maison, ce pays, depuis des années. Depuis l'école primaire.

Depuis –

Depuis que son frère est sorti de l'hôpital.

Depuis la pire chose qui soit jamais arrivée.

« Non… »

« Oh, pitié, non. »

Il sait où il est maintenant. Il sait pourquoi cet endroit précisément, pourquoi il s'est réveillé ici, après –

Après être mort.

C'est l'enfer.

Un enfer construit exprès pour lui.

Un enfer où il serait seul.

Pour toujours.

Il est mort, et il s'est réveillé en enfer.

Son enfer.

Il vomit.

Il tombe en avant sur les mains, crachant le contenu de son estomac dans les buissons qui bordent l'allée. L'effort lui mouille les yeux de larmes, mais il réalise quand même qu'il vomit un gel bizarre, très clair, au vague goût sucré. Il continue à vomir jusqu'à l'épuisement, et comme ses yeux coulent déjà, il ne tarde pas à pleurer pour de bon, s'écroulant tête en avant sur le ciment.

Il a l'impression, pendant un moment, de se noyer une nouvelle fois, de chercher sa respiration, de lutter contre quelque chose de plus grand que lui et qui ne cherche qu'à l'entraîner, et il ne peut pas lutter, ne peut rien faire pour arrêter cette chose quand elle l'avale et qu'il disparaît. Étendu sur l'allée, il s'abandonne, tout comme les vagues lui demandaient encore et encore de s'abandonner à elles –

(pourtant il a lutté contre les vagues, et jusqu'à la toute dernière fin, il a *vraiment* lutté)

Et, rattrapé par l'épuisement qui le menaçait depuis qu'il a rouvert les yeux, il s'évanouit.

Tombe plus, plus bas et toujours plus bas -

4

– Combien de temps allons-nous rester assis là ? demanda Monica du siège arrière. Je me gèle, moi.

– Ta petite amie, elle ne la boucle jamais, Harold ? se moqua Gudmund en jetant un coup d'œil dans le rétroviseur.

– Ne m'appelle pas Harold, marmonna H.

Monica lui administra une claque sur l'épaule.

– Et c'est tout ce qui te gêne dans sa question ?

– C'est toi qui as voulu venir, répondit H.

– Et qu'est-ce qu'on se marre, hein. Garés devant chez Callen Fletcher à attendre que ses parents aillent au lit pour pouvoir voler leur enfant jésus. Tu sais vraiment comment faire plaisir à une fille, Harold.

Et elle se mit à pianoter furieusement sur l'écran de son téléphone, éclairant la banquette arrière.

– Éteins-moi ça ! s'exclama Gudmund en se tournant et en tendant la main pour le couvrir. Ils vont voir la lumière !

Monica le lui arracha des doigts.

– Oh, arrête, tu veux, on est à des kilomètres…

Et elle se remit à pianoter.

Gudmund secoua la tête, fronçant les sourcils en direction de H, dans le rétroviseur. C'était bizarre. Ils aimaient tous H. Ils aimaient tous Monica. Mais finalement, personne n'aimait trop H et Monica quand ils étaient ensemble. Et eux non plus n'avaient pas l'air d'apprécier tellement.

– Qu'est-ce qu'on en fera, d'ailleurs? reprit Monica, toujours pianotant. Je veux dire, du petit jésus? Et puis, ça ne serait pas un peu… blasphématoire?

Gudmund pointa le doigt à travers le pare-brise.

– Et ça?

Ils contemplèrent la grande scène de Noël qui tapissait le jardin des Fletcher telles des troupes de débarquement. Apparemment, Mrs Fletcher ne visait pas seulement le journal local de Halfmarket, mais aussi le journal télévisé de Portland, et peut-être même celui de Seattle.

Le spectacle commençait avec le Père Noël et son renne en fibre de verre, illuminés de l'intérieur et suspendus entre un arbre et le toit des Fletcher, comme un traîneau surchargé en train d'atterrir. Plus bas, le cauchemar s'aggravait. Des lumières jaillissaient du moindre interstice, de la moindre saillie de la maison, de la moindre branche ou objet fonctionnel à portée de main. Des cannes à sucre de trois mètres de haut formaient une forêt où des elfes mécaniques invitaient lentement les spectateurs à les rejoindre dans l'éternité. Sur un côté, il y avait un vrai sapin de Noël vivant, haut de sept mètres et décoré comme une cathédrale, devant une pelouse remplie d'animaux qui gambadaient (dont très bizarrement, un rhinocéros coiffé d'une capuche de Père Noël).

Mais la pièce maîtresse, c'était une nativité plus ou moins transposée de Bethléem à Las Vegas: Marie et Joseph, mangeoire, paille, bétail agenouillé, bergers courbés et anges émerveillés, comme arrêtés en pleine répétition chorégraphique.

Juste au milieu, entouré par eux tous, le petit jésus et son halo doré, éclairé par un spot, levait les mains pour bénir l'humanité. On disait qu'il avait été sculpté dans du marbre de Venise. Ce qui allait se révéler tragiquement faux.

– Bon, il est bien assez petit pour pouvoir être transporté, ton petit jésus, lança H à Monica, qui n'écoutait pas vraiment.

– Plus facile que ce rhinocéros, en tout cas…, plaisanta Gudmund. Pas de quoi en faire une montagne.

– Et ensuite, on l'enterre jusqu'à la taille dans le jardin de quelqu'un d'autre, poursuivit H, bras tendu pour simuler le niveau.

– Génial, conclut Gudmund avec un sourire. Un miracle de Noël.

Monica leva les yeux au ciel.

– On ne pourrait pas plutôt s'envoyer de la méth comme tout le monde ?

Un grand éclat de rire emplit la voiture. En tout cas, ils seraient bien plus détendus quand elle et H rompraient et que tout redeviendrait comme avant.

– Il est presque onze heures, dit Monica en consultant son téléphone. Je croyais que tu avais dit…

Avant qu'elle ait terminé, ils se trouvèrent plongés dans les ténèbres, tout le jardin Fletcher s'éteignant pour se soumettre au couvre-feu que les voisins avaient obtenu par décision de justice. Même de là où ils stationnaient, au bas de l'allée de gravier, ils entendirent les cris de déception lancés d'une voiture qui passait – l'habituel cortège depuis le début de la soirée.

(Callen Fletcher, un grand garçon timide, passait la période des fêtes à raser désespérément les murs du lycée. Il s'y prenait généralement assez mal.)

Gudmund se frotta les mains.

– Bon, on attend que la rue se dégage, et on y va.

– C'est du vol, quand même, insista Monica. Ils en sont raides dingues de cette horreur, et si leur petit jésus disparaît d'un coup…

– Ils vont en grimper aux rideaux, ricana H.

– Et porter plainte, oui, reprit Monica.

– On ne va pas l'emmener bien loin, dit Gudmund qui ajouta

malicieusement : Je me suis dit que la maison de Summer Blaydon pourrait peut-être s'offrir une Visitation miraculeuse.

Monica eut l'air un instant choqué, puis ne put réprimer un sourire.

– Va falloir faire gaffe à ne pas interrompre une répétition nocturne de pom-pom girls ou un autre truc du genre.

– Ah oui, alors ce n'est plus du vol ? questionna Gudmund.

Monica haussa les épaules, toujours souriante :

– Si, mais je n'ai pas dit que cela me gênait.

– Hé ! coupa H. Tu vas flirter comme ça avec lui toute la nuit ?

– Bon, tout le monde la boucle, maintenant, lâcha Gudmund en se retournant. Il est presque l'heure.

Le silence se fit, et ils attendirent. On entendait juste la manche de H couiner sur la vitre, quand il en effaçait la buée. Gudmund agitait sa jambe de haut en bas, impatient. Plus aucune voiture ou presque ne passait, et ils retenaient leur souffle sans s'en apercevoir.

Enfin, la rue se fit vraiment déserte. La lumière du porche des Fletcher s'éteignit avec un cliquetis.

Gudmund lâcha un long soupir et se retourna avec un regard grave. H hocha la tête.

– Allez, on le fait, dit-il.

– Je viens aussi, fit Monica en rangeant son téléphone.

– Jamais imaginé que tu ne viendrais pas, dit Gudmund, souriant.

Et il se tourna vers celui qui était assis sur le siège passager.

– Tu es prêt, Seth ?

5

Seth ouvre les yeux.

Il est toujours allongé sur l'allée en ciment, recroquevillé sur lui-même, raide et engourdi. Pendant un instant, il ne bouge pas.

« Seth, se dit-il. Seth est mon nom. »

Il en éprouve de la surprise, comme s'il l'avait oublié, son nom, jusqu'à ce rêve, ou ce souvenir, ou ce je-ne-sais-quoi qui venait de se passer. Tellement clair que se le rappeler lui fait presque mal. Tout comme le flot soudain d'informations qui l'accompagne. Pas juste son nom. Non, pas seulement.

Car il avait vraiment *été* là, et bien plus nettement que dans n'importe quel rêve ou souvenir. Oui, là, *avec* eux. Avec H et Monica. Avec Gudmund qui avait une voiture et donc était toujours au volant. Ses amis. La nuit où ils ont volé le petit jésus du jardin de Callen Fletcher.

Il n'y a même pas deux mois.

Seth. Le nom glisse de son cerveau comme du sable dans une paume ouverte. « Je m'appelle Seth Wearing. »

« Je m'appelais Seth Wearing. »

Il prend sa respiration, et ses narines s'emplissent d'une odeur écœurante, asphyxiante. Celle de son vomi dans les buissons. Il s'assied. Le soleil est monté dans le ciel. Normal, il est là depuis un moment. Mais midi, non, sans doute pas encore.

Si midi existe, dans cet endroit. Si le temps a un sens, *ici*.

Sa tête cogne douloureusement et, même dans la confusion des souvenirs qui l'écrasent, une sensation s'impose avec force, à présent, une sensation pas nouvelle mais qu'il peut enfin décrire, nommer, maintenant que les choses s'éclaircissent, maintenant qu'il connaît son propre nom.

Soif. Il a soif. Ne se souvient même pas d'avoir jamais eu aussi soif. Tellement soif qu'il se remet aussitôt sur ses pieds. Debout, il vacille encore, mais retrouve son équilibre et parvient à se stabiliser. Il réalise que c'est la soif qui l'a attiré dans la maison, une urgence sans nom, mais irrésistible.

Encore plus irrésistible, depuis qu'elle a un nom.

Il observe à nouveau le quartier étrange, silencieux et vide qui l'entoure, couvert de poussière et de boue. Cet aspect familier qu'il avait déjà perçu se fait bien plus évident, bien plus net à présent.

Sa rue, oui, celle où il a vécu quand il était petit, la rue qui était la sienne. À gauche, elle menait à la grand-rue et à ses magasins, et maintenant il se rappelle aussi les trains de banlieue à droite. Il se revoit même les compter. Tôt le matin, juste avant qu'ils déménagent de cette petite banlieue anglaise et traversent la terre entière pour la côte glaciale du nord-ouest du Pacifique – très tôt quand il restait sans trouver le sommeil, à compter les trains, comme si cela pouvait aider.

Le lit vide de son petit frère de l'autre côté de la chambre.

Le souvenir de cet été le fait grimacer, et il le repousse.

Parce qu'on est bien en été, *maintenant*, non ?

Il se retourne vers la maison.

Son ancienne maison.

Oui, aucun doute là-dessus.

Elle semble abandonnée, défraîchie par la pluie, sa peinture écaillée sur les cadres des fenêtres, ses murs maculés par les gouttières qui fuient, comme toutes les autres maisons de cette rue. La cheminée s'est en partie écroulée sur le toit, amas de briques et de poussière éparpillé jusqu'au bord de la pente comme si personne ne l'avait vue tomber.

Ce qui est peut-être le cas.

« Mais comment ? s'interroge-t-il, cherchant à organiser ses idées de façon logique, malgré la soif. Comment est-ce possible ? »

Le besoin d'eau devient comme une créature vivante au-dedans de lui. Il n'a jamais rien ressenti de tel, sa langue épaisse et sèche dans sa bouche, ses lèvres craquelées et gercées, avec un goût de sang quand il tente de les humecter.

La maison se dresse, comme si elle l'attendait. Il ne veut pas y rentrer, pour rien au monde, mais impossible de faire autrement. Il doit boire, absolument. La porte d'entrée est restée ouverte, comme il l'a laissée quand il s'est précipité au-dehors, paniqué. Il se souvient du choc ressenti devant cette chose dressée au-dessus de la cheminée, comme un coup de poing dans le ventre, qui lui disait exactement dans quel enfer il s'était réveillé –

Mais il se souvient aussi du salon puis de l'espace salle à manger et de la cuisine.

La cuisine.

Avec son robinet.

Il se déplace lentement vers les marches, retrouve la fissure au pied de la première, une fissure pas assez profonde pour qu'on ait jugé bon d'y remédier.

Il jette un coup d'œil à l'intérieur, et les souvenirs affluent. Le long couloir, toujours plongé dans la pénombre, qu'il a emprunté tant de fois quand il était enfant, dévalant l'escalier qu'il distingue maintenant à peine dans les profondeurs de la maison. Il se rappelle que les marches mènent aux chambres du premier et ensuite jusqu'au grenier.

Au grenier, son ancienne chambre. Celle qu'il partageait avec Owen. Avec Owen, avant –

À nouveau, il bloque cette image. La soif le plie presque en deux.

Il doit boire.

Seth doit boire.

Il pense son nom, encore. « Seth. Je suis Seth. »

« Et je vais parler. »

– Hé ho ! lance-t-il, et ce son lui arrache une grimace de souffrance, la soif desséchant sa bouche en désert.

Il essaye encore, un peu plus fort :

– Hé ho ? Y a quelqu'un ?

Pas de réponse. Et toujours aucun bruit, seule sa respiration lui indique qu'il n'est pas devenu sourd.

Il se tient devant le seuil, sans bouger. Plus dur, cette fois, d'entrer, bien plus dur, sa peur une chose palpable, peur de ce qu'il pourrait découvrir d'autre à l'intérieur, peur du pourquoi il se trouve là, de ce que cela pourrait signifier.

Ou de ce que cela *va* signifier. Pour toujours.

Mais la soif est palpable, aussi, et il se force à passer le seuil, soulevant à nouveau la poussière. Ses bandelettes n'ont plus rien de blanc et sa peau se raye de taches sombres. Il progresse à l'intérieur, s'arrête au bas de l'escalier. Il essaye l'interrupteur, appuie plusieurs fois, mais sans résultat, aucune lampe ne s'allume. Il se retourne, n'osant braver les ténèbres de l'escalier, et prend son courage à deux mains avant de risquer un pas vers le salon.

Il respire un grand coup, gorge sèche, tousse dans la poussière.

Et passe la porte.

6

La pièce, comme il l'a laissée. Quelques rayons de soleil diffus pour seul éclairage, les interrupteurs ne fonctionnant pas plus ici. Une pièce remplie, il s'en rend compte maintenant, par les meubles de son enfance.

Les vieux canapés rouges tachés, un grand, un petit, que son père n'allait pas remplacer tant que les gamins ne seraient pas assez grands pour ne plus les esquinter.

Canapés laissés là en Angleterre quand ils ont déménagé pour l'Amérique, laissés là dans *cette* maison.

Mais il remarque aussi une table basse qui n'était pas restée, une table qui devrait être à des milliers et des milliers de kilomètres de là.

«Je n'y comprends rien. Non, je n'y comprends rien.»

Il remarque encore un vase de sa mère qui a fait le voyage. Et puis un horrible guéridon qui ne l'a pas fait. Et là, au-dessus de la cheminée –

Il sent le même élancement lui traverser le ventre, alors qu'il sait à quoi s'attendre.

C'est le tableau peint par son oncle, le tableau transporté en Amérique, lui aussi, avec une partie de ces meubles. Un cheval hurlant, disproportionné, les yeux remplis de terreur, et cette épouvantable pique au lieu d'une langue. Son oncle s'était inspiré du *Guernica* de Picasso, entourant le cheval de ciels déchiquetés, et de corps tout aussi déchiquetés, démembrés par les bombes.

Son père lui avait raconté plus tard le vrai Guernica, et il avait compris l'histoire, et même si la version de son oncle n'était qu'une imitation bien pâle, c'était la première peinture que Seth ait vue vraiment, la première vraie peinture que son cerveau de cinq ans ait essayé de comprendre. Depuis, elle avait conservé plus d'importance que n'importe quel tableau de musée.

La chose semble surgir d'un cauchemar, horrible et hystérique, incapable d'entendre ni la raison ni la pitié.

Et c'est un tableau qu'il a vu *hier*, oui, hier, si hier veut encore dire quelque chose ici. Si le temps veut encore dire quelque chose en enfer. Mais quelle que soit la réponse, c'est un tableau qu'il a vu avant de sortir de sa propre maison, là-bas de l'autre côté du monde, de l'océan, la dernière chose que ses yeux aient entraperçue avant qu'il referme la porte d'entrée.

Sa vraie porte d'entrée. Pas celle-ci. Pas cette version cauchemardesque d'un passé dont il aurait préféré ne pas se souvenir.

Il regarde le tableau aussi longuement qu'il peut le supporter, assez longuement pour le transformer en tableau, juste un tableau, mais il sent son cœur tambouriner quand il détourne les yeux, évitant la table de la salle à manger qu'il reconnaît aussi, et les étagères pleines de livres, dont certains titres lus dans un autre pays que celui-ci. Il se déplace aussi vite que son corps affaibli le lui permet jusqu'à la cuisine, concentrant ses pensées sur sa soif, rien que sa soif. Il va directement à l'évier, gémissant presque de soulagement.

Quand il tourne les robinets et que rien ne se passe, il

laisse échapper un cri de désespoir. Il essaye encore. L'un ne bouge même pas. L'autre tourne et tourne entre ses doigts, dans le vide.

Il sent les pleurs monter à nouveau, et ses yeux brûlent, tellement les larmes viennent salées dans son corps déshydraté. Il se sent si faible sur ses jambes, il doit s'incliner en avant et reposer son front sur le bord frais et poussiéreux de l'évier, en espérant ne pas s'évanouir.

« Bien sûr que l'enfer ressemble à cela. Bien sûr. Avoir toujours soif et n'avoir rien à boire. Bien sûr. »

C'est probablement une punition pour cette histoire de petit jésus. Même Monica l'avait dit. Il sent un frémissement soulever son estomac, à se rappeler encore cette nuit-là, se rappeler ses amis, combien tout semblait facile alors, combien ils appréciaient qu'il soit le plus tranquille, combien ils ne s'étaient pas souciés de cette différence entre la scolarité américaine et anglaise, qui faisait de lui le plus jeune de la classe, combien – à commencer par Gudmund – ils l'associaient à toutes leurs activités, comme de vrais amis. Même au vol d'un petit jésus.

Ils l'avaient volé, avec une facilité presque ridicule, seuls leurs rires étouffés risquant de les faire prendre. Ils avaient soulevé Jésus de son auge, surpris par sa légèreté, et l'avaient porté, contenant mal leur hystérie, jusqu'à la voiture de Gudmund. Ils avaient été si nerveux en repartant qu'une lumière s'était allumée chez les Fletcher tandis qu'ils filaient en trombe.

Mais ils l'avaient fait. Et ils avaient conduit comme prévu jusque chez la pom-pom girl en chef, se lançant des « chut ! » sonores en extirpant le petit jésus de la banquette arrière, au beau milieu de la nuit.

Quand H l'a laissé tomber.

Car le petit jésus n'était pas en marbre vénitien mais

moulé dans une céramique de pacotille qui avait explosé avec une sidérante détermination en percutant le trottoir. Un silence étouffé avait suivi, tandis qu'ils contemplaient, horrifiés, les fragments épars.

– Là, on est bons pour y aller, en enfer, avait finalement murmuré Monica, et elle n'avait vraiment pas l'air de plaisanter.

Seth entend un son résonner dans sa poitrine, et il réalise, surpris : un rire. Il ouvre la bouche, et ça sort en un couac horrible et douloureux, mais il ne peut l'arrêter. Il rit, et il rit encore un peu, sans se préoccuper du vertige qui le saisit, alors qu'il est cramponné à l'évier.

Oui. L'enfer. Très probablement.

Mais avant qu'il se remette à pleurer, sensation qui le menace à chaque seconde de rire, il se rend compte qu'un autre bruit a résonné. Un craquement, un grincement, comme le mugissement lointain d'une vache perdue quelque part au fond de la maison.

Il lève les yeux.

Le bruit provient des tuyaux. Une eau sale, couleur rouille, commence à goutter du robinet.

Seth se jette en avant dans un élan désespéré.

Et il boit.

Il boit, boit et boit.

7

L'eau a un goût épouvantable, mélange de métal et de boue, mais il ne peut s'arrêter. Il l'avale au fur et à mesure qu'elle s'écoule du robinet, plus vite maintenant. Après dix ou douze gorgées, il sent son estomac se tordre, s'arc-boute, et rend dans l'évier toute l'eau qu'il vient d'ingurgiter en longues cataractes couleur rouille.

Il souffle bruyamment pendant une bonne minute.

Puis il remarque que l'eau coule un peu plus claire, quoique pas encore vraiment d'allure potable. Il patiente aussi longtemps qu'il peut le supporter, laissant l'eau s'éclaircir un peu plus, puis il se penche et recommence à boire, cette fois plus lentement, en se ménageant des pauses pour respirer.

Il parvient à conserver l'eau dans son estomac, sent sa fraîcheur se diffuser. Elle lui fait du bien, et il remarque encore comme il fait chaud, et particulièrement dans cette maison. Un air étouffant, oppressant, imprégné de la poussière qui recouvre tout. Ses bras sont déjà sales, juste de s'être appuyés sur l'évier.

Il commence à se sentir un peu mieux, un peu plus solide.

Il boit encore, puis encore, jusqu'à combler enfin cette soif dévorante. Lorsqu'il se redresse, complètement cette fois, tout vertige a disparu.

La fenêtre du fond déverse un soleil vif et clair. Il observe la cuisine. C'est bien la vieille cuisine dont sa mère se plaignait tout le temps, la trouvant trop petite, surtout après leur déménagement en Amérique, où les cuisines étaient assez vastes pour accueillir une famille d'éléphants dans le coin petit déjeuner. Car, pour sa mère, rien, *absolument rien* en Angleterre ne pouvait rivaliser avec l'Amérique – et comment pouvait-elle avoir tort ?

Après ce que l'Angleterre leur avait fait.

Il n'y a pas pensé, *vraiment* pas pensé, depuis des années. Il n'y avait aucune raison. Pourquoi s'appesantir sur ses pires souvenirs ? Alors que la vie avait continué, dans un lieu tout nouveau, avec tant de choses à apprendre, tant de gens nouveaux à connaître ?

Et puis, son frère avait bien survécu malgré tout, non ? Il y avait eu des problèmes, bien sûr, quand ils surveillaient les dégâts neurologiques qui pouvaient encore se manifester tout au long de sa croissance, mais son frère avait survécu, et c'était généralement un gamin charmant, heureux et capable, en dépit de toutes les difficultés.

Mais il y avait eu aussi cette période insupportable où ses parents s'attendaient au pire, où ils observaient Seth et, tout en répétant chaque fois qu'ils ne lui reprochaient rien, semblaient pourtant penser –

Il repousse cette idée de son cerveau, ravale la souffrance dans sa gorge. Jette un coup d'œil dans la pénombre du salon, se demande ce qu'il est supposé *faire* ici.

Y a-t-il un but ? Quelque chose à résoudre ?

Ou bien est-il supposé rester là pour toujours ?

Est-ce que c'est cela, l'enfer ? Se retrouver piégé à tout jamais, seul, dans son pire souvenir ?

Pourquoi pas. Il y aurait une sorte de logique, là-dedans.

Mais sûrement pas dans ces bandelettes, maculées de taches sombres, poussiéreuses, et collées à son corps sans rien couvrir des parties essentielles. Et puis, cette eau – qui coule presque claire, maintenant – n'a pas vraiment plus de sens. Pourquoi satisfaire sa soif s'il s'agit d'une punition ?

Il n'entend toujours rien. Ni engins, ni voix humaines, ni véhicules, rien. Juste l'écoulement de l'eau, dont le son le rassure tellement qu'il ne peut se résoudre à fermer le robinet.

Son estomac, vidé deux fois de son contenu, émet un gargouillis qui le surprend. Il réalise qu'il a faim, mais au lieu de s'affoler – car après tout, on mange quoi, en enfer ? – il ouvre machinalement le placard le plus proche.

Les étagères débordent d'assiettes et de tasses, moins poussiéreuses car protégées, mais d'aspect tout aussi abandonné que le reste. Le placard voisin contient les beaux verres et la porcelaine qu'il reconnaît, mais qui n'ont pas tous survécu au voyage en Amérique. Il fait un pas, et trouve enfin de la nourriture dans le placard suivant. Des paquets de pâtes desséchées, des boîtes moisies de riz qui s'effritent sous ses doigts, un pot de sucre durci en un seul morceau, qui résiste à la pression de son index. En insistant un peu, il finit par dénicher des conserves, certaines complètement rouillées, d'autres gonflées de manière inquiétante, mais quelques-unes qui semblent correctes. Il attrape une soupe de nouilles au poulet.

Il reconnaît la marque. Owen et lui ne s'en rassasiaient jamais, et ils demandaient toujours à leur mère d'en acheter, encore et encore –

Il s'arrête. Souvenir dangereux. Il se sent vaciller à nouveau, un gouffre de confusion et de désespoir le guettant, derrière son dos, et menaçant de l'avaler s'il y jette seulement un coup d'œil.

« Ça peut attendre. Tu as faim. Tout le reste peut attendre. »

Le penser ne suffit pas, il n'y croit pas franchement, mais se force à relire l'étiquette de la boîte de conserve.

– Soupe, marmonne-t-il, sa voix guère mieux qu'un croassement, mais plus distincte quand même, après avoir bu.

– Soupe, il répète, plus fort.

Il ouvre les tiroirs. Trouve un ouvre-boîte, rouillé et grippé, mais utilisable, et laisse échapper un petit « ha ! » triomphal.

Il doit bien s'y reprendre à dix fois avant de pouvoir entamer le dessus de la boîte.

– Bon Dieu de… ! crache-t-il en toussant, sa gorge encore peu préparée à un cri.

Il a pourtant réussi à engager le crochet dans le métal. Ses doigts tremblent sous l'effort et, pendant un horrible moment, il se demande s'il n'est pas trop épuisé pour continuer. Mais la frustration le pousse, et enfin, tétanisé par l'angoisse, il parvient à découper et soulever une ouverture suffisante.

Il incline la boîte vers sa bouche. La soupe, gélatineuse, a un goût de fer très prononcé, mais aussi de nouilles au poulet, un goût si merveilleux qu'il se surprend à rire tout en gobant les nouilles.

En même temps qu'il pleure.

Il termine la boîte et la repose d'un geste ferme.

« Arrête. Reprends-toi. Tu dois faire quoi, ici ? Faire quoi, maintenant ? (Il se redresse un peu.) Gudmund, il ferait quoi ? »

Alors, pour la première fois dans cet endroit, Seth sourit – un petit sourire fugitif, mais un vrai sourire.

– Gudmund pisserait un coup, croasse-t-il.

Parce que c'est ce qu'il doit faire, bien sûr, maintenant.

8

Il se retourne vers la pénombre poussiéreuse du salon.

Non, pas encore. Il ne se sent vraiment pas le courage de monter l'escalier à tâtons, jusqu'à la salle de bains, au premier étage.

Il se tourne vers la porte de l'arrière-cour – le *jardin de derrière,* se rappelle-t-il, c'est comme ça que les Anglais l'appellent, que ses parents l'ont toujours appelé. Il lui faut plusieurs longues minutes avant de parvenir à décoincer le verrou, puis il sort au soleil, sur la terrasse en bois que son père avait construite un été.

Les clôtures voisines, de chaque côté, semblent incroyablement proches par rapport à tout l'espace dont ils avaient profité dans leur maison américaine. La pelouse s'est transformée en une forêt de tiges hautes comme le blé et de mauvaises herbes qui le dépassent, même debout sur la terrasse. Tout au fond, il distingue juste le sommet du vieil abri antiaérien, enterré là sous sa voûte depuis la Seconde Guerre mondiale. Sa mère l'avait transformé en cabane de jardin, qu'elle n'avait jamais tellement utilisée et où ils avaient rapidement entassé vieux vélos et meubles hors d'usage.

Le talus derrière la clôture du fond s'élève jusqu'à un grillage de fils barbelés. Il ne voit pas plus loin à cause de l'angle du terrain.

Mais ce ne serait sans doute pas l'enfer si la prison n'était plus là.

Il détourne les yeux et s'avance au bord de la terrasse. Il se penche un peu et s'apprête à faire pipi dans les hautes herbes.

Il attend.

Puis attend.

La tension lui arrache un grognement.

Il attend encore un peu.

Enfin, avec un vrai cri de soulagement, il projette un filet jaune sombre, d'aspect maladif.

Et pousse aussitôt un cri de douleur. Comme s'il urinait de l'acide, et il baisse les yeux, affolé.

Puis s'examine, plus attentivement. De petites coupures, de petites abrasions et des taches marquent son bas-ventre et ses hanches. Il découvre un lambeau de bandelette blanche emmêlé dans ses poils, et un autre plus grand sur sa cuisse nue.

Avec une grimace, il finit d'uriner, et entreprend d'étudier plus attentivement son corps au soleil. Les plis de ses deux bras portent de nombreuses coupures et égratignures, qui marquent également les bords de ses deux fesses. Il tire sur les bandelettes de son torse. L'adhésif résiste, mais cède finalement. Une étrange pellicule métallique garnit l'intérieur des bandelettes, enduite d'une colle filandreuse quand il l'arrache avec les quelques poils qu'il n'avait jamais particulièrement appréciés, d'ailleurs. Même chose pour les bandelettes qui enveloppent ses bras et ses jambes. Il s'acharne sur elles, laissant des plaques brûlantes et découvrant d'autres abrasions et coupures.

Il continue jusqu'à ce qu'il s'en débarrasse complètement, les enroule sur le plancher, salies par la poussière. Leur revers métallique lui renvoie les reflets du soleil en pleine figure, presque agressivement. Il n'y trouve rien d'écrit, et cette partie métallique ne ressemble à rien qu'il ait connu en Amérique, *ni même* en Angleterre.

Il fait un pas pour s'en écarter. Il leur trouve un aspect étrange, anormal. Envahissant.

Il croise, serre ses bras contre son torse et frissonne malgré le soleil qui frappe fort, presque brûlant. Il est complètement nu maintenant, et c'est ce problème-là auquel il doit remédier à présent. Car il se sent incroyablement vulnérable ainsi, et c'est bien plus que le simple fait de se trouver nu. Il perçoit une menace, ici, quelque part, une menace qu'il ressent soudain très nettement. Il jette un coup d'œil vers la clôture et la prison qu'il devine derrière. Et cet endroit lui paraît soudain encore plus anormal que tout ce qu'il en voit concrètement. Quelque chose d'irréel se tient tapi sous toute cette poussière, toutes ces mauvaises herbes. Comme sous un sol qui semble solide mais pourrait bien s'ouvrir à tout moment.

Il continue à frissonner sous la chaleur du soleil, et le ciel bleu limpide, sans une seule traînée d'avion. Tout d'un coup, l'énergie qu'il a dépensée à boire et à manger le rattrape, l'épuisement s'abat sur lui, telle une lourde couverture. Il se sent si faible, si incroyablement, physiquement faible.

Bras toujours croisés, il se retourne vers sa maison.

Elle l'attend, là, souvenir qui demande à s'ouvrir.

9

Faut voir, tapa Seth sur l'écran de son téléphone. Tu conné ma mère.

Cé ta mère, pédé, renvoya Gudmund. E cé koi son problem maintenant?

B en histoire.

Ta mère te prend la tête avec des NOTES? Me à quelle épok elle vit?

Pas la nôtre, et y a que les filles pour écrire des textos aussi longs, pédé.

Seth sourit quand son téléphone se mit aussitôt à vibrer.

– J'ai dit qu'il me fallait voir, chuchota-t-il.

– Qu'est-ce qu'elle a? dit Gudmund. Elle me fait pas confiance?

– Ben non.

– Ah, alors elle est plus futée que je pensais.

– Elle est bien plus futée que tout le monde le croit. C'est pour ça qu'elle est toujours aussi pénible. Elle dit qu'elle vit ici depuis huit ans et que tout le monde lui parle encore fort et distinctement, comme à une étrangère.

– Elle est étrangère.

– Elle est anglaise. C'est la même langue.

– Pas vraiment. Pourquoi tu parles si bas?

– Ils savent pas que je suis encore réveillé.

De son lit, Seth s'accorda un instant pour tendre l'oreille. Il entendit sa mère arpenter le salon, cherchant probablement la clarinette d'Owen. Owen, dans la chambre voisine, plongé dans un jeu d'ordinateur avec d'incroyables solos de guitare. Et, de temps en temps, un martèlement résonnait dans la cuisine au rez-de-chaussée, où son père s'acharnait depuis dix mois sur un bricolage censé en prendre trois. Bref, un samedi matin comme tant d'autres et, donc, merci, il resterait là aussi longtemps que personne ne se rappellerait qu'il –

– SETH ! entendit-il crier du couloir.

– Je dois y aller, marmonna-t-il au téléphone.

– Mais faut que tu viennes, Sethy, insista Gudmund. Combien de fois je vais devoir te le répéter ? Mes parents sont de sortie. On n'aura pas beaucoup d'autres occasions de faire la fête. Terminale, mon vieux, et puis on se tire d'ici.

– Je vais faire mon possible, chuchota précipitamment Seth en entendant les pas lourds de sa mère approcher de sa porte. Je te rappelle.

Il raccrocha alors qu'elle ouvrait la porte à la volée.

– Dis donc, ça t'arrive jamais de frapper ?

– Pourquoi ? Tu aurais des secrets à me cacher ? répliqua-t-elle, mais avec un sourire un peu forcé, et il devina qu'elle cherchait à s'excuser, à sa manière, toujours vaguement agressive.

– Mes secrets ? T'en as aucune idée.

– Je n'en doute pas une seule seconde. Lève-toi. Il faut y aller.

– Et pourquoi je devrais venir ?

– Sais-tu où est passée la clarinette d'Owen ?

– Il s'en passera bien pendant une heure –

– Tu sais où elle est ?

– Tu m'écoutes ?

– Et tu m'écoutes, moi ? Où est-elle passée, cette fichue clarinette ?

– Mais j'en sais rien ! Je ne suis pas son larbin !

– Surveille tes paroles, Seth, coupa-t-elle. Tu sais bien qu'il oublie tout. Qu'il n'est pas aussi vif que toi. Pas depuis…

Elle n'acheva pas sa phrase. Ne la laissa même pas en suspens, s'arrêta juste net.

Seth n'avait pas besoin de demander ce qu'elle voulait dire.

– Je ne l'ai pas vue. Mais je ne saisis toujours pas pourquoi je dois aller là-bas et rester assis à ne rien faire.

Sa mère répondit avec une patience feinte, détachant chaque syllabe :

– Par-ce-que. Je veux a-ller cou-rir. (Elle agita les tennis qu'elle tenait.) J'ai très peu de temps pour moi, en ce moment, et tu sais comme Owen réagit mal quand on le laisse tout seul avec Miss Baker.

– Il va très bien. Il veut juste attirer l'attention sur lui.

Sa mère lâcha un sifflement d'exaspération.

– Seth…

– Bon, mais si je le fais, est-ce que je peux dormir chez Gudmund ce soir ?

Elle marqua une pause. Elle n'aimait pas beaucoup Gudmund, pour des raisons qu'elle ne s'expliquait pas vraiment.

– Même son nom, me déplaît, l'avait-il entendue dire à son père, un soir dans la chambre à côté. Ça veut dire quoi, Gudmund ? Il n'est pourtant pas suédois !

– Gudmund est un prénom norvégien, je crois, avait répondu son père, sans manifester beaucoup d'intérêt pour la question.

– Eh bien, il n'est pas norvégien non plus. Même pas dans le sens où les Américains se disent irlandais ou cherokee. Franchement, toute une population qui refuse le nom de son propre pays, à moins de se sentir menacée !

– Dans ce cas, tu dois souvent les entendre s'appeler Américains, avait répondu sèchement son père, et la conversation avait ensuite pris une tournure plus aigre.

Seth n'y comprenait pas grand-chose. Gudmund était l'ado parfait, ou presque. Populaire, mais pas trop, sûr de lui, mais pas trop non plus. Poli avec les parents de Seth, gentil avec Owen, et il ramenait toujours Seth avant le couvre-feu, puisqu'il avait sa voiture. Comme tous ses camarades, il était un peu plus vieux, mais seulement de dix mois, dix-sept ans contre seize pour Seth, ça ne comptait pas. Ils couraient ensemble dans la même équipe de cross que Monica et H – difficile de trouver plus innocent, comme occupation. Et même si la mère et le père de Gudmund représentaient exactement le genre d'Américains conservateurs qui tendait à horrifier les Européens, les parents de Seth devaient admettre qu'ils étaient très agréables, en tête à tête.

Et même s'ils s'en doutaient évidemment, ses parents n'avaient jamais rien su des bêtises que lui et Gudmund avaient pu commettre. Rien de très grave, à vrai dire. Pas de drogue, et même s'ils buvaient plus que de temps en temps, Gudmund n'aurait jamais conduit saoul. Il était brillant et facile à vivre, et la plupart des parents auraient aimé le voir fréquenter leur fils.

Sauf la mère de Seth, apparemment. Elle prétendait avoir comme un sixième sens, à son propos.

Et c'était peut-être vrai.

– Tu as du travail, demain, répondit-elle, mais il sentait déjà poindre le oui dans la négociation.

– Pas avant six heures, affirma Seth, en conservant une voix aussi neutre que possible.

Sa mère marqua une pause.

– Parfait. Et maintenant, lève-toi. Il faut y aller.

– Ferme la porte ! lança-t-il derrière elle, mais elle était déjà sortie.

Il se leva et trouva une chemise à enfiler. Une heure à supporter l'atroce leçon de clarinette d'Owen avec cette Miss Baker parfumée à l'oignon pourri, pour que sa mère puisse aller courir comme une furie sur le chemin côtier, en échange d'une soirée de liberté qui comprendrait un pack de bière oublié par le père de Gudmund (mais pas de sortie en voiture, et donc vraiment pas de quoi fouetter un chat, ce qui rendait ses soupçons encore plus horripilants, et Seth en aurait presque envie de faire quelque chose de mal, juste histoire de lui montrer). Bon, pour l'instant un marché plutôt correct.

La moindre chance de s'échapper, de ne plus se sentir à ce point enfermé, même pour quelques heures -

Il la prenait.

Cinq minutes plus tard, il était habillé et dans la cuisine.

– Salut, pa, lança-t-il en attrapant un paquet de céréales.

– Salut, Seth, soupira son père, en scrutant le cadre en bois du nouveau plan de travail qui refusait toujours de s'adapter, malgré d'incessants réajustements.

– Pourquoi tu n'engages pas quelqu'un, marmonna-t-il, en se fourrant une poignée de céréales arôme beurre de cacahuètes dans la bouche. Ce serait fait en une semaine.

– Quelqu'un, et qui ça? répondit son père distraitement. On trouve une sorte de tranquillité à faire les choses par soi-même.

Seth avait entendu cette phrase bien des fois. Son père enseignait l'anglais au petit collège d'art privé qui employait les deux tiers de la population de Halfmarket. Quant à ses travaux de bricolage, Seth n'aurait su en faire le compte – depuis la terrasse en Angleterre alors qu'il n'était qu'un bébé, la remise ajoutée au garage ici, et cette extension de la cuisine que son père avait absolument voulu réaliser seul. Mais il jurerait qu'autrement son père serait devenu fou après avoir quitté Londres pour cette petite ville américaine de la côte Ouest. Les travaux finissaient toujours par aboutir, et généralement plutôt bien, mais sa tranquillité tenait sans doute plus aux médicaments qu'il avalait pour soigner sa dépression. Un traitement plus lourd que celui généralement pris par ses amis, assez lourd pour lui donner parfois l'air d'un fantôme hantant sa propre maison.

– Où est-ce que je me suis trompé, encore, bougonna son père en secouant la tête devant un monceau de bouts de bois sciés.

Sa mère entra dans la cuisine et posa bruyamment la clarinette d'Owen sur la table.

– Quelqu'un pourrait-il me dire comment elle s'est retrouvée dans la chambre d'amis ?

– T'as pensé à le demander à Owen, au moins ? marmonna Seth la bouche pleine.

– Me demander quoi ? fit ce dernier en apparaissant sur le seuil.

Owen. Son petit frère. Cheveux ridiculement emmêlés par le sommeil, qui lui donnaient un air infiniment plus jeune que ses presque douze ans, marque rouge de Kool-Aid autour des lèvres, miettes de petit déjeuner collées à son menton, jean droit et haut de pyjama Cookie Monster taillé pour un môme de sept ans.

Owen, le grand n'importe quoi, comme d'habitude.

Mais Seth vit l'attitude de sa mère se métamorphoser en quelque chose qui ressemblait presque à de la joie.

– Rien, mon cœur. Va te laver la figure et mets une chemise propre. On doit y aller, maintenant.

– J'ai passé le niveau 82 ! s'exclama Owen, radieux.

– C'est magnifique, mon chéri. Mais dépêche-toi. On va être en retard.

– Ça marche ! répliqua Owen, décochant un sourire lumineux à Seth et à son père en quittant la cuisine.

Le regard de sa mère le suivit goulûment jusqu'au seuil, comme si elle devait se retenir pour ne pas le manger tout cru.

En se retournant vers la cuisine, son visage affichait une expression étonnamment ouverte et chaleureuse, quand elle vit Seth et son père qui la fixaient. Il y eut un instant de flottement, où personne ne dit rien, et puis elle eut le bon goût de trahir un léger embarras.

– Dépêche-toi, Seth, dit-elle. Nous allons vraiment être en retard.

Elle sortit. Seth se tenait là avec sa poignée de céréales, et puis son père, sans un mot, se remit à scier lentement le cadre du plan de travail. Ce besoin, encore une fois, de trouver une échappatoire monta dans la poitrine de Seth comme une pression physiologique, si forte, si concrète qu'il lui sembla pouvoir la toucher, s'il l'avait voulu.

« Une année encore, se dit-il. Une année et ce sera fini. »

Sa dernière année de lycée, et puis il irait à l'université (du moins, il l'espérait), la même que Gudmund et pourquoi pas Monica. L'endroit n'avait pas d'importance, du moment qu'il se trouvait aussi loin que possible de ce coin perdu et humide de l'État de Washington.

Loin de ces étrangers qu'on appelait ses parents.

Et puis il se souvint qu'il existait des échappatoires plus proches de sa maison.

« Une heure de clarinette. Et le week-end est à moi. »

Il y pensa avec un peu plus de colère qu'il ne l'aurait imaginé.

Et en même temps, il réalisa qu'il n'avait plus tellement faim.

10

Seth se réveille sur le plus grand des deux canapés et, une fois encore, il lui faut un moment avant d'émerger du –

Non, ce n'était sûrement pas juste un rêve.

Il a dormi, il le sait bien, mais comme le dernier rêve, celui-ci était bien trop réel, bien trop *clair*. Rien des flottements d'un rêve, avec ses changements de décor, ses difficultés à se déplacer ou à parler correctement, ses trous dans la chronologie ou la logique.

Il avait vraiment été *là*. En plein dedans. Encore. Vivant dedans.

Il se rappelle cette matinée, aussi nettement que s'il l'avait vue à la télévision. C'était l'été, plusieurs mois avant l'incident du petit jésus, juste avant qu'il décroche son boulot de serveur à mi-temps dans un *steak-house* local. Les parents de Gudmund avaient pris l'avion pour la Californie pour leurs affaires, laissant leur fils veiller sur une maison qui dominait l'océan froid et tumultueux de l'État de Washington. H et Monica étaient venus y passer un moment, et personne n'avait franchement fait grand-chose, à part boire la bière oubliée par le père de Gudmund, glander et se payer des fous rires pour les motifs les plus débiles.

Un grand moment. Vraiment grand. Comme tout cet été avant l'année de terminale, cet été où tout semblait possible et pour une fois à portée de main, où s'il pouvait juste se prolonger un peu, juste un peu, tout finirait par s'arranger –

Seth sent sa poitrine serrée par une tristesse qui menace de s'y engouffrer comme les vagues qui l'ont noyé.

Un grand moment.

Mais qui s'était évanoui.

Évanoui même avant qu'il meure.

Il s'assied, posant les pieds sur le plancher poussiéreux de sa maison d'enfance. Il passe une main dans ses cheveux, surpris de les sentir si courts, une coupe presque militaire, bien plus courts qu'il ne les a jamais eus en vrai. Il se lève et époussette le grand miroir accroché au-dessus du canapé.

Le spectacle l'épouvante. Il a l'air d'un réfugié de guerre. Cheveux rasés ou presque, et visage horriblement amaigri, aux yeux creusés comme s'il n'avait jamais dormi en sécurité de toute sa vie.

« De mieux en mieux, vraiment. »

Il était rentré dans la maison après avoir décollé les bandelettes de sa peau. À ce stade, l'épuisement l'avait accablé, le terrassant comme un puissant anesthésiant. Il était quand même parvenu à s'affaler dans le plus grand canapé, à secouer la poussière de la couverture jetée au dos, à la tirer sur lui et à sombrer dans un sommeil qui avait tout du *knock-out*.

Et il avait rêvé. Ou revécu. Ou qui sait quoi.

Sa poitrine le tiraillant à nouveau, il se drape dans la couverture et entre dans la cuisine, avec la vague idée de dénicher un dîner. Il lui faut un temps pour remarquer que la lumière de la fenêtre du fond a changé.

Le soleil *se lève*. Une nouvelle aube, dehors.

Il a dormi presque un jour entier et une nuit. Il se demande alors comment le temps peut bien passer, ici en enfer.

Enfin, s'il passe. Si le même jour ne se répète pas, indéfiniment.

Après une bataille plus facile avec l'ouvre-boîte – il se sent un peu plus fort – il prend une cuillerée de haricots. Puis les recrache aussitôt, écœuré par leur goût innommable. Il rouvre le placard à la recherche d'une autre soupe.

Il n'y en a pas. Il n'y a pas grand-chose, d'ailleurs, à moins de se résoudre à manger des pâtes momifiées. Sans trop y croire, il tourne les boutons de la cuisinière pour voir s'il pourrait faire bouillir un peu d'eau, mais pas de gaz. Et pas d'électricité non plus quand il essaye d'allumer le vieux micro-ondes poussiéreux. Aucun néon ne s'éclaire quand il actionne les interrupteurs, et le réfrigérateur dégage une vague odeur rance même fermé, il ne prend pas le risque de l'ouvrir.

Faute de mieux, il boit au robinet. Pousse un grognement dégoûté, et sort un verre du placard. Le remplit d'une eau qui semble presque claire maintenant, et l'avale.

« Bon, se dit-il en essayant de refouler la peur qui rôde. Quoi, maintenant ? Hein, quoi ? »

Des habits, maintenant. Oui, des habits.

Il ne supporte toujours pas l'idée de gravir l'escalier – il ne veut surtout pas revoir sa chambre pour l'instant, pas la chambre qu'il partageait avec Owen, pas dans cette maison –, mais il retourne dans la pièce principale, se rappelant un réduit logé sous l'escalier. Derrière la table de la salle à manger, deux petites portes à battant mènent à un lave-linge et à un sèche-linge, aussi muets que deux vaches assoupies dans leur étable. Il pousse un cri de joie quand il découvre un pantacourt de jogging dans le sèche-linge. Déformé, mais à la bonne taille. Pas de chemise, et rien dans la machine à laver sauf une odeur de moisi ancien. Mais il découvre un blouson de sport accroché à une patère. Trop serré aux épaules, et les manches atteignent tout juste ses coudes, mais au moins le voilà couvert. Il fouille dans l'obscurité des étagères et déniche une chaussure de ville noire très usée et une immense tennis qui ne s'accordent pas franchement mais au moins vont à chaque pied sans le torturer.

Il retourne au miroir du salon. Il a l'air d'un clown sans abri, mais il n'est plus à poil.

« Parfait. Et maintenant. »

À la même seconde ou presque, ses intestins gargouillent désagréablement, et pas de faim. Il se rue vers un coin de hautes herbes pour décharger un flux de déjections peu ragoûtantes. Des crampes le déchirent, bien plus que ne devraient le faire une simple soupe au poulet et une bouchée de haricots périmés. Une faim énorme le tenaille, si violente qu'elle lui donne la nausée.

Guetter la prochaine crampe ne serait pas si grave, mais il se sent de plus en plus inquiet, ses bandelettes déroulées sur la terrasse, devant ces herbes déraisonnablement hautes, et la clôture barbelée qui borde le talus.

La prison derrière.

Dès qu'il reprend un peu de forces, il rentre à l'intérieur et parvient à se laver tant bien que mal avec du liquide vaisselle solidifié et l'eau du robinet. Rien pour s'essuyer. Il attend, se demandant quoi faire, *maintenant*.

Il est là, dans une vieille maison poussiéreuse sans nourriture. Avec des habits de clown. À boire une eau qui sans doute l'empoisonne.

Il ne veut pas aller dehors, mais il ne peut pas rester planté là non plus.

Alors, il est supposé faire quoi ?

Si seulement quelqu'un pouvait l'aider. Quelqu'un auprès

de qui il pourrait demander conseil. Quelqu'un avec qui il pourrait partager cet étrange fardeau.

Mais il n'y a personne. Rien que lui.

Et ces placards vides.

Il ne peut pas rester ici, pas sans nourriture, pas dans ces habits invraisemblables.

Il lève les yeux au plafond, imaginant un instant explorer les chambres au-dessus.

Mais non. Pas ça. Pas encore.

Il reste là, silencieux, un long, très long moment, tandis que le soleil commence à emplir la cuisine.

« Bon, se dit-il, allons voir à quoi ressemble l'enfer. »

11

En ouvrant la porte d'entrée, il remarque que le loquet est grippé. Il a passé la nuit dans cette maison avec une porte non verrouillée. Même s'il n'a vu personne dans les parages, cette découverte l'inquiète. Et il ne peut pas non plus la refermer proprement derrière lui, ou il ne pourra plus rentrer. Il s'avance dans les rayons rasants du soleil, la tire doucement derrière lui en espérant qu'elle ait au moins *l'air* fermé.

La rue n'a pas changé depuis hier. Si c'était hier. Il attend, et observe. Absolument rien ne bouge. Il descend les marches, puis l'allée où il – où il quoi ? s'est réveillé ? a ressuscité ? est mort ? Il presse le pas et atteint le portillon qui donne sur le trottoir. Il s'arrête là.

Tout reste silencieux. Vide. Arrêté dans le temps.

Il essaye de se rappeler un peu mieux le quartier. À sa droite, la gare, où il n'y avait pas grand-chose que le bâtiment même. Mais à sa gauche, on rejoignait la grand-rue et le supermarché. Il y avait là des boutiques de vêtements, d'après ses souvenirs. Rien d'extraordinaire, mais mieux que ce qu'il porte, en tout cas.

Alors à gauche.

À gauche.

Il ne bouge pas. Et le monde non plus.

« Bon, tu prends à gauche, ou tu restes à l'intérieur et tu crèves de faim. »

Un instant, la seconde option semble presque plus attirante.

« Et merde. T'es déjà mort. Qu'est-ce qui pourrait t'arriver de pire ? »

Il prend à gauche.

Il voûte ses épaules en marchant, glissant maladroitement ses mains dans les poches de son blouson, placées bien trop haut. À qui ce blouson pouvait-il bien appartenir ? Il ne croit pas avoir jamais vu son père en porter un de ce genre, mais qui se souvient de ce genre de détails, à cet âge-là ?

Il jette des regards furtifs en marchant, se retourne pour vérifier si personne ne le suit. Il atteint la rue qui mène au centre-ville. Sauf un énorme cratère creusé en plein milieu – tapissé d'une forêt d'arbustes –, elle ressemble à toutes les autres. Voitures effondrées sur leurs pneus dégonflés, couvertes de poussière, maisons décrépites, et aucun signe de vie nulle part.

Il s'arrête au bord du cratère. On dirait qu'une canalisation de gaz a explosé : le sol est ouvert comme on le voit parfois aux infos, les journalistes survolant la scène en hélicoptère, et cherchant quoi dire encore et encore pendant d'interminables minutes.

Pas de voitures au fond, et aucune sur les bords non plus – l'événement a dû se produire longtemps après la fin de toute circulation.

« À moins que la circulation n'ait jamais existé. À moins que cet endroit n'ait jamais existé avant que je – »

« Arrête, se dit-il. Arrête ça. »

Une pensée le traverse alors, fugitive, à voir toute cette vie végétale, tous ces arbustes, toutes ces mauvaises herbes ridiculement hautes, complètement hors contrôle, comme dans ce cratère, cet énorme siphon.

Parce qu'alors, forcément, il devrait y avoir des –

Et avant même qu'il pense le mot « animaux », il voit le renard.

La bête reste là pétrifiée, au fond du cratère, blottie parmi les herbes, les yeux luisants et surpris dans le soleil matinal.

Un renard.

Un vrai renard, *vivant*.

Qui cligne des yeux, méfiant, mais pas tout à fait effrayé, pas encore.

– Qu'est-ce que… ? chuchote Seth.

Il entend un jappement, et trois bébés renards – des chiots ? non, des *renardeaux*, ça y est, le mot lui revient – grimpent sur le dos de leur mère avant de s'immobiliser eux aussi, quand ils aperçoivent Seth debout au-dessus d'eux.

Ils attendent et l'observent, prêts à s'enfuir, scrutant le moindre de ses gestes. Et Seth les observe aussi, leurs têtes brun-rouge et leurs yeux brillants. Essayant de comprendre.

Un long moment s'écoule avant qu'il s'écarte du cratère, mais la renarde et ses petits ne le quittent pas des yeux, même lorsqu'il s'éloigne pour remonter la rue.

« Des renards. De vrais renards. »

Au moment précis où il pensait à eux.

Comme s'il les avait appelés lui-même.

Il presse le pas vers la grand-rue maintenant, tête toujours baissée, à jeter des coups d'œil encore plus méfiants. À tout moment, il s'attend à voir quelque chose surgir des buissons, des pelouses en friche ou des herbes qui poussent dans les fissures de la chaussée.

Mais non, rien.

Il fatigue déjà, rapidement, trop rapidement, et quand il atteint la grand-rue, piétonne, il s'affale sur un banc, essoufflé par l'effort fourni à monter cette petite pente de rien du tout.

Sa faiblesse le met en colère. Il a passé trois ans dans l'équipe de cross de Boswell High, sa mère lui avait transmis le virus, et ça aurait dû les rapprocher, mais non. Bon, il n'avait rien d'un champion, et Boswell se faisait régulièrement battre à plate couture, mais quand même. Il n'y avait aucune raison pour qu'il se retrouve à bout de souffle en grimpant cette pente ridicule.

Il regarde autour de lui. La grand-rue se résume à une longue perspective étriquée, fermée à chaque extrémité par des bittes métalliques. Sa mère venait faire les courses ici avec Owen et lui, quand le moindre mètre carré disparaissait sous les étals d'amandes sucrées et de pop-corn, les bougies artisanales et les bracelets supposés guérir de l'arthrite, les horloges et les croûtes colorées que même Owen, pourtant tout petit encore, trouvait horribles.

Il n'y a plus rien ici, maintenant. Juste un grand espace vide, et sa prolifération familière de mauvaises herbes et de bâtiments apparemment abandonnés, comme dans les autres rues.

Seth attend un moment avant de se relever.

Il ne l'a pourtant pas *créé* de toutes pièces, ce renard. L'animal était là, caché dans les buissons, et il l'a vu, un point c'est tout. Il a pensé à des tas de choses depuis qu'il est là, à ses parents et à Owen, à Gudmund, à H et à Monica, même à son oncle quand il a vu son tableau sur la cheminée, et *aucun d'eux* n'est apparu ainsi, d'un seul coup.

Car enfin, puisqu'il y a des plantes sauvages, et que cet endroit ressemble si fortement à l'Angleterre, pourquoi n'y aurait-il pas de renards ? Les renards sont bien anglais, non ? Il se rappelle les avoir vus quand il habitait ici, quand ils traversaient la rue en douce, avec cet air d'indifférence, curieusement philosophe. Alors, bien sûr qu'il y a des renards. Et pourquoi pas ?

Mais les renards doivent manger. Les yeux de Seth balayent les arbres qui poussent dans leurs compartiments en brique, cherchant des oiseaux, peut-être, ou des écureuils, ou des rats. Il doit sûrement y en avoir. S'il y avait un renard, il doit y avoir d'autres animaux, d'autres… *quelque chose*.

Non ? Ou en tout cas, s'il n'avait pas juste *créé*…

– Hé ho, lance-t-il, coupant net le fil de ses pensées, mais insatisfait.

– Hé ho, répète-t-il, sans trop savoir pourquoi il le dit, mais voulant le répéter encore.

Et plus fort, cette fois.

– Hé ho ! dit-il en se redressant. Hé ho !

Il le crie, encore et encore, les poings serrés, la gorge râpée par l'effort. Il continue à crier, et sa voix en devient rauque, et enfin elle se brise.

Alors seulement il réalise que des larmes ont encore mouillé son visage.

– Hé ho ! reprend-il, chuchotant désormais.

Personne ne répond.

Pas un oiseau, ni un écureuil, ni la renarde ou ses petits.

Personne ne répond, de nulle part.

Il est seul.

Il ravale sa douleur et se remet en chemin, pour voir ce qu'il peut trouver.

12

Les magasins de la grand-rue sont tous fermés. Le soleil brille plus fort maintenant, et Seth doit s'abriter les yeux pour regarder à travers les vitrines. Certaines – la boutique de beignets, Subway Sandwich, et une autre appelée Topshop – semblent avoir été vidées, rayons déserts, emballages éparpillés sur le sol, mannequins nus alignés contre le mur.

Mais pas toutes. Le magasin solidaire semble même plutôt bien approvisionné, au cas où il aurait besoin d'un service à thé ou de livres de poche moisis, et aussi un endroit apparemment spécialisé dans les habits de mariage, mais il se voit mal ainsi accoutré, même en enfer.

Et puis son cœur s'accélère quand il regarde à travers la vitre du magasin voisin.

Non, impossible. Totalement *impossible.*

Il distingue des sacs à dos et du matériel de camping, et bien d'autres choses encore qui pourraient lui être *absurdement* utiles.

Bien trop utiles ? Mais cette idée, il la repousse aussitôt. Des magasins de matériel de camping, il y en avait partout sur terre, alors, pourquoi pas ici ?

La porte vitrée est fermée. Il cherche un objet pour la

fracturer et trouve quelques briques éparses dans un bac à arbustes. Il en ramasse une mais, même dans cet endroit si totalement vide, l'interdit qui frappe son acte le fait hésiter, et il soupèse distraitement la brique. Il a joué au base-ball et au basket en cours de gym ; le base-ball ennuyeux à mourir, mais le basket l'amusait presque avec son cortège de cris et de volte-face, et les autres qui prenaient le jeu suffisamment au sérieux pour qu'il ne s'y implique pas trop. Enfin, il sait au moins qu'il peut jeter quelque chose, même pas bien loin et sans adresse particulière.

Quand même. Une brique dans une porte de magasin.

Il regarde autour de lui, une fois de plus. Oui, il est bien seul, toujours seul.

– Ici, rien ne se passe, murmure-t-il.

Il s'arc-boute et lance la brique de toutes ses forces.

Le bruit est assourdissant, comme s'il annonçait la fin du monde. Instinctivement, Seth courbe les épaules, prêt à prétendre que ce n'est pas lui, que c'est juste un accident.

Mais bien sûr, il n'y a personne.

– Idiot, se dit-il, avec un sourire embarrassé.

Il se redresse, et le sentiment d'avoir *fait* quelque chose, peu importe quoi, lui coupe les jambes quand il passe le seuil béant.

Où une nuée de ténèbres glapissantes se précipite au-dessus de sa tête à une vitesse aveuglante. Il tombe par terre, se protégeant la tête avec les mains, hurlant une terreur sans nom –

Mais aussi vite que c'est venu, c'est passé, le monde à nouveau silencieux en dehors de sa respiration saccadée.

Il lève les yeux pour voir le nuage se regrouper en une boule paniquée, puis disparaître par-dessus le toit de la librairie aux stores baissés.

Chauves-souris.

Chauves-souris.

Il rit en lui-même avant de se relever, dégageant du pied les morceaux de verre qui jonchent le sol, pour s'avancer dos courbé à l'intérieur.

Une vraie caverne d'Ali Baba.

Il attrape un sac à dos sur son présentoir. À côté, tout un mur de lampes torches, qui l'attirent d'abord, mais il ne trouve de piles nulle part. Il en prend quand même une grande, longue et assez lourde pour avoir l'air d'une arme, même si elle ne produisait jamais de lumière. À proximité, il déniche aussi un assortiment de rations alimentaires : des trucs d'aspect peu ragoûtant – rôti, soupe aux légumes secs lyophilisée, et ainsi de suite, mais mieux que rien –, et il trouve aussi une série de réchauds pour les cuire, espérant qu'ils ne vont pas lui exploser entre les mains à la première occasion.

Le magasin semble mieux isolé que sa maison, et il y a moins de poussière partout. Une rangée de trousses de premiers soins, presque propre, il en fourre une dans son sac à dos, puis marque une pause. Prend une autre trousse et l'ouvre. Pansements habituels, désinfectant, mais là, au fond, il découvre un paquet étiqueté « bandages conducteurs ». Il le déchire avec les dents. Un rouleau tombe par terre.

Il n'a pas besoin de le ramasser pour voir qu'un ruban métallique double les bandelettes.

Il reprend le paquet, mais n'y voit d'inscrit que « bandages conducteurs », avec un mode d'emploi illustré de quelques instructions. Mais rien qui dise à quoi ça sert ni pourquoi diable il faudrait s'en envelopper tout le corps.

– Bandages conducteurs, répète-t-il à voix haute.

Comme si c'était tellement *évident* qu'il n'y avait pas besoin d'explications.

Il laisse tomber le paquet sur le sol, et se dirige vers les rayons au fond du magasin.

Tellement pleins à craquer qu'il en rit tout haut. Ils ont même des *sous-vêtements*. Bon, thermiques, et donc sûrement un peu chaud en été, mais il se débarrasse de son pantacourt et attrape un collant sans même y réfléchir. Sa fraîcheur lui fait tant de bien qu'il doit s'asseoir.

Le reste des vêtements concerne surtout la montagne et la randonnée, mais il y a aussi des tee-shirts et des shorts, et un blouson imperméable hors de prix – il le prend. Il échange son vieux blouson de jogging pour un autre, simplement plus cher, mais qui au moins ne lui donne pas l'air d'un immigrant clandestin. Et il y a des chaussettes, plus qu'il ne peut en compter.

Il patauge dans un tapis de déjections de chauve-souris pour entrer dans la réserve et trouver des chaussures à sa taille. Enfin, le voilà équipé des pieds à la tête. Et il ressort en plein soleil.

Où il se met à transpirer comme un bœuf, parce qu'il fait bien trop chaud pour porter des vêtements aussi épais.

Pendant un instant, il n'y prête pas attention. Il ferme juste les yeux, et profite. Il n'est plus nu, ni enveloppé de bandelettes sales, ni couvert d'une poussière répugnante. Il porte des habits propres et neufs, et des chaussures neuves, et pour la première fois depuis qu'il est mort, il se sent presque humain.

13

Le supermarché en haut de la rue est plus profond et plus sombre que les autres magasins mais, à travers les baies vitrées, Seth croit voir des rayons plus ou moins remplis. Il déplace son sac à dos, réalisant qu'il l'a stupidement bourré de vêtements et de matériel divers. Il le pose par terre et commence à enlever des affaires qu'il pourra revenir chercher, et puis quelque chose contre un mur attire son regard.

Voilà ce qu'il lui faut.

Il s'escrime un bon quart d'heure pour arracher un chariot rouillé à sa rangée pétrifiée, mais enfin le voilà qui cède, et ses roues tournent presque s'il pousse assez fort.

C'est plus facile de jeter une brique la deuxième fois mais, à l'intérieur, le magasin est bien plus obscur qu'il ne pensait. Assombries par des plafonds bas, les allées dissimulent leur contenu. Il repense aux chauves-souris. Et s'il y avait ici quelque chose de plus gros qu'un renard ? Est-ce que l'Angleterre avait de grands prédateurs ? En Amérique, il y avait des pumas et des ours dans les montagnes, mais il ne se rappelle pas avoir entendu parler d'une seule bête dangereuse en Angleterre.

Il écoute le silence.

Rien. Rien du tout, à part sa respiration. Pas un bourdonnement électrique, pas le moindre frémissement. Mais bien sûr, le fracas de la porte vitrée brisée a tout pu réduire au silence, ici.

Il attend. Toujours rien.

Il pousse le chariot récalcitrant dans les allées.

La section des produits alimentaires est complètement vide. Quelques restes desséchés de fruits et de légumes méconnaissables moisissent au fond des bacs, et en passant d'une allée à l'autre, ses espoirs commencent à diminuer. Il y a bien des articles en rayon, mais tout aussi périmés que dans le placard de sa cuisine. De vieux paquets poussiéreux qui s'effritent sous ses doigts, des bocaux de sauce tomate noircie à l'intérieur, et tout un étalage de boîtes d'œufs manifestement éventrées par une bête affamée.

Puis il pivote à un angle, et là, bonne surprise. Des piles, des tonnes de piles. Beaucoup sont corrodées, mais certaines ont l'air en état. Après seulement quelques essais, sa grande lampe fonctionne.

«Torche», pense-t-il en éclairant une longue allée sombre, tapissée de farine répandue par terre. Les Anglais appellent ça une torche.

Il place sa lampe en équilibre sur le chariot et sillonne le reste du supermarché, dénichant quelques bouteilles d'eau mais pas grand-chose d'autre. Finalement, il se rend compte qu'il ne trouvera presque rien de comestible – entre les miches de pain ratatinées dans leurs sachets, les congélateurs débranchés, remplis d'une moisissure noire qui sent l'huile d'olive rance, les paquets de cookies et de crackers réduits en poussière – bref, rien sauf dans les deux allées des conserves.

Ici encore, la plupart ont rouillé, pire que tout, sont gonflées de bactéries que Seth croirait presque entendre grouiller à l'intérieur. Mais en balayant les rayons avec sa torche, il en découvre beaucoup qui ont un aspect à peu près normal, malgré la poussière. Il remplit son chariot de soupes et de pâtes, de maïs et de flageolets, et même, à son grand ravissement, de crème anglaise. Et plusieurs voyages ne suffiraient pas à faire un trou dans les rayons.

En tout cas, il ne va pas mourir de faim. Pendant un temps.

Pour le temps qui lui reste à passer ici.

Les ténèbres et le silence du supermarché, même avec cette torche bien lourde qui le rassure, l'oppressent d'un coup. Trop lourds, trop étouffants.

« Arrête. Tu vas devenir fou si tu raisonnes comme ça. »

Il pèse de tout son poids sur le chariot et sort dans la lumière du dehors.

Il sent à nouveau la fatigue, et puis la faim aussi, bien réelle, presque aussi violente que la soif d'hier. Il devine un peu de verdure à un angle du marché et il se rappelle le petit parc qui descend dans un vallon, avec ses fontaines et ses allées.

Il pousse le chariot, râlant sous l'effort, jusqu'à ce qu'il atteigne le sommet du parc. Une vraie jungle, évidemment, mais son aspect général n'a pas trop changé. Il y a même encore le petit bac à sable, le seul endroit épargné par les mauvaises herbes.

– Ça ira bien comme ça, souffle-t-il, en laissant tomber son sac à ses pieds.

Il étudie la notice collée sur le réchaud, et cinq minutes plus tard, le gaz encore présent dans la recharge réchauffe une boîte de spaghettis ouverte avec un ouvre-boîtes pas trop rouillé, qu'il a également trouvé au magasin. Mais quand les spaghettis se mettent à bouillir, il réalise qu'il n'a pris ni couteau ni fourchette. Il éteint le réchaud et se résigne à attendre que cela refroidisse.

Il prend une bouteille d'eau dans le chariot et l'étudie à la lumière. L'eau semble claire, plus claire que celle du robinet, en tout cas, même si elle s'est à moitié évaporée, quoique le bouchon soit encore scellé. Il fait craquer le bouchon, et la bouteille émet un léger sifflement. Pas d'odeur particulière. Il boit un peu, et observe le vallon en contrebas.

Familier, oui, malgré toute cette végétation – mais cela signifie quoi, familier, exactement ? se demande-t-il. L'endroit ressemble à une version de son environnement natal figé dans le temps, mais cela ne veut pas dire que c'est le même endroit vraiment.

Il a *l'air* vrai. Au toucher certainement, et à l'odeur définitivement. Mais comme ce monde semble aussi n'héberger que lui, à quel point est-il réel ? S'il s'agit juste d'un vieux souvenir poussiéreux, peut-être n'est-ce même pas un endroit, mais juste ce qui arrive quand vos dernières secondes se transforment en éternité ? L'endroit de la pire période de votre vie, pétrifié pour toujours, pourrissant mais sans jamais mourir vraiment.

Il avale une petite gorgée d'eau. Réel ou pas, cet endroit-là n'a jamais eu grand-chose à voir avec un vrai parc. Bac à sable et aire de jeu exceptés, le versant de la colline est bien trop pentu pour qu'on s'y amuse véritablement. Un gros mur en brique dressé au fond du vallon décourageait même les skate-boarders ; l'endroit devait donc plutôt attirer les employés de la grand-rue pendant leur pause cigarette.

Mais il y a toujours le bassin au fond, en forme de croissant, et d'aspect étrangement limpide. Il aurait imaginé un tapis d'algues, mais l'eau semble au contraire bien attirante par cette chaude journée d'été. Un rocher se dresse au milieu, autrefois couvert de canards qui se lissaient les plumes. Aucun canard aujourd'hui, mais le soleil brille si fort, si chaud, dans un ciel si pur, on croirait qu'ils vont débarquer d'un moment à l'autre.

Il lève les yeux, au cas où ses pensées les créeraient. Mais non.

Il transpire dans ses vêtements de randonnée trop épais, et le bassin lui semble tellement attirant qu'il ressent l'envie soudaine d'y plonger, de s'y rafraîchir, d'y prendre quelque chose comme un bain, et de se laisser flotter, suspendu dans l'eau –

Il s'arrête.

Suspendu dans l'eau.

Cette terreur, la simple, épouvantable terreur qui semblait ne jamais vouloir s'arrêter. La peur était supportable quand on pouvait en voir la fin, mais il n'y avait pas de fin en vue dans ces vagues glaciales, ces impitoyables coups de poing qui l'ignoraient, qui le renversaient encore et encore avec une brutalité aveugle, emplissant ses poumons, le projetant contre les rochers –

Il tend la main vers son omoplate brisée. Il se rappelle la douleur, l'irrévocable *craquement* de l'os. Il en éprouve même une légère nausée, et pourtant, son épaule, là, bouge sans problème.

Alors il se demande où est son corps.

Dans ce monde qui n'est pas celui où il est mort, où est-il ? Il se demande si les vagues l'ont seulement déposé sur le rivage. Il se demande s'ils le cherchent même dans l'océan ou sur la plage, parce qu'il n'était pas supposé se trouver là – *personne* n'étant supposé se trouver là à cette époque de l'année. Par cet hiver glacial sur cette côte furieuse et rocheuse. Qui pouvait bien se trouver à proximité de cette eau et, pire, dedans ?

À moins d'y être forcé.

À moins que quelqu'un l'y ait forcé.

Il ressent une nouvelle douleur à l'estomac, un malaise à se souvenir de ses derniers moments sur la plage, et la nausée s'accentue. Il revisse le bouchon sur la bouteille d'eau, et s'oblige à revenir aux spaghettis. Il les avale maladroitement, en renverse sur son nouveau tee-shirt, mais peu importe.

Il se demande comment ses parents ont su. Est-il parti assez longtemps pour être porté disparu avant la découverte de son corps ? Ont-ils été surpris par des policiers frappant à leur porte, casquette sous le bras et demandant à entrer ? Ou se sont-ils inquiétés de son absence, de plus en plus angoissés au fil des heures, jusqu'à se douter qu'il s'était passé quelque chose de grave ?

Ou si le temps fonctionnait là-bas comme ici – quoique l'hiver glacial de *là-bas* et l'été chaud d'ici remettaient tout en question, quand il n'avait aucune idée du temps passé sur cette allée de purgatoire – mais, tout de même, il a très bien pu mourir avant-hier en soirée, ou même hier en tout début de matinée. Et ils ne savent peut-être rien encore. Ses parents pourraient croire qu'il passe le week-end chez des amis, et entre les cours de clarinette d'Owen, le jogging de sa mère et le bricolage de son père dans la salle de bains, ils peuvent n'avoir rien remarqué.

Ils ne l'avaient jamais beaucoup remarqué, d'ailleurs. Pas depuis ce qui s'était passé.

Peut-être même qu'ils ressentaient comme une joie coupable – au moins, ce n'était pas *Owen* qui s'était noyé. Peut-être qu'ils ressentaient comme un soulagement, de ne plus voir Seth leur rappeler cet été qui précéda le déménagement. Peut-être...

Seth repose la boîte de spaghettis et s'essuie la bouche avec sa manche.

Et les yeux avec l'autre manche.

« Mais il est possible, oui, possible de mourir avant de mourir », se dit-il.

Personne ne se promène dans le parc, personne dans ce monde qui puisse le voir assis au bord du bac à sable, mais il courbe la tête sur ses genoux, car il ne peut s'empêcher de pleurer, encore.

14

– Enfin, bon Dieu, mais regardez-moi ça…, dit Monica.

Ils étaient allongés sur un talus, à l'insu de leur entraîneur de cross, pour regarder les pom-pom girls s'entraîner sur le terrain de football.

– … Vous croyez que des nichons peuvent pointer autant sans chirurgie?

– C'est l'air glacé de l'automne, ironisa H, reprenant une phrase que Mr Edson, leur prof d'anglais, avait lâchée ce matin: « Ça raffermit tout. »

Monica lui donna une tape sur le haut du crâne.

– Aïe! protesta H. Pourquoi tu fais ça? C'est toi qui nous as dit de les regarder!

– Je ne m'adressais pas à toi.

C'était la deuxième semaine de leur année de terminale, début septembre. Ils s'étaient mis d'accord pour prendre un raccourci bien connu sur leur itinéraire de cross, à peine caché, et qui leur donnait vingt minutes de marge avant leur arrivée prévue. Exceptionnellement pour cette époque de l'année, le soleil brillait dans un azur limpide, mais la brise qui soufflait de l'océan pinçait un peu.

« Des journées comme ça, on pourrait presque les dire belles », se dit Seth.

– Ah bon, le froid les raffermit? demanda Gudmund à H en s'étirant sur la pente herbeuse. C'est pour ça que tu gardes la crampe tout l'automne?

– Toute l'année, tu veux dire, marmonna Monica.

– Tant que vous vous protégez, les enfants…, dit Gudmund.

Monica lui jeta un regard furieux.

– Comme si j'allais lui faire un bébé.

– Hé, c'est pas très cool, s'insurgea H.

– Et les voilà qui remettent ça…, murmura Seth en observant le terrain de foot.

Les autres se retournèrent pour voir s'écharper les terreurs de Boswell High, blondes et brunes. Pourtant, la plupart étaient plutôt gentilles, pensa Seth. Chiara Leithauser, l'une des moins sympa, quitta la mêlée pour se diriger vers le bâtiment principal du lycée.

– Mais où va-t-elle? s'interrogea Gudmund.

– Oublié de donner au principal sa branlette de l'après-midi, ricana H.

– Oh, s'il te plaît, coupa Monica. Chiara ne plaisante pas avec cette connerie de chasteté. Elle ne laisse même pas Blake Woodrow poser la main sur son soutien-gorge.

Gudmund haussa les épaules.

– Tant mieux pour elle.

Monica éclata de rire, mais comme il ne réagissait pas, elle le dévisagea plus attentivement.

– Tu es sérieux?

Gudmund haussa les épaules à nouveau.

– Au moins elle a des principes. Qu'y a-t-il de mal à cela? Il faut bien quelqu'un pour compenser notre amoralité.

– C'est ce que nous pourrons dire à Goodall quand il nous pincera, dit Seth en regardant l'entraîneur de l'autre côté du terrain, qui consultait sa montre d'un air contrarié, en se demandant sans doute pourquoi le groupe des seniors était si en retard pour son premier long entraînement.

– Il n'y a rien de mal à avoir des principes, répondit Monica. Mais il y a quelque chose de tordu à s'en servir pour assommer tout le monde.

– Ce ne sont que ses opinions, tu n'as pas besoin de les écouter, reprit Gudmund.

Monica ouvrit la bouche pour répliquer, puis l'ouvrit encore plus, avec un air de surprise amusée.

– Hé mais, tu l'aimes bien, dis donc !

Gudmund prit l'air innocent.

– Non... ! s'écria presque Monica. Bon sang, mais c'est comme aimer une gardienne de camp de concentration !

– Je ne dis pas que je l'aime bien, ne sois pas ridicule ! Je dis juste que je me la ferais bien.

Seth lui jeta un regard.

– Te la faire ? demanda H. Tu veux dire... (et il fit un mouvement de bassin qui provoqua un silence horrifié). Eh bien quoi ? fit-il, comme tous le dévisageaient.

Monica secoua la tête.

– Aucune chance, mon vieux. Elle a un stock de rigolade limité à vie et elle va pas le gâcher au lycée.

– Ce sont les plus faciles, répliqua Gudmund. Leur moralité perche si haut en équilibre qu'une seule pichenette suffit à la mettre par terre.

Monica secoua la tête encore une fois, en lui souriant comme d'habitude.

– Quel baratineur...

– Vous savez ce qu'on devrait faire ? lança H, soudain enthousiaste. On devrait lancer un genre de pari, hein ? Comme quoi Gudmund devra avoir couché avec Chiara, mettons avant les vacances de printemps, plus ou moins. Parce que, vraiment, tu en es capable, mec. De lui montrer le côté... sauvage des choses.

– Oui, écoute l'avis de quelqu'un qui sait même pas trouver la carte d'un coin « sauvage », ricana Monica.

– Hé! coupa H, d'une voix étouffée et peinée. Je ne t'avais pas dit de garder pour nous nos affaires personnelles?

Monica haussa les épaules et lui tourna le dos.

– Qu'en penses-tu, Sethy? questionna Gudmund en essayant de couper court à la dispute. Tu crois que je devrais prendre le pari? Essayer de me faire Chiara Leithauser?

– Oui, répondit Seth, et puis tu découvres qu'elle a un cœur d'or et tu tombes vraiment amoureux d'elle et elle te plante quand elle entend parler du pari, mais tu restes debout devant sa maison sous la pluie à jouer votre chanson fétiche et le soir du bal de promo vous dansez ensemble, une danse qui ne vous rappelle pas seulement l'école mais le monde blessé tout entier et l'absurdité de l'amour?

Il s'arrêta car tous le regardaient.

– Waouh, Seth, lança Monica, « le monde blessé tout entier » ! Je le ressortirai dans mon prochain devoir pour Edson.

Seth croisa les bras.

– Je dis simplement que parier sur le fait que Gudmund couchera ou pas avec Chiara Leithauser ressemble à un scénario merdique de film pour ados qu'on n'irait jamais voir même si on nous payait.

– On ne saurait mieux dire, commenta Gudmund en se levant. Elle ne me mérite pas, de toute façon.

– Tu as raison, ironisa Monica. Sortir avec le plus beau garçon, le plus riche et le plus sympa de l'école devrait lui servir de leçon.

H protesta.

– Blake Woodrow n'est pas si beau garçon…

Et comme les autres le fixaient à nouveau.

– … Ho, hé, ça va bien! Ce que je dis n'est pas toujours si stupide. Blake Woodrow a une coiffure de fille et un front d'homme des cavernes.

Une pause encore, et puis Monica acquiesça:

– Bon, ça, je te l'accorde.

– Et Gudmund n'en ferait qu'une bouchée s'il en avait envie, ajouta H en se levant pour les rejoindre.

– Merci, mec, dit Gudmund. Venant de toi, je le prends comme un compliment.

– Alors, tu ne vas même pas essayer? demanda H, qui gardait un peu d'espoir.

Monica lui administra une nouvelle tape sur la tête.

– Ça suffit, maintenant. Je peux la détester, mais c'est pas une putain. Arrêtez de parler d'elle comme d'un objet dans une vitrine. (Elle fixa Gudmund.) Même toi.

– Je plaisantais, espèce de féministe, rétorqua Gudmund en souriant. J'ai juste dit que c'était faisable. Si je le voulais.

Monica lui tira la langue avant de se diriger vers la piste, H sur ses talons, tous deux essayant de prendre l'air épuisé, comme s'ils avaient couru une demi-heure.

Gudmund jeta un coup d'œil vers Seth, qui l'observait d'un air grave.

– Tu ne penses pas que je pourrais le faire?

– Monica serait si jalouse qu'elle t'étranglerait probablement, lâcha-t-il alors qu'ils s'élançaient à leur tour vers la piste.

Gudmund hocha la tête.

– Mais non, Monica et moi, on est comme frère et sœur.

– Et tu flirtes à ce point avec ta sœur? Elle te veut tellement que ça lui flanque une rage de dents permanente.

– Hé, alors tu crois qu'elle est du genre jaloux, Sethy?

Et, lui envoyant un coup de poing dans l'épaule:

– Pédé, va.

Mais il le dit avec le sourire.

Ils coururent vers l'entraîneur qui vociférait déjà et –

15

Seth redresse la tête en sursaut.

Le monde est toujours pareil. Le soleil au même endroit. Le parc derrière lui. Et il ne pense même pas s'être assoupi.

Il pousse un gémissement. Est-ce qu'ils vont revenir chaque fois qu'il ferme les yeux ? Tous ses souvenirs les plus douloureux, chacun à leur manière, soit trop mauvais, soit trop bons ?

L'enfer, il se rappelle, à présent. Il est en enfer. Alors, forcément, ça craint.

Il rassemble ses affaires, pousse le chariot vers la grand-rue, et recommence à sentir la fatigue.

– C'est idiot, marmonne-t-il, transpirant abondamment sous ses vêtements thermiques, avec son sac à dos sur les épaules, et le poids des conserves dans le chariot. Il s'arrête devant les portes du supermarché, échange le tee-shirt maculé de sauce tomate contre un neuf, puis décharge la moitié des boîtes sur le sol. Il reviendra les prendre plus tard.

Il essuie la sueur de son front et avale une gorgée d'eau. Dans la grand-rue, rien n'a bougé. Les éclats de verre du magasin de sport jonchent toujours le trottoir, étincelant au soleil. Les chauves-souris se sont envolées Dieu sait où. Rien que les mauvaises herbes et le silence.

Des tonnes et des tonnes de silence.

Il la sent, de nouveau. Cette étrangeté. Cette menace. Quelque chose qui ne colle pas dans cet endroit, en plus de tout ce qui ne va évidemment pas.

Il repense à la prison. Elle se terre là, quelque part, invisible, semble presque l'attendre. Énorme et lourde, comme si elle n'obéissait qu'à sa propre gravité, comme si elle le tirait pour –

Peut-être qu'il devrait rapporter la nourriture à la maison, maintenant.

Mais oui, c'est précisément ce qu'il va faire.

La fatigue s'accentue rapidement tandis qu'il pousse le chariot dans la rue principale, comme s'il relevait tout juste d'une longue, d'une grave maladie. Quand il parvient au cratère – la renarde et ses petits disparus depuis longtemps –, il a l'impression d'avoir couru un marathon et doit s'arrêter pour boire encore un peu d'eau.

Il bifurque dans sa rue. Le chariot paraît plus lourd quand il approche de l'allée, et même s'il ne devrait pas le laisser sur le trottoir, il se sent trop épuisé pour le pousser plus loin. Il prend son sac à dos, la torche et deux conserves, et se dirige vers la maison.

La porte s'ouvre sans effort sous sa main, et il brandit sa torche, prêt à frapper un ennemi invisible. Le couloir reste plongé dans la pénombre, mais le faisceau de la lampe le guide. En avançant, il pense à la crème anglaise qu'il pourrait faire réchauffer, si elle est encore bonne. Il n'a pas mangé de crème depuis –

Il s'arrête, pétrifié.

Le faisceau éclaire les marches de l'escalier. C'est la

première fois qu'il les observe vraiment, la première fois qu'une vraie lumière les éclaire. Et il distingue –

Des empreintes de pieds.

Sur la poussière qui couvre les marches.

Il n'est pas seul. Il y a quelqu'un d'autre ici.

Il recule si brusquement que son sac se prend dans la porte, et la referme en claquant dans son dos. Un instant, la panique le submerge à l'idée de se trouver piégé à l'intérieur avec il ne sait qui. Il se retourne maladroitement, parvient à rouvrir la porte, et se précipite dehors au bas des marches, lâchant les boîtes de crème anglaise, regardant derrière lui pour se défendre de qui pourrait le suivre –

Il s'arrête devant le chariot, soufflant bruyamment, tenant la torche comme une massue, jambes tremblantes mais prêt à combattre.

Mais il n'y a personne.

Personne ne jaillit à sa poursuite. Personne ne l'attaque. Pas un son à l'intérieur de la maison.

– Hé ! Je sais que vous êtes là ! (Il serre la torche encore plus fort.) Qui est là ? Hein, qui ça ?

Rien, toujours rien.

Et bien sûr qu'il n'y a rien. Parce que, même s'il y avait quelqu'un, pourquoi se montrerait-il ?

Seth balaye toute la rue du regard, le cœur battant. Toutes ces maisons mitoyennes, leurs portes closes et leurs rideaux tirés. Peut-être que chacune cache quelqu'un. Peut-être que cet endroit n'est pas si vide, désert, après tout. Peut-être qu'ils attendent juste qu'il –

Attendent qu'il *quoi* ?

Cette rue. Ces maisons. Impossible d'avoir un monde avec des gens et tant de choses pétrifiées. Aucune autre trace dans la poussière, aucune plante piétinée, aucun chemin tracé. Les gens devaient fatalement sortir, et sinon, se faire apporter des provisions, quelque chose.

Il se retourne vers sa porte d'entrée, toujours béante.

Il attend. Et attend.

Rien ne change. Aucun bruit, aucun mouvement, humain ou animal. Juste le ciel bleu étincelant et son gros soleil comme pour ridiculiser sa peur. Il finit par se calmer. Tout ce qui était vrai reste vrai. Même en une seule journée, ou deux (peu importe), passée dans cet endroit, il n'a rien vu, pas noté le moindre indice qui lui indique la présence de quelqu'un d'autre.

Pour l'instant, en tout cas.

Mais il attend encore.

Et puis l'adrénaline finit par baisser, et l'épuisement reprend le dessus. Il *doit* s'allonger, c'est tout. Et il doit manger, aussi. Il doit surmonter cette faiblesse qui rend tout si difficile.

Et puis, où pourrait-il aller, sinon ?

Brandissant toujours la torche devant lui, il remonte lentement l'allée, et les trois marches, jusqu'au couloir. Il s'y arrête, projetant la lumière vers l'escalier. Il distingue les empreintes très nettement : elles descendent de l'étage, certaines bien dessinées, d'autres brouillées comme si la personne avait trébuché.

En descendant, pas en montant. Elles sont tournées dans une seule direction.

– Hé ho ? il appelle, plus doucement cette fois.

Il s'avance prudemment vers le seuil du salon. Le cœur cognant à coups sourds, il passe l'angle, prêt à frapper avec sa torche.

Mais il n'y a personne. Rien n'a été touché, sauf ce qu'il a lui-même déplacé, dans le salon comme dans la salle à manger, et rien n'a bougé non plus dans la petite lingerie, ni dans la cuisine. Il jette aussi un coup d'œil dans le jardin arrière : même résultat, les bandelettes métalliques sont toujours en tas.

Alors ces empreintes pourraient dater de… Il se détend un peu. Car enfin, elles auraient même pu être là avant qu'il –

Il s'arrête.

Trébuché dans l'escalier – et ces mots soudain prennent un sens.

Il retourne sur ses pas pour étudier les dernières marches. Des empreintes de pieds, de *pieds nus*, pas de semelles.

Il se débarrasse d'une tennis et ôte sa chaussette neuve. Il place son pied à côté de l'empreinte la plus basse.

Elles correspondent. Exactement.

Il lève les yeux, pour la première fois, vers le haut de l'escalier. Quelque chose, à l'idée de monter là-haut, le tracasse depuis qu'il est entré ici la première fois. Cette chambre étriquée au grenier, qu'il partageait avec Owen quand ils étaient petits. Ces nuits qu'il a passées là, seul, à se demander s'ils allaient pouvoir ramener Owen à la vie, à se demander s'il mourrait alors qu'eux vivaient.

Mais il est déjà monté là-haut, apparemment.

Il s'est réveillé dans l'allée, et pour la raison évidente qu'il a descendu cet escalier en trébuchant, dans ces moments horribles et confus qui ont suivi sa mort. Il a traversé le couloir puis, en plein soleil, s'est effondré dans l'allée.

Où il s'est réveillé.

Manifestement pas pour la première fois.

Il dirige la torche vers l'escalier mais ne distingue pas grand-chose à part la porte de la salle de bains sur le palier, fermée. La salle de bains est au-dessus de la cuisine, et le palier conduit ensuite au bureau, à la chambre de ses parents au-dessus de sa tête, puis au grenier au deuxième étage.

Que faisait-il là-haut ?

Et pourquoi s'en est-il enfui ?

Il se débarrasse du sac à dos, le laisse tomber sur le sol, puis place son pied sur la première marche, évitant son empreinte. Il gravit la marche. Puis une autre. La torche toujours tendue en avant, il atteint la porte de la salle de bains. Un rai de lumière filtre dessous et, quand il ouvre, cette lumière inonde le palier, déversée par la fenêtre.

Le sol de la salle de bains a conservé l'horrible linoléum sang-de-bœuf que sa mère détestait tant, mais que son père n'avait jamais pris la peine de changer. Aucune marque de pas sur la poussière, rien n'a été dérangé ici. Il laisse la porte ouverte pour l'éclairer et retourne sur le palier. Sur lequel ses propres empreintes de pieds nus progressent vers lui.

Il prend soin, sans savoir trop pourquoi, de les éviter en traversant le palier. Il jette un coup d'œil dans le bureau à droite. Exactement comme il se le rappelle, jusqu'au vieux classeur que sa mère avait refusé de faire expédier en Amérique, et un ordinateur d'une taille grotesque. Il promène sa torche, mais ici non plus, rien n'a bougé.

Aucune empreinte ne sort de la chambre de ses parents, mais Seth ouvre quand même la porte. Le lit est fait, le plancher propre, la porte des toilettes close. Il s'avance jusqu'aux rideaux et jette un coup d'œil sur l'allée. Le chariot n'a pas bougé d'un centimètre.

Il revient sur le palier et vérifie ce qu'il soupçonnait depuis le début. Ses empreintes descendent du second, du grenier où se trouvait sa chambre.

Et elles n'y remontent pas.

Ce qui a commencé a commencé là-haut.

Il éclaire l'escalier. Le palier plus petit, car la maison se rétrécit sous le toit. La porte de la chambre du grenier est là.

Ouverte.

Seth distingue une vague lumière à travers, sans doute diffusée par le vasistas, seule fenêtre de la chambre.

– Hé ho ? lance-t-il.

Puis il entame l'ascension, torche toujours braquée. Il respire plus fort. Garde les yeux fixés sur la porte en montant, s'arrête à la dernière marche. La sueur de sa paume rend la torche glissante.

« Bon sang. Mais j'ai peur de quoi, au juste ? »

Il reprend sa respiration, posément, lève la torche presque au-dessus de sa tête, et d'un seul élan franchit le seuil de son ancienne chambre, prêt à combattre, prêt à repousser –

Personne.

Juste son ancienne chambre.

Mais avec une grosse différence.

Le cercueil placé au milieu.

Ouvert.

16

Rien n'a changé, sinon.

Le papier peint aux croissants de lune couvre toujours les murs, toujours taché d'humidité sous la lucarne du toit en pente. Il croit même retrouver l'espèce de visage qu'elle dessine, et qui faisait tellement peur à Owen quand Seth lui disait que s'il ne s'endormait pas dans la minute, le visage le dévorerait tout cru.

Les lits sont bien là, aussi, incroyablement petits dans leur coin, celui d'Owen à peine plus qu'un berceau, vraiment. Il y a l'étagère avec tous leurs livres, très usés mais soigneusement conservés. En dessous, leur caisse à jouets, pleine de figurines en plastique, de petites voitures et de fusils à laser qui faisaient surtout du bruit, et sur le lit d'Owen toute une ménagerie de peluches – des éléphants, surtout, ses préférés – dont Seth sait pertinemment qu'ils ont tous sans exception traversé l'océan et se trouvent là-bas dans la chambre d'Owen.

Et, occupant le milieu de la chambre, sur le plancher entre les deux lits, il y a le long cercueil noir, ouvert comme une palourde géante.

Le store du vasistas est baissé, filtrant une lumière insuffisante, mais Seth ne veut pas enjamber le cercueil.

Au bout d'un moment, il se rappelle qu'il tient une lampe torche dans sa main. Il projette son faisceau sur le cercueil. Il ne se souvient pas en avoir jamais vu un en vrai. Il n'a jamais été à un enterrement, pas même en première, quand Tammy Fernandez avait eu une attaque dans la cour de récréation. Presque tout le monde y avait assisté, mais les parents de Seth avaient refusé fermement de remettre un week-end à Seattle.

– Tu ne la connaissais même pas, avait déclaré sa mère, d'un ton péremptoire.

Le cercueil lui renvoie des reflets, mais pas comme le vernis d'un bois poli. Il brille plutôt comme le capot d'une voiture de luxe. Oui, exactement comme le capot d'une limousine. Comme s'il avait été découpé dans une sorte de métal noir. La curiosité l'emportant, Seth se rapproche. Étrange, encore plus étrange qu'au premier coup d'œil : avec ses angles arrondis, la chose a une allure presque futuriste, comme dans un film de science-fiction.

Pourtant, c'est bien un cercueil, l'intérieur garni de coussins blancs et d'oreillers et –

– C'est pas vrai... lâche Seth, le souffle coupé.

Au fond, sont éparpillées des bandes métallisées.

Comme si on les avait arrachées en tirant dessus, comme si quelqu'un avait lutté et tiré de toutes ses forces pour s'en libérer.

Libre de trébucher aveuglément dans l'escalier avant de s'effondrer dans l'allée.

Seth reste là longtemps, bien longtemps, sans savoir que penser.

Un cercueil ultramoderne, assez grand pour contenir sa

version presque adulte, mais ici dans cette chambre qu'il a quittée quand il était encore enfant.

Mais pas de cercueil pour Owen. Et rien pour ses parents.

Juste lui.

– Parce que je suis le seul qui soit mort, chuchote-t-il.

Il pose une main sur le couvercle ouvert. Froid, comme du métal, mais il s'étonne de trouver une fine couche de poussière sur ses doigts quand il les retire. L'intérieur, pourtant, luit d'une blancheur presque éblouissante, même dans la lumière très atténuée par le store. Un matelassage garnit les côtés, dessinant vaguement l'empreinte d'un corps.

Des bandelettes métalliques arrachées – les bandages conducteurs – s'entrecroisent tout du long. Et des tuyaux aussi, des petits et des gros, certains disparaissant dans les flancs du cercueil, leurs extrémités laissant des taches ici et là sur le blanc des coussins.

Il pense aux marques sur son corps, et à la douleur quand il urine.

Ces tuyaux étaient-ils raccordés à lui ?

Mais *pourquoi* ?

Il s'accroupit, projette le faisceau en dessous. Le cercueil repose sur quatre pieds courts et arrondis, et, de son centre, un petit tuyau file tout droit à travers le plancher. Seth le touche. Il semble légèrement plus chaud que le cercueil, un peu comme si du courant passait dedans.

Il se relève, les mains sur les hanches.

– Non, sans blague, s'exclame-t-il à voix haute. Bon sang, qu'est-ce que… ?

Il remonte furieusement le store de la lucarne. Et observe la rue en bas.

Toutes les maisons qui la bordent.

Toutes ces maisons qui semblent aussi fermées que celle-ci.

– Non, chuchote-t-il, c'est impossible.

La seconde suivante, il dévale l'escalier aussi vite que son épuisement le lui permet sans risquer une chute.

17

Il balance un nain de jardin de toutes ses forces contre la fenêtre de la maison voisine. La vitre vole avec un fracas plutôt agréable. Il élimine les éclats de verre restants et grimpe à l'intérieur. Il ne se souvient absolument pas des gens qui vivaient là quand il était enfant, sauf peut-être qu'ils avaient deux filles plus âgées. Ou peut-être une seule.

En tout cas, il y a peut-être eu là des gens qui sont morts.

Leur pièce principale est aussi poussiéreuse et négligée que celle de sa propre maison. L'agencement à peu près identique, il traverse rapidement la salle à manger et la cuisine, sans rien découvrir d'extraordinaire, juste d'autres meubles poussiéreux.

Il grimpe les marches de l'escalier deux par deux. Un seul palier – les propriétaires ne se sont pas donné la peine d'aménager les combles – et Seth entre dans la première chambre sans même marquer un temps d'arrêt.

Une chambre de fille, sans doute une ado. Il y a des posters de chanteurs dont Seth a vaguement entendu parler, un bureau avec un peu de maquillage rangé dessus, un lit et son couvre-lit bleu lavande, et une peluche de Saint-bernard manifestement usée par les câlins et les larmes.

Mais pas de cercueil.

Même chose dans la grande chambre à coucher, version plus étriquée de celle de ses parents. Un lit, une commode, un placard plein de vêtements. Rien d'inhabituel.

Il utilise la torche pour pousser la trappe du grenier. Doit s'y reprendre à plusieurs fois avant d'attraper le dernier barreau de l'échelle escamotable, pour la rabattre. Il grimpe, projetant le faisceau au-dessus de sa tête.

Il recule vivement, pris dans une tempête de pigeons affolés, qui roucoulent et battent follement des ailes pour s'échapper par un trou ouvert dans le toit. Enfin, le calme revient, et Seth essuie les fientes de pigeon sur ses mains, désappointé de découvrir des oiseaux ici, alors que sa torche et la lumière versée par l'orifice ne révèlent que des cartons, des objets hors d'usage et d'autres pigeons trop surpris pour réagir.

Aucun cercueil.

– Très bien, murmure-t-il.

Il essaye la maison située en face, sans raison particulière, prenant le même nain de jardin pour briser la fenêtre du salon. Il saute à l'intérieur

– Bon sang…, lâche-t-il en découvrant des journaux empilés aux quatre coins, le moindre centimètre carré couvert de papiers d'emballage alimentaire, de tasses à café, de livres, de figurines – et de la poussière, de la poussière et encore de la poussière. Il se fraye un chemin. Le même désordre règne dans chaque pièce. La cuisine semble avoir été abandonnée il y a un siècle, et des objets s'empilent jusqu'à la dernière marche de l'escalier.

Mais dans les chambres à l'étage, puis au grenier, pas de cercueil.

La maison voisine était manifestement habitée par une

famille indienne, avec ses tissus colorés sur les meubles et ses photos de mariés en habits traditionnels indiens.

Mais il a beau ouvrir chambre après chambre, toujours rien.

Un morne désespoir commence à le ronger tandis qu'il soulève le même nain, et fait exploser la vitre d'une nouvelle maison. Puis celle de sa voisine.

L'une comme l'autre remplies de poussière. Et vides.

Il se sent de plus en plus las maintenant, l'épuisement plus difficile à combattre. À la dixième ou douzième maison – il a perdu le fil –, il ne parvient plus à lancer le nain assez fort pour briser la vitre. La statue rebondit sur le sol, ses grands yeux ironiquement tournés vers lui.

Seth s'appuie lourdement contre une clôture en bois. Il est de nouveau sale, couvert par la poussière d'une dizaine de maisons. Une dizaine de maisons vides. Pas une seule qui héberge un autre cercueil dans l'une de ses chambres.

Il veut pleurer, de rage surtout, mais il se reprend.

Qu'a-t-il découvert, après tout ? Qu'a-t-il appris de nouveau ?

Rien qu'il ne supposait déjà.

Il est seul.

Peu importe comment il a fini là, d'où le cercueil est venu et comment il a fini à l'intérieur : il n'y en a pas pour son père ou sa mère, ni pour son frère. Il n'y en a pas dans les maisons de cette rue. Il n'y a aucun signe de personne ni dans le ciel ni sur les rails, ni dans les rues.

Il est vraiment seul dans cet enfer, quel qu'il soit.

Complètement, absolument seul.

« Et ce sentiment ne m'est pas… non, pas complètement inconnu », se dit-il en retournant lentement vers sa maison.

18

– Merde, Sethy, dit Gudmund d'un ton inhabituellement grave. Et ils te le reprochent ?

– Ils disent que non.

Gudmund se redressa sur un coude dans le lit.

– Mais ce n'est pas ce qu'ils pensent.

Seth haussa les épaules d'une façon qui répondait plus ou moins à la question.

Gudmund posa doucement la paume de sa main sur l'estomac nu de Seth. Il la remonta jusqu'à sa poitrine, puis redescendit vers son estomac, et poursuivit plus bas, mais doucement, tendrement, ne demandant rien d'autre encore, laissant seulement Seth savoir combien il était désolé, à travers le contact de sa main.

– Mais enfin, sérieusement, reprit-il, quel genre de pays construit une prison juste à côté de chez les gens ?

– Elle n'était pas vraiment à côté. Il y avait plus d'un kilomètre de clôtures et de gardiens avant d'atteindre la prison proprement dite. (Seth haussa encore les épaules.) Fallait bien la mettre quelque part.

– Ouais, sur une île ou au milieu d'une carrière. Mais pas là où vivent les gens.

– Il n'y a pas beaucoup de place, en Angleterre, et il leur faut bien des prisons.

– Quand même, reprit Gudmund, sa main remontant sur le nombril de Seth pour y tracer un cercle lent. C'est vraiment dingue.

Seth balaya sa main.

– Ça chatouille.

Gudmund sourit, et reposa sa main exactement au même endroit. Seth la laissa. Les parents de Gudmund étaient partis pour le week-end, et une pluie mordante d'octobre éclaboussait les fenêtres, ratissant le toit. Il était tard, deux ou trois heures du matin. Ils étaient au lit depuis des heures, à bavarder, puis pas franchement à bavarder, puis à bavarder encore.

Les gens savaient que Seth dormait chez Gudmund – les parents de Seth, H et Monica –, mais personne ne savait, pour ça. Pour autant qu'il le sache, personne ne s'en doutait. Ce qui en faisait la chose la plus secrète au monde, un univers complètement, parfaitement secret.

Un univers que Seth, chaque fois, souhaitait ne jamais devoir quitter.

– La question, bien sûr…, dit Gudmund (tirant nonchalamment sur le poil qui descendait du nombril de Seth), c'est de savoir si tu te le reproches ?

– Non, répondit-il en fixant Gudmund d'en bas. Bien sûr que non.

– Tu en es sûr ?

– Non, admit-il en riant doucement.

– Tu n'étais qu'un enfant. Tu n'aurais pas dû y être confronté.

– J'étais assez âgé pour savoir.

– Non. Pas assez pour assumer ce genre de responsabilité.

– J'étais juste comme ça, répliqua Seth en captant son regard. Et tu n'as pas besoin de jouer à M. Je-sais-tout.

Gudmund prit la rebuffade avec élégance et embrassa doucement Seth sur l'épaule.

– Quand même. Tu étais sans doute aussi bizarre et renfermé qu'aujourd'hui, pas vrai?…

Seth lui envoya un petit coup d'épaule, mais sans le contredire.

– … Et donc tes parents étaient probablement heureux de cet étrange petit garçon qui se comportait comme un adulte, poursuivit Gudmund. Et ta maman pensait – inconsciemment, admettons – elle a pensé: «J'en ai seulement pour quelques minutes, alors notre petit Sethy peut bien surveiller notre petit Owen, juste une seconde, pendant que je me dépêche d'aller à… »

– À la banque.

– Peu importe. C'était sa faute. Pas la tienne. Mais c'est un poids trop énorme et horrible pour elle, alors elle le reporte sur toi. Elle s'en veut sans doute affreusement de le faire, mais quand même, ça craint. Ne tombe pas dans le panneau, Sethy.

Seth resta silencieux, se rappelant ce matin-là plus nettement qu'il ne l'aurait voulu, même s'il avait essayé. Sa mère avait poussé un juron tellement fort quand ils étaient revenus à la maison qu'Owen, paniqué, avait agrippé la main de Seth. Apparemment, elle avait fait tout ce chemin sans réaliser qu'elle avait laissé une liasse de mille livres sur le comptoir de la banque.

Seth se demanda maintenant, et pour la toute première fois, à quoi tout cet argent aurait pu servir. Tout se faisait électroniquement, même alors, par carte bancaire qui débitait directement le compte. Qu'allait-elle faire avec tout ce liquide?

– Je reviens tout de suite, avait-elle répété.

La banque n'était pas celle de la grand-rue, mais une autre plus loin, plus haut, une petite banque où sa mère ne les avait jamais emmenés auparavant.

– … J'en ai pour dix minutes maximum. Ne touchez à rien et n'ouvrez la porte à personne.

Et elle avait presque couru dans le couloir, laissant Seth et Owen main dans la main.

Dix minutes s'étaient écoulées, et Seth et Owen n'avaient

bougé que pour s'asseoir sur le sol, près de la table de la salle à manger.

C'est à ce moment-là que l'homme à l'étrange combinaison bleue avait frappé au carreau de la cuisine.

– Je l'ai laissé entrer, murmure Seth. Elle m'avait pourtant bien dit de n'ouvrir la porte à personne, et je l'ai fait.

– Tu avais huit ans.

– Je n'aurais pas dû ouvrir.

– Tu avais huit ans.

Seth ne répondit rien. Il y avait eu autre chose que l'ouverture de la porte, mais il ne pouvait pas en parler, même pas à Gudmund. Il sentait sa gorge se serrer, la douleur remonter de sa poitrine. Il se retourna et resta ainsi sur le côté, tremblant un peu à pleurer et à essayer de s'en empêcher.

Derrière lui, Gudmund restait immobile.

– Faut que je te dise, Sethy, finit-il par articuler. Tu pleures et je ne sais pas trop comment gérer ça. (Il caressa le bras de Seth, plusieurs fois.) Je ne sais vraiment pas quoi faire, là.

– Ça va, dit-il en toussant. Ça va. C'est idiot.

– C'est pas idiot. C'est juste… Je suis stupide dans ces cas-là. J'aimerais tellement…

– T'inquiète. C'est juste la bière qui fait son effet.

– T'as raison, acquiesça Gudmund, alors qu'ils avaient à peine bu deux bouteilles chacun. C'est la bière.

Ils demeurèrent silencieux une seconde, puis Gudmund reprit :

– Je crois connaître quelques trucs qui pourraient te faire sentir mieux.

Il pressa son corps contre Seth, son ventre contre son dos, tendant le bras pour attraper ses parties qui répondirent avec énergie.

– Eh bien voilà…, chuchota-t-il gaiement dans son oreille. Et puis, sérieux, pourquoi en faire un tel drame ? Il a survécu, et ils ont attrapé le type, et Owen est un gentil garçon.

– Oui, mais il n'est plus le même. Il a des problèmes neurologiques. Il est tout… éparpillé, maintenant.

– Et tu peux vraiment dire ça par rapport à un môme de quatre ans ? Qu'il était d'une certaine façon avant et différent après ?

– Mais oui, absolument.

– Tu en es sûr, parce que…

– C'est bon, Gudmund. Je ne te demande pas de m'aider. Je te dis les choses, c'est tout. D'accord ?

Il y eut un long silence, pendant lequel il sentait le souffle de Gudmund dans son oreille. Il devinait que celui-ci réfléchissait, cherchait une solution.

– Tu n'en as jamais parlé à personne ? demanda-t-il.

– Non. À qui d'autre pourrais-je en parler ?

Il sentit Gudmund l'étreindre plus fort, dans un mouvement de gratitude.

– Je ne peux plus rien y faire, de toute façon, continua Seth. Mais imagine qu'il y ait cette chose, assise là dans la pièce. Et tout le monde sait qu'elle est là, et personne n'en soufflera jamais un traître mot, jusqu'à ce que ça devienne comme une personne supplémentaire dans ta maison et que tu doives lui faire de la place. Et si tu soulèves la question, ils prétendent ignorer de quoi tu parles.

– Mes parents ont trouvé un film porno sur ma tablette, l'année dernière. Devine combien de fois ils m'en ont parlé depuis ?

Seth se retourna vers lui.

– Je ne savais pas. Je parie que ça les a rendus dingues.

– J'aurais cru, mais non, ils l'ont seulement pris comme une crise passagère. Qui passerait en allant à l'église et en faisant comme si de rien n'était.

– Et ça ne les inquiète pas de me voir tout le temps fourré chez toi ?

– Non, non, fit Gudmund, hilare. Ils pensent que tu exerces une bonne influence sur moi. Et puis, j'en rajoute un peu sur tes exploits sportifs…

Seth rit aussi.

– … Et voilà, nous avons tous les deux des parents perturbés qui ne veulent rien savoir, enchaîna Gudmund. Même si je dois reconnaître que les tiens sont pires.

– Ce n'est pas si grave. C'est juste comme ça.

– Mais c'est assez grave pour te faire pleurer, Sethy, répliqua doucement Gudmund. Et ça ne pourra jamais que te faire du mal. (Pressant Seth un peu plus fort.) Et ce n'est pas quelque chose que j'aime voir, en tout cas.

Seth ne répondit rien, craignant trop que sa voix ne se brise au premier mot.

Gudmund laissa passer un silence, puis reprit :

– Enfin, en tout cas, c'est ce qui vous a fait quitter l'Angleterre. Sinon, jamais je n'aurais connu ce machin.

– Cesse de tirer dessus, dit-il en riant. Tu sais bien ce que c'est qu'un prépuce.

– En théorie seulement. Quand je pense que j'en avais un et que quelqu'un a eu le toupet de me le trancher sans me demander mon avis…

– Arrête, dit Seth en repoussant sa main d'une tape, mais en riant toujours.

– T'es sûr ?

Gudmund glissa un bras sous lui, et l'attira dans une longue étreinte, soufflant dans son cou.

– Attends, chuchota soudain Seth.

Gudmund s'immobilisa.

– Quoi ?

– Juste ça.

– Juste quoi ?

Mais comment Seth pouvait-il l'expliquer ? Juste quoi ?

Juste les bras de Gudmund autour de lui, à le tenir comme ça, bien serré, sans le laisser partir. Le tenir comme si c'était le seul endroit au monde qui puisse avoir jamais existé.

Oui, juste ça.

– T'es un vrai mystère, tu sais, murmura Gudmund.

Seth sentit qu'il tendait le bras hors du lit pour prendre quelque chose, et en se tournant il le vit tenir son téléphone au-dessus d'eux.

– Je t'ai déjà dit, Gudmund. Je ne veux pas de photos de mon…

– Pas ça que je veux…, répliqua-t-il en prenant une photo de leurs deux visages, à partir des épaules, juste ensemble, là sur le lit. Pour moi, dit-il. Juste pour moi.

Il approcha son visage de celui de Seth et l'embrassa sur la bouche tout en prenant une autre photo.

Puis il reposa le téléphone, attira Seth plus près encore, et l'embrassa de nouveau.

19

Seth ouvre les yeux sur le canapé. Il peut à peine respirer avec ce poids qui lui écrase la poitrine.

« Oh, mon Dieu. Oh, non, par pitié. »

Une fois de plus, c'est tellement plus énorme qu'un rêve qu'il doit plaquer ses mains sur son visage pour vérifier si le parfum du corps de Gudmund y est toujours. Il n'y est plus, mais il se souvient de cette odeur, de sel et de bois et de chair et de quelque chose d'intensément plus intime, qui rend le poids encore bien plus lourd.

– Merde, lâche-t-il en s'asseyant, et sa voix se brise. Merde, merde, merde et merde.

Il se penche, se recroqueville et se balance lentement d'avant en arrière, essayant d'éprouver à quel point ça fait mal.

Ce manque. Le manque de Gudmund tellement grand qu'il peut à peine le supporter. Ce sentiment si fort de sécurité, de facilité, cette détente et cette drôlerie. Le côté physique aussi, bien sûr, mais plus que cela, l'intimité, la proximité. Juste se sentir tenu comme ça, désiré, protégé.

Peut-être aimé.

Mais aussi la douleur d'avoir perdu quelque chose qui était à lui. Quelque chose de privé et de secret, qui n'appartenait à personne d'autre, qui n'appartenait pas au monde de ses parents ni de son frère, ni même à celui de ses autres amis.

Perdu.

« Est-ce que mourir ne suffit pas ? Est-ce que je vais devoir continuer à me souvenir ? »

« Non. Parce que tu peux mourir avant d'être mort, aussi », se dit-il.

Oh oui, tu le peux.

Alors, pourquoi pas après ?

Il avait été de nouveau avec Gudmund. Et se réveiller là, c'est comme la mort, mais une mort pire que la noyade.

« Alors là, c'est trop, se dit-il. Vraiment trop. »

Il a encore dormi toute la nuit, apparemment. La lumière qui frange les rideaux a la teinte bleuâtre de l'aube. Il ne veut pas encore se lever, ne pense pas pouvoir, mais la pression sur sa vessie le force finalement à monter l'escalier jusqu'à la salle de bains. Hier, après l'épisode des maisons fracturées, et précisément pour repousser aussi longtemps que possible ce genre de sommeil hanté, il avait réussi à faire couler les tuyaux gémissants du lavabo et de la douche. Avec des verres d'eau, il avait ensuite rempli la chasse d'eau depuis longtemps à sec, et elle avait marché du premier coup, une victoire qui l'avait rendu presque ridiculement heureux.

Il y pénètre maintenant et fait son affaire du matin. Puis il se lave à l'eau froide de la douche, utilisant le liquide vaisselle durci de la cuisine. Souffle coupé, il plonge et replonge sous ce froid brutal, essayant de chasser sa somnolence.

De chasser ce poids qui l'oppresse encore, prêt à l'écraser s'il le laisse faire.

Il se sèche avec un des nouveaux tee-shirts et retourne dans la pièce principale pour enfiler de nouveaux vêtements. Il va lui en falloir d'autres, mieux adaptés à la chaleur, et peut-être des lampes de camping pour la nuit. Il a besoin de plus de nourriture, aussi. Il va vider le chariot et puis le remplir, prendre plus de temps pour mieux choisir.

Oui, c'est ce qu'il va faire.

« Allez, bouge. Ne t'arrête pas. Ne t'arrête pas pour penser. »

Mais il reste là un instant encore, devant son sac à dos, toute cette maison vide autour de lui, le seuil de la cuisine et l'autre porte qui mène dehors sur la terrasse.

Cette porte qu'il a ouverte pour l'homme en combinaison.

Et le grenier où il avait attendu, seul, pendant toutes ces horribles soirées, pendant la chasse à l'homme et à Owen, toutes ces soirées où ses parents pouvaient à peine le regarder ni se regarder, quand son père a commencé à prendre ces pilules de zombie auxquelles il n'a jamais plus renoncé.

Seth n'avait rien dit à Gudmund, même quand il aurait pu, même quand il avait eu là une chance de –

De quoi ? De pardon ? D'absolution ?

S'il avait pu accepter le pardon de quelqu'un, il l'aurait accepté de Gudmund. Il aurait pu lui en parler alors, et même maintenant, il ne sait trop pourquoi il ne l'a pas fait.

Il se rappelle avoir été là, au lit avec Gudmund, tenu aussi fort qu'on pouvait l'être, avoir partagé une histoire qu'il n'avait jamais racontée à personne sauf à ses parents et à la police.

Sa poitrine recommence à lui faire mal.

D'accord, *d'accord,* murmure-t-il.

Il sort pour rapporter la nourriture du chariot, se retenant comme il peut de pleurer.

Il fait trois allers-retours au supermarché avant la fin de la matinée. Surtout des conserves et les quelques bouteilles d'eau qui lui semblent buvables, mais il a aussi trouvé du sucre pas trop dur à briser en morceaux et des viandes séchées emballées sous vide qui ne devraient pas être trop pétrifiées. Il a également déniché deux paquets de farine, même s'il ne sait pas trop ce qu'il pourrait en faire.

Il prend quelques lampes de camping au magasin et trouve encore quelques habits dans un petit Marks & Spencer au coin de la rue. Les chemises et les shorts sont assez ringards pour le faire ressembler à son père, mais au moins il n'a plus besoin de porter des vêtements de sport d'hiver en plein été – et il pense soudain à ce qui se passera s'il est toujours là quand arrivera ce qui peut passer pour un hiver en enfer.

Le soleil a déjà atteint le milieu du ciel quand il fait réchauffer des spaghettis sur son réchaud. Au même endroit du parc où il a mangé hier, à contempler le vallon comme hier, l'herbe et les eaux cristallines du bassin.

Il manque lâcher sa boîte quand il aperçoit un couple de canards qui prennent le soleil sur le rocher central. Ils n'ont rien de spécial, leur plumage marron étincelle, et ils cancanent paisiblement.

Mais quand même. Des canards.

– Hé ! crie Seth, involontairement.

Ils s'envolent aussitôt, à grand renfort de coin-coin affolés.

– ... Hé ! Revenez ! Je vous ai fait venir là ! C'est moi qui l'ai fait !

Ils disparaissent au-dessus des arbres.

– Ben quoi, marmonne-t-il en reprenant une bouchée de spaghettis. Pas comme si j'allais vous abattre pour mon dîner.

Il relève les yeux. Vraiment ? Enfin, il lui faudrait un fusil, pour commencer. Et il pense immédiatement au magasin de matériel de camping –

Et puis, il se rappelle que c'est l'Angleterre, ou en tout cas sa version personnelle de l'Angleterre. On ne peut pas acheter ici une arme à feu comme aux États-Unis, où il aurait pu en obtenir une dans le centre commercial du coin, après un McDonald's et avant une séance de cinéma. Ses parents en étaient horrifiés, et pendant des années ils avaient évoqué le sujet avec une sorte d'indignation européenne joyeuse, les interdisant dans leur maison. Du coup, Seth n'avait pratiquement jamais vu un fusil de près, et encore moins en action.

La chasse, il pouvait donc tirer un trait dessus, à court terme en tout cas. Mais sa boîte de spaghettis en paraît soudain beaucoup moins appétissante qu'un canard rôti. Pas qu'il saurait comment le faire rôtir. À plus forte raison sur un réchaud de camping.

Il pousse un soupir et avale une autre bouchée, utilisant la cuiller qu'il n'a pas oubliée, cette fois. Il se sent fatigué, mais pas autant qu'hier. Il se demande s'il est en train de combler le besoin de sommeil après une première mort qui doit être, sûrement, un événement très épuisant. Sans doute la chose la plus *épuisante* qui puisse jamais vous arriver.

Il baisse les yeux vers le bassin maintenant désert et remarque quelque chose de nouveau. Sur les talus, les herbes hautes se balancent un peu. Plus qu'un peu, même. Balayées par une brise que Seth sent maintenant caresser son visage. Il relève les yeux.

Pour la première fois, quelque chose se dessine dans le ciel. Des nuages. Gros et boursouflés. Gros, boursouflés et *noirs*, courant vers lui.

– Il pleut donc, en enfer ? s'interroge Seth, stupéfait.

Il atteint tout juste la maison quand le ciel se déchire en deux. Un orage d'été, et des bandes bleues se découpant déjà à l'horizon; ça ne va pas durer mais, bon sang, quel déluge ! Il l'observe du pas de sa porte, la poussière des rues rapidement transformée en boue, des stries noires ruisselant sur les vitres des voitures mortes.

Ce parfum lui fait un bien fou. Si propre et si frais, Seth ne peut s'empêcher de redescendre dans l'allée, laissant l'orage inonder son visage renversé, plissant les paupières quand les gouttes lui éclaboussent les yeux. La pluie, sa tiédeur le surprend, et soudain il s'exclame :

– Crétin !

Il court à l'intérieur pour attraper la barre de liquide vaisselle durci. Quelle différence avec la douche glaciale de ce matin –

Il se précipite sur le seuil, mais la pluie diminue déjà, balayée hors du quartier aussi vite qu'elle est venue.

– Merde.

Le vent là-haut doit souffler méchamment, car les nuages de pluie s'évacuent comme s'ils avaient le diable aux trousses, derrière la maison de Seth et vers –

Vers où ?

Oui, *où* peuvent-ils bien aller ?

L'enfer, c'est grand comment ?

Assez grand pour la météo, apparemment. Le soleil a refait son apparition, la brise s'atténue, et de la vapeur monte de la boue qui sèche et redevient poussière dans la rue.

Une rue qu'il a remontée et descendue plusieurs fois, mais sans aller beaucoup plus loin.

Il serait peut-être temps d'aller un peu à l'aventure.

20

Il se sent fatigué maintenant des expéditions de la matinée, mais il résiste à l'envie de faire une sieste, redoutant encore plus les rêves après la nuit dernière. Il préfère remplir son sac à dos de quelques provisions et d'une bouteille d'eau, et partir en balade.

Il s'accorde un temps pour choisir sa direction. À gauche, la grand-rue qu'il a déjà parcourue plein de fois. Bien sûr, il y a d'autres quartiers plus loin, qui s'étendent sur des kilomètres, si sa mémoire est bonne, et qui se transforment en champs vers l'est.

À droite, la gare.

«Je pourrais marcher jusqu'à Londres en longeant la voie ferrée», se dit-il, avec une sorte de vague plaisir. Peu importe qu'il n'ait pas de smartphone pour lui donner le plan, ni d'Internet pour préciser les détails. Il n'a qu'à suivre les rails, et il atteindra Londres.

Enfin, théoriquement. Ça en fait, des foutus kilomètres.

Il marque une pause. Foutus. Il se répète «foutus kilomètres». Ses parents ne disaient même plus «foutus», l'argot américain ayant presque tout oblitéré sauf l'insistance de sa mère pour qu'il l'appelle «m'man».

« Foutu, il répète, foutu, foutu, foutu. »

Il lève la tête. « Foutu soleil. »

Il brille de nouveau très fort, encore plus chaud qu'avant, la boue déjà presque complètement sèche. Sûrement pas le temps froid et humide dont ses parents se plaignaient continuellement. Et rien à voir avec ses souvenirs, même si les souvenirs d'un gamin de huit ans n'étaient peut-être pas très fiables. Mais quand même. Il fait bien plus chaud qu'il n'aurait imaginé. Avec la vapeur qui monte de la chaussée, une chaleur presque tropicale. Un adjectif que personne n'a jamais utilisé pour décrire l'Angleterre.

– Bizarre, murmure-t-il.

Puis il rajuste son sac à dos et prend à droite, vers la gare.

Les rues qu'il traverse sont les mêmes qu'ailleurs, poussiéreuses, désertes. Il devrait peut-être commencer à fouiller plus systématiquement les maisons, d'abord celles dont il a déjà fracturé les fenêtres, et puis en rayonnant progressivement à travers le voisinage. Qui sait ce qu'il pourrait y trouver d'intéressant ? D'autres boîtes de conserve, peut-être, des outils, de meilleurs vêtements. Peut-être qu'une ou deux ont même un potager –

Il se fige.

Les jardins ouvriers. Bien sûr.

Un immense terrain de petits jardins privés, niché derrière un… un quoi ?

Il essaye de se souvenir. Un complexe sportif ? Oui, c'était sans doute cela, un complexe sportif des deux côtés des voies ferrées, et son patchwork de jardins ouvriers derrière. Bien sûr, les mauvaises herbes ne doivent pas manquer, mais pourquoi pas des choses mangeables, aussi ?

Il presse le pas, se rappelant presque automatiquement

de tourner pour prendre le long escalier en béton qui passe entre deux immeubles – « appartements municipaux », il se rappelle. Les termes anglais continuent à lui revenir, et il se demande si son accent va également lui revenir. Gudmund essayait souvent de le faire « parler anglais », lui demandait toujours de dire –

Il s'arrête, le sentiment de perte à nouveau présent, et fort. Trop fort.

« Continue. Aussi longtemps que tu peux. T'arrête pas. »

L'escalier atteint une rue menant à la gare, perchée au sommet d'une petite côte. Il aperçoit le bâtiment, maintenant. Pour rejoindre les jardins, il devra le traverser, puis prendre la passerelle couverte qui enjambe les deux quais. Il ressent comme une excitation en franchissant le seuil, saute le portillon sans hésiter, grimpe les marches jusqu'au premier quai –

Où un train stationne.

Pas bien long, juste quatre voitures, un banal train de banlieue conçu pour faire la navette matin et soir, et Seth s'attend presque à voir des voyageurs en descendre, ou la rame commencer à s'éloigner lentement du quai.

Il ne se passe rien de ce genre, évidemment. Le train reste juste là, silencieux comme un rocher, entièrement recouvert par la poussière de cet endroit. De mauvaises herbes poussent partout dans les fissures du quai et d'autres jusque dans les gouttières de toit des wagons. Comme les voitures garées dans les rues, il n'a sûrement pas bougé depuis bien longtemps.

– Hé ho ? lance Seth.

Il s'avance sur le quai pour regarder par une fenêtre, mais les vitres sont tellement poussiéreuses qu'elles arrêtent presque totalement les rayons du soleil. Il appuie sur le bouton d'ouverture d'une portière mais, faute d'électricité, elle reste solidement fermée.

Il regarde vers l'avant du train. La porte de la cabine du conducteur est ouverte. Il s'en approche, sort la torche de son sac à dos et glisse sa tête à l'intérieur. Un seul siège devant les contrôles, ce qui le surprend. Il en aurait imaginé deux, comme dans les avions. Les écrans sont craquelés, ternis par la poussière.

Une porte communique avec le reste du train, également ouverte. Seth pénètre dans la cabine et éclaire l'allée centrale de la première voiture.

L'odeur. Manifestement, des animaux sont passés là. Ça pue l'urine et le musc, des traces innombrables marquant la poussière de l'allée. Il imagine toutes sortes de renards tapis sous les sièges, le fixant lui, et sa torche, guettant ses mouvements.

Il jette un coup d'œil autour de lui, soudain submergé par ses souvenirs. Le soleil brille quand même assez pour diffuser un vague halo à travers les vitres crasseuses, où courent des graffitis illisibles, et sur les zébrures bleues des sièges en tissu. Il pose une main dessus, rebroussant le revêtement du bout des doigts.

Le train. Le *train*. Il n'a pas pris un train depuis qu'il a quitté l'Angleterre. Pas une seule fois. Les Américains de la côte Ouest ne prenaient pas le train. Seulement leur voiture. Partout. C'est la première fois qu'il monte à bord d'un train depuis qu'ils ont traversé l'océan.

Et le train, ça en signifiait des choses quand il était plus jeune ! Les voyages à Londres et tout ce que la ville pouvait offrir à un gamin de six, sept et huit ans. Le zoo, la grande roue, le musée de cire, et puis les autres musées, moins intéressants car sans personnages en cire. Ou, dans l'autre sens, vers la côte, ses châteaux forts perchés sur les collines et les grandes falaises blanches que sa mère leur interdisait, à Owen et à lui, d'approcher. Et les plages de galets. Et les ferries pour la France.

Les trains allaient toujours dans des endroits incroyables quand on avait huit ans. Ils vous sortaient de la grisaille – ces mêmes maisons, ces mêmes visages et ces mêmes boutiques. Cela lui semble un peu ridicule maintenant, d'avoir été si excité par un simple voyage en train que des millions de gens faisaient chaque jour, mais Seth sent un léger sourire s'étaler sur sa figure tandis qu'il progresse dans le wagon, promenant sa torche sur les porte-bagages et les groupes de sièges assortis, deux ici, trois là, et au fond de la voiture, la petite porte menant aux horribles toilettes qu'Owen, à tous les coups, voudrait utiliser cinq minutes tout juste après le départ du train, dans un sens ou dans l'autre.

Seth secoue la tête. Il avait presque oublié que les trains existaient. Et maintenant, il s'étonne de les avoir trouvés si magiques, quand il était gamin.

« Enfin, quand même. Un train. »

C'est là que la porte des toilettes s'ouvre avec fracas et qu'un monstre se précipite droit sur lui en grognant.

21

Seth hurle de terreur, pivote et court dans l'allée, risquant un coup d'œil en arrière –

Une énorme forme noire se rue vers lui –

Grognant d'une sorte de rage –

Deux yeux le fixant avec une malveillance inouïe –

Seth se jette dans la cabine, heurtant le poste de contrôle avec sa hanche, ce qui lui arrache un cri de douleur. Il enjambe le siège du conducteur, et il y a un moment terrible quand la bretelle de son sac à dos s'y accroche, mais se libère juste au moment où la forme fait irruption.

Seth saute par la portière, et se met à courir sur le quai, laissant tomber sa torche derrière lui. Il jette un coup d'œil encore, alors que la forme jaillit de la cabine, rabattant violemment la porte. Puis elle pivote et s'élance à sa poursuite.

Courant bien plus vite que Seth.

– Merde ! s'exclame-t-il, bras repliés et tentant de retrouver sa technique de coureur, mais c'était du fond et pas du sprint, et il n'a même pas complètement récupéré de –

Il entend une sorte de couinement derrière lui.

(un couinement ?)

Comme il escalade les marches de la passerelle pour rejoindre l'autre quai, il se retourne.

La forme. Le plus laid, le plus sale et le plus gros *sanglier* qu'il ait jamais vu.

« Un sanglier ? Un SANGLIER me charge ? »

Le sanglier en furie se rue sur les marches derrière lui, et Seth remarque sa paire d'ignobles défenses, apparemment ébréchées, qui lui arracheraient volontiers l'estomac.

– MERDE ! hurle-t-il encore, cavalant sur la partie horizontale du pont, mais il est si fatigué, si faible encore, qu'il ne peut lutter.

La bête va l'attraper avant qu'il atteigne les marches qui descendent de l'autre côté.

« Je vais me faire tuer. Par un COCHON. En ENFER. »

Et cette pensée lui paraît tellement insupportable, tellement révoltante, qu'il manque presque l'opportunité de s'en tirer.

La passerelle forme une galerie couverte au-dessus des voies, obstruée des deux côtés par des panneaux en verre opaque, et bordée par une rambarde en fer. Au bout, juste avant la descente, deux panneaux supérieurs manquent.

Laissant assez d'espace pour grimper.

Le sanglier grogne encore, à deux mètres à peine derrière lui, mais il ne pourra atteindre les vitres, il ne pourra –

Seth saute – et il sent la tête du sanglier percuter ses semelles en même temps. L'impulsion le porte presque trop loin, et pendant une fraction de seconde il se demande s'il va tomber directement sur les voies, six mètres plus bas, mais il agrippe le montant vertical entre les fenêtres, parvient à placer un pied sur la traverse en métal et – balançant follement son bras et sa jambe libres dans le vide – il parvient à conserver son équilibre de justesse.

Avant de manquer le perdre encore quand le sanglier vient heurter la cloison.

– ÇA VA ! ÇA VA ! hurle Seth.

Une seule solution, grimper plus haut. Il agrippe une gouttière et se hisse sur le toit de la passerelle. Le sanglier ne cesse d'ébranler la rambarde pendant que Seth ramène sa jambe et se laisse rouler sur son sac à dos, souffle coupé.

Il reste étendu là un moment, essayant désespérément de reprendre sa respiration. Le sanglier continue à cogner, grognant et couinant et jetant tout son poids contre le mur, brisant un autre panneau de verre qui explose en mille morceaux sur les voies.

Seth se penche et observe le sanglier qui grogne furieusement dans sa direction. Une bête tellement plus grande et plus grosse qu'un sanglier normal, elle semble sortie d'un dessin animé. Et très poilue aussi, et ternie par une épaisse couche de crasse. Elle couine de toutes ses forces.

– Mais qu'est-ce que je t'ai fait ? lance Seth.

Le sanglier couine encore et repart à l'attaque.

Seth se remet sur le dos, fixant le ciel.

Il croit se rappeler des histoires de sangliers s'échappant de leur enclos et retournant à l'état sauvage, mais jamais il n'aurait imaginé qu'ils existaient vraiment. Et il n'est même pas sûr de ses souvenirs.

Mais bon, une fois de plus, en *enfer*...

Il reste allongé là, attendant que sa respiration se calme et que son cœur ralentisse. Il tire le sac de sous ses épaules et prend la bouteille d'eau. En bas, il entend le sanglier abandonner enfin la partie. Il souffle et grogne encore, lance un dernier cri de défi, puis Seth entend son trot incroyablement lourd ébranler le pont. Il le voit descendre les marches jusqu'au quai avant de disparaître dans le train, retournant sans doute à l'espèce de tanière qu'il s'est arrangée dans les toilettes.

Seth rit, doucement d'abord, puis plus fort.

– Un sanglier. Un *foutu* sanglier.

Il boit un peu d'eau. Observe la route qu'il a prise, appréciant la vue. Debout, en équilibre sur le toit légèrement incurvé de la passerelle, il distingue même les derniers étages des magasins de la grand-rue. Sa propre maison est trop basse pour être visible, mais il reconnaît le voisinage.

À gauche, derrière l'endroit où se trouve la maison, débutent les zones défrichées qui mènent à la prison.

Il les scrute un moment. Les clôtures et les murs sont toujours là, et les espaces vides intermédiaires pratiquement dégagés, à part quelques maigres herbes. Il ne voit pas la prison même. Les bâtiments sont nichés au creux d'un vallon, derrière une haie d'arbres dense, de brique et de fils barbelés.

Mais il sait qu'elle est là.

Sa seule présence fait vibrer une résonance étrange dans son estomac. Comme si elle le guettait.

Attendant qu'il vienne à elle.

Il se détourne, essayant de voir s'il peut repérer d'ici les jardins ouvriers, et trouver un chemin facile pour y arriver. Il lève la main pour s'abriter les yeux du soleil –

Et découvre que de l'autre côté des voies – le complexe sportif, les jardins ouvriers, des dizaines et des dizaines de rues et de maisons et jusqu'à l'horizon – tout a brûlé.

22

Le terrain descend de l'autre côté de la gare, creusant une vallée très évasée, bordée sur plusieurs kilomètres par des pentes à peine perceptibles. Elles se prolongent rue après rue jusqu'à Masons Hill – Seth se rappelle son nom, maintenant. Seule véritable hauteur à des kilomètres à la ronde, elle soulève le paysage de sa bosse boisée, son versant à pic chutant de vingt mètres vers la route en contrebas, et les jeunes s'en faisaient régulièrement déloger quand ils s'amusaient à balancer des pierres sur les voitures qui passaient.

Entre la gare et cette colline au loin, tout n'est que ruines noirâtres.

Certains pâtés de maisons ont été réduits à des amas de cendres et de gravats, d'autres dressent encore leurs squelettes en brique, dépourvus de portes et de toitures. Même les rues se sont soulevées et plissées, en certains endroits confondues avec les bâtiments qu'elles séparaient. Seth croit bien reconnaître l'emplacement du complexe sportif, et il distingue ce qui ressemble aux vestiges d'un grand trou qui aurait pu correspondre à la piscine, désormais rempli de gravats calcinés et de mauvaises herbes.

Mais la végétation apparaît bien plus clairsemée que dans les rues derrière lui, remarque-t-il. Et pas aussi haute. Des herbes parsèment les friches, à y regarder de plus près, mais rabougries, et certaines manifestement mortes.

Aucune trace des jardins potagers. Sa mémoire lui précise plus ou moins l'endroit où ils auraient dû être, mais parmi toutes ces cendres, ce bois carbonisé et ce béton explosé, son imagination pourrait aussi bien lui jouer des tours.

La destruction s'étend sur plusieurs kilomètres au moins, à droite comme à gauche, aussi loin que porte son regard dans la brume de chaleur. L'incendie – ou autre chose, un tel désastre ayant pu tout aussi bien être causé par une sorte de bombe – a atteint Masons Hill, s'arrêtant à sa base un peu comme au pied de la hauteur où perche la gare, sans doute protégée du feu par ses quais en béton.

Seth observe un désert. Et qui semble pouvoir se prolonger à l'infini.

« Ainsi s'explique toute cette poussière » – la première pensée qui lui vienne à l'esprit. Ces couches de poussière superposées, qui recouvrent presque tout dans les rues derrière lui. Et pas seulement la poussière – la cendre, aussi, dispersée par cet incendie, ou cette chose gigantesque, et qui ne s'est jamais nettoyée.

Mais il découvre également, et d'une façon qui le perturbe plus qu'il ne saurait le dire, un événement *passé*. Quelque chose a pris feu, ou a explosé, ou Dieu sait quoi, et cet incendie incontrôlé a fait rage avant de s'épuiser quelque temps après, dévastant sur son passage une grande partie de ce quartier.

En clair : il y a eu un temps *avant* l'incendie, un temps *pendant* l'incendie, et un temps *après* l'incendie.

Il se sent ridicule, voit mal ce qui peut bien le perturber dans tout cela – car enfin la végétation a poussé, la nourriture n'a pas pourri en un instant et ces choses ont même demandé du temps, un long, très long temps d'immobilité.

Mais cet incendie est un événement. Un incendie *se produit*.

Et si un événement se produit, alors il y a eu un *avant* et un *après*.

« Mais quand ? » se demande Seth, abritant ses yeux du soleil et balayant les ruines du regard.

Puis il se tourne vers son quartier, de l'autre côté des voies.

Et si l'incendie s'était déclenché là-bas plutôt qu'ici ? Et si sa propre maison avait brûlé, et non celles d'étrangers ?

Se serait-il réveillé ?

« À moins que mon cerveau n'essaye de me dire quelque chose ? »

Car enfin, ces terres noircies forment comme une barrière, non ? Comme un endroit où l'enfer s'arrête. Il a peut-être atteint une zone où un panneau pourrait tout aussi lui signaler – *Entrée interdite*.

Le monde, *ce* monde, lui semble terriblement plus petit, d'un coup.

Brusquement, il n'a plus tellement envie de pousser son exploration aujourd'hui. Il balance son sac par la fenêtre de la passerelle et redescend. Regagne le quai, attentif à ses pas quand il récupère la torche, pour ne pas déranger l'énorme, l'invraisemblable sanglier du train.

Puis il glisse ses mains dans ses poches, courbe les épaules et reprend le chemin de sa maison.

23

– Parce que nous devrions dire quoi ? demanda sa mère, furieuse. Nous devrions réagir comment ? Hein ?

Son père soupira et croisa les jambes sur sa chaise, en face de Seth. Ils étaient dans la cuisine, l'endroit – et Seth se demanda s'ils s'en rendaient compte – où ils parlaient toujours des choses graves avec lui, généralement en cas de problème.

Il s'y retrouvait bien plus souvent qu'Owen.

– Ce n'est pas que nous... (Son père leva les yeux, cherchant la bonne formule.)... y attachions de l'importance, Seth...

– Qu'est-ce que tu racontes ? coupa sa mère. Bon sang, mais bien sûr qu'on y attache de l'importance !

– Candace...

– Oh, je vois déjà ce que tu penses. Tu es déjà en train de lui pardonner...

– Mais pourquoi parler de pardon... ?

– Toujours cette attitude laxiste, indifférente à tout, du moment qu'on te laisse bricoler tranquille dans ton coin. Pas étonnant qu'il se comporte comme un imbécile.

– Je ne suis pas un imbécile, articula Seth, les bras croisés, les yeux baissés sur ses chaussures de tennis.

– Et tu appelles ça comment, toi, tu peux me le dire ? Comment *peux-tu voir cette situation autrement que comme une énorme, une ahurissante catastrophe? Tu sais comment ils sont, ici...*

– Candace, ça suffit, coupa son père, plus fermement cette fois.

Sa mère fit un geste de la main en signe, sarcastique, de reddition, puis leva ostensiblement les yeux au plafond. Son père se tourna vers lui, et Seth réalisa, avec un léger choc, combien il était rare qu'il le regarde droit dans les yeux. C'était comme si une statue vous demandait subitement son chemin.

Malheureusement, Seth ne pouvait même pas donner complètement tort à sa mère. Pour la catastrophe. Les photos avaient été découvertes. Diffusées. Via *une source invraisemblable, qu'on n'aurait jamais suspectée. Mais aussi, ils avaient été idiots de penser qu'elles resteraient secrètes, car qui pouvait garder un secret dans ce monde aussi stupidement connecté?*

– Seth, poursuivit son père, ce que nous essayons de dire, c'est que... (Il marqua une nouvelle pause, pesant ses mots. Pendant un horrible instant, Seth se demanda s'il allait devoir l'aider, dire les mots à sa place.) ... Quels que soient les choix que tu fasses, nous sommes toujours ta maman et ton papa, et nous t'aimons toujours. Peu importe le reste.

Un pénible et long silence suivit.

«Peu importe, hein», pensa Seth. Comme il y a huit ans. Mais ce n'était pas vrai non plus, il y a huit ans.

– ... Mais cette situation..., soupira son père, où tu t'es fourré...

– Je savais qu'on ne pouvait pas faire confiance à ce garçon, coupa sa mère en secouant la tête. J'ai su qu'il portait la poisse dès que je l'ai vu. Jusqu'à son nom stupide.

– Ne parle pas de lui comme ça, coupa Seth doucement, mais avec une colère sourde qui plongea ses parents dans un silence horrifié.

Il n'avait pu voir Gudmund aujourd'hui que le temps de lui dire, de l'avertir, avant que ses parents le jettent dehors.

– Ne parle plus jamais de lui comme ça, ni autrement.

Sa mère resta bouche bée.

– Comment oses-tu me parler ainsi ? Comme OSES-TU penser que tu peux… ?

– Candace, interrompit son père, essayant de l'arrêter comme elle se levait de sa chaise.

– … Parce que tu n'imagines tout de même pas que tu vas le revoir ?

– Essaye seulement de m'en empêcher, lança Seth, les yeux brûlants.

– Ça suffit ! cria son père. Tous les deux !

Seth et sa mère se jetèrent un regard de défi, puis elle finit par se rasseoir.

– Seth, reprit son père, j'aimerais que tu prennes quelques anti-dépresseurs, ou même quelque chose de plus fort…

Sa mère lâcha un cri d'exaspération.

– Et c'est tout ce que tu as trouvé comme solution ? Le faire sombrer dans le brouillard, comme toi ? Peut-être que vous pourriez vous associer, alors, et bricoler en silence pendant le reste de votre vie ?

– Je dis juste, reprit son père, péniblement, que Seth lutte manifestement contre quelque chose…

– Il ne lutte contre rien du tout. Il veut, il implore qu'on s'intéresse à lui. Il ne supporte pas que son petit frère nécessite plus d'affection que lui, alors voilà ce qu'il a trouvé. (Elle secoua encore la tête). Eh bien, tu te fais du mal et c'est tout, Seth. C'est toi qui devras aller à l'école la semaine prochaine, pas nous.

Il sentit ses boyaux se tordre. Elle avait mis le doigt là où ça faisait mal.

– Tu n'es pas obligé d'y aller, dit son père. En attendant que les choses se calment. Et puis, nous pouvons aussi te changer d'école…

Sa mère poussa un nouveau soupir exaspéré.

– Je ne veux pas changer d'école, coupa Seth. Et je continuerai à voir Gudmund.

– Je ne veux même plus entendre prononcer son nom, cracha sa mère.

Son père eut l'air peiné.

– Seth, tu ne crois pas que tu es un peu jeune pour prendre des décisions aussi... radicales. Faire ces... choses avec...

Incapable de dire «un autre garçon», il laissa sa phrase en suspens.

– Et tout ça alors que tu sais combien Owen nous tracasse en ce moment, dit sa mère.

Seth leva les yeux au plafond.

– Tu te tracasses toujours pour Owen. Voilà à quoi se résume ta vie ridicule. Te tracasser pour Owen.

Le visage de sa mère se durcit.

– Et c'est toi qui as le culot de nous balancer ça! Toi?

– Qu'est-ce que ça veut dire, ça? crache Seth.

– Tout ce que nous disons, coupa son père en haussant le ton pour couvrir leurs voix, c'est que tu aurais pu nous en parler. Tu peux nous parler de tout.

Un nouveau silence suivit, qu'aucun d'eux n'essaya de combler, comme s'ils se demandaient si c'était vrai.

Seth fixa ses pieds.

– Et qu'est-ce qui ne va pas chez Owen, maintenant? marmonna-t-il, incapable d'articuler le dernier mot sans y déverser toute sa colère.

Pour seule réponse, sa mère se redressa brusquement et quitta la cuisine. Ils l'entendirent monter bruyamment les marches, entrer dans la chambre d'Owen, puis Owen se lancer dans un commentaire fébrile sur le nouveau jeu vidéo qu'on lui avait offert à Noël, la semaine passée.

Seth tourna les yeux vers son père, surpris.

– Qu'est-ce qui la rend si dingue? Qu'est-ce que ça peut lui faire, tout ça, finalement?

Son père plissa le front.

– Ce n'est pas seulement toi. On a eu les scans de ton frère.

– Ceux à cause de ses yeux?

Owen avait des problèmes de vue, depuis quelques semaines. Il voyait un objet s'il se trouvait en face de lui, sa console de jeu ou sa clarinette, par exemple, mais dans la maison, il faisait tout tomber, quand il ne s'étalait pas purement et simplement par terre. Il en avait même saigné quatre fois du nez, en dix jours.

– Les dégâts neurologiques, précisa son père, de… d'avant.

Seth détourna le regard, presque automatiquement.

– … Les choses ne pouvaient que s'améliorer ou empirer, poursuivit-il.

– Et elles ont empiré.

Son père hocha la tête.

– Et elles vont continuer comme ça.

– Alors il va se passer quoi, maintenant ?

– Chirurgie. Et thérapie cognitive. Presque tous les jours.

Seth releva la tête.

– Vous aviez dit qu'on ne pouvait pas se le permettre, non ?

– Effectivement. L'assurance n'en couvre qu'une partie. Ta mère va devoir retrouver un travail, et nos économies vont en prendre un coup. Des jours difficiles nous attendent, Seth.

Tout basculait dans la tête de Seth. Son frère, les soucis d'argent, et le fait, il avait honte en y pensant, que son inscription à l'université, cet automne, allait puiser dans ces mêmes économies, et si elles n'étaient plus là…

– Alors, toute cette histoire avec toi et ton ami, tu comprends… Ça ne tombe pas au meilleur moment.

Un rire résonna dans l'escalier. Ils se tournèrent, même s'il n'y avait rien à voir. Sa mère et Owen, qui partageaient quelque chose entre eux, comme d'habitude.

– Et quand est-ce que ça tombe au bon moment ? demanda Seth.

Son père lui tapota l'épaule.

– Je suis désolé, fiston. Vraiment.

Mais quand Seth se retourna vers lui, il ne le regardait déjà plus.

24

Il pleut à nouveau quand Seth s'éveille le lendemain matin, mais il met plusieurs minutes à s'en apercevoir, à cause du rêve qui résonne encore en lui.

Il reste étendu, immobile sur le canapé. Il n'a toujours pas dormi dans aucun des lits à l'étage. Le sien au grenier bien trop petit pour lui maintenant, même s'il voulait l'utiliser, et il ne le veut pas, et dormir dans le lit de ses parents lui paraît trop bizarre, alors il préfère ce sofa poussiéreux, sous l'œil terrifié du cheval, au-dessus de la cheminée.

Le rêve.

Le poids sur sa poitrine s'est alourdi, il l'empêche pratiquement de bouger.

Le plus beau avec Gudmund, c'était le secret qui les avait enveloppés. Quand ils étaient ensemble, ils avaient créé leur propre univers intime, avec eux deux pour seules frontières, pour seule population. Ils étaient le monde, et le monde était eux. Et personne ne méritait de savoir, ni sa mère ni son père, ni ses amis, personne, non, pas alors, ou en tout cas pas encore.

Non parce que c'était mal – bien sûr que non – mais parce

que c'était *à lui*. La seule, l'unique chose qui lui appartenait entièrement.

Puis le monde avait découvert, ses parents avaient découvert. Ces deux photos que Gudmund avait prises, si douloureusement innocentes comparées à ce que certains garçons de l'école envoyaient à leurs petites amies, mais si intimes, tellement pas faites pour être vues par quiconque, que Seth en brûle encore de colère et d'indignation.

Sa mère avait eu raison. Retourner au lycée avait été un cauchemar. Le monde entier s'était effondré et métamorphosé en un endroit où Seth ne vivait pratiquement plus. Après les vacances de Noël, il y avait eu lui et tous les autres. Loin. Hors d'atteinte. L'administration avait essayé de juguler les pires attaques, mais elle ne pouvait sans cesse veiller au grain. Partout, des chuchotements, constamment, son téléphone qui vibrait, même la nuit, de textos sarcastiques. Et il n'osait même plus s'aventurer sur le Net, où les photos, et leurs commentaires obligés, surgissaient partout. Son univers le plus intime exposé au mépris universel.

Mais il ne pouvait partir. Gudmund n'était toujours pas rentré au lycée, ses parents réfléchissant à ce qu'ils allaient faire de lui. Et Seth devait être là, au moment où il reviendrait. Il devait donc faire face, seul.

« Renfermé », avait dit Gudmund de lui. En fait, il avait très tôt senti un poids personnel peser sur ses épaules, pour autant qu'il se souvienne, et peut-être pas exclusivement lié à ce qui était arrivé à Owen. Pire, il avait également eu l'impression, depuis tout aussi longtemps, qu'il devait y avoir autre chose que ce poids.

Parce que sinon, à quoi bon ?

Et il y avait eu cette autre chose merveilleuse avec Gudmund, depuis cette surprenante nuit de printemps, à la fin de la première, quand ils étaient devenus plus que de simples amis. Comme si, d'un coup, et pendant le plus bref instant, le fardeau s'était soulevé, comme si la gravité n'existait plus, comme s'il s'était finalement délesté de la lourde charge qu'il portait –

Il sait qu'il devrait arrêter de penser à ça, qu'il devrait s'activer, s'occuper à simplement survivre dans cet endroit. Mais il se sent comme au fond d'un puits, le soleil et la vie et la fuite à des kilomètres de distance, et personne pour l'entendre, même s'il pouvait appeler au secours.

Il a déjà vécu cela, auparavant.

Il reste allongé, à écouter la pluie, pendant de longues, longues minutes.

Les lois physiologiques l'obligent finalement à se lever. Il va pisser, puis se plante sur le seuil de la porte d'entrée. La pluie tombe en averse, creusant et sillonnant la boue d'innombrables petits ruisseaux. Il se demande pourquoi l'eau ne s'évacue pas, puis réalise que les flaques étendent et agrandissent leurs lents tourbillons boueux devant les caniveaux bouchés.

Il fait presque aussi chaud qu'hier. Il prend le bloc de liquide vaisselle, laisse ses habits en vrac et se douche sous la pluie, dans l'allée.

Il se savonne des pieds à la tête, blanchissant de mousse ses cheveux ratiboisés, puis ferme les paupières et lève la tête pour laisser la pluie tout rincer. Presque distraitement, il se touche un peu, guettant une réaction, mais le poids sur sa poitrine est trop lourd, les souvenirs trop nombreux, trop énormes. Il abandonne et se croise les bras, laissant le savon se dissoudre, et rejoindre l'eau brunâtre qui s'accumule dans l'allée.

« Est-ce que j'ai fait cela ? se demande-t-il, serrant ses bras plus étroitement contre lui. Est-ce que j'ai fait venir cette pluie ? Et rendu cet endroit encore plus pitoyable ? »

Il reste là, sans bouger, puis commence à frissonner. La pluie n'est pas si chaude, finalement.

Il pleut toute la journée, la rue très inondée à une extrémité, mais le cratère permet d'évacuer l'eau près de la maison avant qu'elle ne monte trop haut. Il espère que la renarde et ses petits auront trouvé un abri.

Il se fait chauffer une boîte de soupe à la tomate. Pendant ce temps, observe le jardin à l'arrière, la pluie qui éclabousse la terrasse et le tas de bandelettes désormais trempé. Le ciel est d'un gris uniforme, impossible de distinguer un nuage, juste un ciel de pluie d'un horizon à l'autre, et jusqu'à quelle distance il n'en sait rien. Quand la soupe est chaude, il en avale deux cuillerées mais l'appétit lui manque et il abandonne le reste près du réchaud éteint.

Pas de téléviseur, bien sûr. Pas d'ordinateur. Pas de jeux électroniques. Faute de mieux, il prend un livre sur les étagères. Un livre de son père. Seth en avait déjà lu des passages en Amérique il y a des années, il l'avait chipé en douce, quand son père avait le dos tourné. Il était bien trop jeune alors pour lire ça, et (il sourit) bien trop vieux maintenant. Des tonnes de sexe bon enfant, de métaphores accumulées juste pour le plaisir, et de méditations philosophiques sur l'immortalité. Avec un satyre, qui l'avait fasciné. Il avait demandé à son père ce qu'était un « satire », ayant entendu prononcer ce mot et pensant qu'il s'agissait du même. Après une explication emberlificotée, son père avait demandé : « Mais pourquoi diable me demandes-tu cela ? » Et cette aventure littéraire s'était arrêtée là. Il n'avait jamais pu reprendre le livre sur son étagère pour en connaître la fin.

Il lit sur le canapé, laissant la pluie tomber et le jour s'écouler au-dehors. Dans le courant de l'après-midi, la faim le tenaillant trop, il fait chauffer une boîte de hot dogs. Il en dévore la moitié et pose le reste à côté de la soupe à la tomate. Au crépuscule, il allume l'une des lampes qu'il a prises au magasin. Sa lueur projette des ombres noires dans toute la pièce, mais éclaire suffisamment les pages du livre.

Il en oublie le dîner.

« Un livre », se dit-il en frottant ses yeux fatigués par la concentration. « Un monde à lui seul », également. Il réexamine la couverture. Un satyre joue de la flûte de pan, d'un air bien plus innocent que ses aventures dans le livre. « Un monde fait de mots – où l'on vit pendant un temps. »

– Et puis, c'est fini, murmure-t-il.

Il ne lui reste qu'une cinquantaine de pages. Il saura enfin ce qui arrive à la fin.

Puis il quittera ce monde-là pour toujours.

Il replie le coin de la page et pose le livre sur la table basse.

Il fait totalement noir maintenant, et il se rend compte qu'il n'a jamais vu cet endroit de nuit. Il prend la lampe et se poste devant le seuil, à l'abri de la pluie, moins forte maintenant mais toujours régulière.

Cette obscurité tenace le stupéfie. Pas une seule autre lumière qui réponde à la sienne, pas un réverbère, ni un néon, ni même cette lueur qui subsiste toujours à l'horizon comme un reflet des lumières des villes.

Ici, il n'y a rien. Rien que les ténèbres.

Il éteint la lampe et, pendant un instant, le monde disparaît complètement. Il se tient là, à respirer dedans, à écouter la pluie. Lentement, très lentement, ses yeux s'accoutument peu à peu à une faible lueur, sûrement la lune derrière les nuages. Le quartier commence à se dessiner, façades des maisons et des jardins, la boue traçant rivières et estuaires sur les trottoirs et la chaussée.

Pas un souffle, pas un mouvement.

Et puis, soudain, une fracture dans les nuages, une lueur d'étoiles diffuse, mais comme un coup de trompette dans le silence, comparée aux ténèbres absolues. Parce qu'il fait si sombre, Seth distingue plus d'étoiles par cette petite déchirure qu'il n'en a peut-être jamais vu dans un ciel totalement dégagé. L'ouverture s'élargit, brille plus fort, et Seth comprend mal d'abord l'étrange mèche blanchâtre qu'il discerne à travers, comme si quelqu'un avait renversé -

Du lait.

La Voie lactée.

– Bon Dieu de merde, chuchote-t-il.

Il contemple la vraie Voie lactée, effilochée à travers le ciel. La totalité de sa galaxie, là juste devant ses yeux. Des milliards et des milliards d'étoiles. Des milliards et des milliards de *mondes*. Tous, toutes ces possibilités apparemment infinies, pas fictives, mais *réelles*, là-bas, existantes, et maintenant. Il y en a tellement plus là-bas que dans le monde qu'il connaît, tellement plus que dans sa minuscule ville de l'État de Washington, tellement plus même qu'à Londres. Ou en Angleterre. Ou en *enfer*, d'ailleurs.

Tellement plus qu'il n'en verra jamais. Tellement plus qu'il n'en connaîtra jamais. Tellement qu'il peut seulement en avoir un aperçu suffisant pour savoir que ces mondes resteront toujours hors de sa portée.

Les nuages se referment.

La Voie lactée s'évanouit.

25

Il est tard. Il n'est jamais resté debout aussi tard, ici. Il se sent fatigué, mais il n'a pas envie de dormir. Il ne pense pas pouvoir encaisser un nouveau rêve, souvenir, ou quoi que ce soit du même genre. Ils deviennent de plus en plus douloureux et il sait, sans vouloir trop y penser, que le pire reste à venir.

Il rallume la lanterne en rentrant dans la maison. Il se demande un instant ce qu'il va faire puis, pris d'une inspiration soudaine, il se dirige vers l'escalier. Le grenier ne l'intéresse pas – l'idée du cercueil, dans les ténèbres de cette nuit non éclairée, lui flanque bien trop les jetons –, mais il y a le bureau utilisé par sa mère, avec tous les papiers de la famille, son père ayant le sien à la fac.

Il pose la lampe sur le bureau et, sans trop d'espoir, essaye l'ordinateur. Rien ne se passe, évidemment. L'énorme unité centrale et le moniteur ridiculement bombé – il ne se rappelle même pas quand il en a vu un pour la dernière fois – restent aussi sombres et muets qu'auparavant.

Il jette un coup d'œil sur les papiers éparpillés, et la poussière soulevée le fait tousser un peu. De vieilles factures, principalement, mais aussi quelques notes où il reconnaît aussitôt, presque avec un choc, l'écriture de sa mère.

« Inspecteur chef Rashadi », déchiffre-t-il sur l'un d'eux. Il se souvient du nom, même s'il ne l'a plus entendu depuis huit ans. L'inspectrice qui est restée avec eux pendant qu'on recherchait Owen, celle qui avait été si gentille, posant et reposant doucement ses questions à Seth. Sous son nom, il y a un numéro de téléphone, puis « Masons Hill » et « chiens policiers », ce qui le surprend. Il ne se souvient pas de recherches lancées dans cette partie de la ville. Owen avait été retrouvé dans un entrepôt abandonné. Une information anonyme, dont on n'avait jamais découvert la source, mais la police avait trouvé Owen et le prisonnier –

Le prisonnier.

Seth n'arrive pas à se rappeler son nom.

Il reprend sa lecture. « Inspecteur chef Rashadi », oui, c'est logique, tout comme une autre note avec deux autres noms – agent Hightower et agent Ellis, les premiers policiers arrivés sur les lieux après le coup de téléphone hystérique de sa mère.

Et ils étaient à la poursuite de –

Seth fronce les sourcils. Comment peut-il avoir oublié le nom de l'homme qui avait enlevé Owen ? Le nom de l'homme entre les mains de qui Owen avait failli mourir ? Cet homme qui pourrissait aujourd'hui dans la prison la plus sécurisée d'Angleterre en raison de ses multiples crimes, pas seulement son évasion et l'enlèvement d'Owen ?

– C'est dingue…, chuchote Seth.

Il n'y arrive pas. *Vraiment pas.* Comme un point effacé dans sa mémoire. Tout le reste est bien là. Il n'oubliera jamais le visage de l'homme, déjà, ni sa combinaison de prisonnier.

Ni les choses qu'il a dites.

Mais son nom.

Son nom, son nom, son nom...

L'oublier, non, c'est *impossible*. Il l'avait entendu encore et encore quand la chasse à l'homme battait son plein. Il l'avait même prononcé dans ce rêve avec Gudmund –

N'est-ce pas ?

Mais il ne trouve pas. Il a beau chercher, rien ne vient.

Il atteint le plus haut tiroir du classeur. Il y a forcément quelque chose là-dedans, des coupures de presse sur son arrestation, ou des déclarations officielles de la police ou -

Il immobilise sa main sur la poignée du tiroir. Une photo encadrée repose à plat sur le haut du classeur. La poussière s'est accumulée au dos, mais en la redressant dans le faisceau de la lampe, Seth sait déjà ce que c'est.

Ils sont tous là. Lui, sa mère, son père, et Owen, avec – c'est pas vrai ! *Mickey Mouse !* Seth sourit, il ne peut s'en empêcher. Ils avaient pris le train jusqu'à Disneyland Paris. Le garçon de seize ans voudrait bien ricaner, se dire que ce voyage était idiot et que ce parc c'était pour les marmots et que ses attractions ringardes n'avaient vraiment rien à voir avec les montagnes russes qu'il avait ensuite faites en Amérique –

Mais non. Ils avaient passé un sacré moment. Exactement, un sacré, *foutu* moment. De leurs vies, avant que tout change. De leurs vies, quand tout semblait possible.

De leurs vies, avant qu'Owen disparaisse pendant trois jours et demi avec un tueur condamné dont le nom refuse de faire surface dans sa tête. Pendant trois jours et demi, des policiers – pour la plupart des femmes, comme l'inspecteur Rashadi – étaient restés dans la maison vingt-quatre heures sur vingt-quatre, essayant de rassurer ses parents même si c'était évidemment impossible. Sa mère alternait les crises de rage et le calme le plus effrayant. Son père bredouillait, son élocution brouillée par les médicaments qu'on lui avait administrés après qu'il avait passé toute la première journée à pleurer.

Ni l'un ni l'autre ne parlaient beaucoup à Seth. En fait – il essaye de se rappeler –, ils ne lui avaient peut-être même pas parlé du tout.

Il avait bien plus parlé avec l'inspecteur Rashadi. Une petite femme, les cheveux tirés en arrière sous un foulard, mais quelque chose dans ses manières avait coupé court aux exigences de sa mère et aux sanglots angoissés de son père, cinq minutes à peine après qu'elle avait franchi le seuil de la porte. Seth avait aimé sa façon de ne pas lui parler comme un adulte parle à un enfant, il avait aimé le son de ses mots, qui sonnaient si vrai.

Avec une légèreté infinie, elle l'avait questionné encore et encore sur ce qui s'était passé, lui disant que s'il pouvait se rappeler autre chose, même le plus minuscule, le plus stupide détail, il devait le lui confier parce qu'on n'en savait rien, peut-être que cela pourrait aider son frère.

– L'homme avait une cicatrice sur sa main, précisa Seth lors de leur troisième ou quatrième conversation.

Il avait décrit un anneau avec son pouce et son index pour montrer la taille de la cicatrice.

– Oui, avait dit l'inspecteur Rashadi, sans le noter dans son calepin. Il s'est fait effacer un tatouage.

– Et c'est important ? Ou stupide ? avait demandé Seth.

Elle lui avait répondu par un simple sourire, ses deux dents de devant un peu de travers, mais brillantes comme la lune.

Il se souvient de tout cela maintenant, mais pas de l'homme dont ils parlaient, comme si son cerveau l'avait totalement effacé de sa mémoire.

Il jette un nouveau coup d'œil à la photo. Owen et Mickey au milieu, Owen avec un sourire si large qu'il en paraît physiquement douloureux, et sa mère et son père de chaque côté, affichant un sourire un peu gêné, mais aussi, c'est évident, passant un super moment sans oser se l'avouer.

Et il y a Seth, souriant également, regardant Mickey un peu plus timidement et gardant ses distances – il se rappelle avoir été littéralement *terrifié* par l'éclat effarant du costume et le sourire pétrifié et le *silence* étrange de ce Mickey, même s'il suppose qu'un Mickey parlant français lui aurait semblé encore bien plus étrange.

Sur la photo, un petit espace le sépare de sa famille, mais il n'a pas envie de trop insister sur ce détail. Juste un moment, où il s'est sans doute écarté du Mickey quand la photo a été prise.

Parce qu'il sourit, quand même.

« Et j'ignore ce qui va arriver », se dit Seth, en reposant la photo en haut du classeur.

Il quitte le bureau sans se retourner, refermant la porte derrière lui.

26

Il s'occupe jusqu'à l'aube pour ne pas s'endormir. Il se plonge dans un nouveau livre – celui du satyre, pas terminé, sur la table basse. Et quand il sent sa tête dodeliner, il se lève et fait les cent pas dans la pièce. Il se réchauffe une boîte de spaghettis, mais à nouveau n'en mange que la moitié pour la reposer à côté de la soupe et des hot dogs.

Avec l'aube, la pluie semble s'atténuer, remplacée par un crachin brumeux, mais l'eau continue à tracer ses sillons boueux partout au-dehors.

Seth se sent étrangement hypertonique après cette longue veille, et il lui prend l'envie de courir. La saison de cross était depuis longtemps terminée quand il s'est noyé, et il n'avait pu courir qu'à deux ou trois reprises, avec le mauvais temps qu'ils avaient eu pendant tout l'hiver.

Sa mère, elle, avait pourtant continué à courir, par défi peut-être. Plus la météo était exécrable, plus elle aimait cela. Elle rentrait complètement trempée, soufflant de la vapeur comme une locomotive.

– Bon Dieu, que c'est bon, lâchait-elle, reprenant sa respiration sur le seuil, et vidant sa bouteille d'eau.

Il y avait des années qu'elle ne demandait plus à Seth de l'accompagner.

Pas qu'il aurait dit oui.

Enfin, sans doute pas. Quoique.

Mais ça lui manque, de courir. Et piégé dans cette maison, ça lui manque plus que jamais. Le rythme de la course, le moment où son souffle trouvait finalement son rythme, le moment où le monde basculait vers lui, comme s'il restait immobile, toute la planète se mettant à tourner sous ses pas.

C'était une solitude, mais une solitude qui ne l'isolait pas. Une solitude qui permettait de mettre les choses au point. Et il n'en avait pas profité depuis des siècles.

Pas étonnant que les choses aient si mal tourné à la fin de cet hiver-là.

Il jette un nouveau coup d'œil par la fenêtre. La brume toujours épaisse, le monde toujours aussi gris.

– Dès que le soleil revient, je vais courir.

Il reste coincé à l'intérieur jusqu'au soir. Les pendules de la maison évidemment arrêtées, il ne peut que deviner à quelle vitesse les heures s'écoulent.

Mais, surtout, il ne veut pas dormir. Il enchaîne les méthodes les plus idiotes pour rester éveillé. Chanter à pleins poumons. Faire le poirier. Énumérer les cinquante États d'Amérique (il parvient à quarante-sept, essaye désespérément de se rappeler le Vermont, puis laisse tomber).

Il se refroidit avec la nuit tombante. Il allume toutes ses lampes et monte dans la chambre de ses parents pour y prendre des couvertures supplémentaires. Il s'en enveloppe, et fait les cent pas dans le salon, essayant de penser à quelque chose, n'importe quoi, pour occuper son cerveau, repousser l'ennui et le sommeil à la fois.

Et la solitude.

Il s'arrête au milieu du salon, drapé dans les couvertures comme dans une toge.

La solitude. Avec la fatigue accumulée, la terrible solitude de cet endroit le submerge, tout comme les vagues qui l'ont noyé.

Personne. Personne à part lui. *Personne.*

À tout jamais.

– Merde, crache-t-il en sourdine, accélérant le pas. Oh, et puis merde, merde et merde.

Il se sent sous l'eau, comme avant, luttant pour respirer. Il s'étrangle, il s'étouffe, comme quand une nouvelle vague glacée le submergeait.

– Lutte, marmonne-t-il, pris de panique. Lutte, merde. Bon Dieu de merde –

Il s'arrête au milieu de la pièce, et pousse un gémissement sourd, involontaire. Il en redresse même la tête, comme pour chercher un air qui lui échappe et s'éloigne toujours plus loin, hors de portée.

– J'en peux plus, chuchote-t-il pour les ombres suspendues au-dessus de lui. Ça ne peut pas durer. Pas indéfiniment. Pitié –

Il plie et déplie ses doigts, tire sur les couvertures comme si elles l'étouffaient soudain, l'entraînaient sous terre. Il les laisse tomber sur le plancher.

« Je peux pas. Pitié, je peux plus » –

Puis il remarque, à la lumière des lampes, que les couvertures ont balayé la poussière du sol derrière lui. Le plancher poli lui renvoie même quelques reflets.

Il repousse du pied une couverture, révélant une bande de plancher propre. Il l'écarte jusqu'au mur, balayant plus de poussière. Il ramasse la couverture. Le dessous est crasseux, alors il la replie sur son côté propre et la promène le long du mur jusqu'à la cheminée.

Il se retourne. Une large bande de plancher apparaît relativement plus nette, maintenant.

Il replie encore la couverture et longe le mur autour de la pièce, puis fait le tour des canapés, la pliant et la repliant au besoin jusqu'à nettoyer la presque totalité du plancher. Il jette la couverture sale au milieu de la cuisine et en prend une autre, la pliant en carré pour essuyer la table de la salle à manger. Il tousse un peu dans la poussière soulevée, mais là aussi, il obtient une surface luisante presque partout.

Il mouille le coin d'une couverture plus petite dans l'évier et frotte les plus grosses taches sur la table avant de s'attaquer au téléviseur. Chaque fois qu'une couverture devient trop sale, il la pose dans la cuisine et en prend une autre. Il monte ensuite à l'étage, sort des serviettes et des draps horriblement raides du placard à linge, et les utilise pour essuyer la cheminée et les encadrements de fenêtre.

Une espèce de transe maniaque le possède, son cerveau exclusivement concentré sur un enchaînement de gestes impossibles à arrêter maintenant qu'il les a enclenchés. Il nettoie la bibliothèque, les lattes des portes de la buanderie, les chaises autour de la grande table. Il casse par mégarde une ampoule du lustre en essayant d'épousseter les toiles d'araignée, enveloppe les éclats dans une couverture et l'ajoute à la pile.

Il essuie la poussière qui recouvre le miroir accroché au-dessus du canapé. Mais la crasse collant au verre, il prend une serviette mouillée et frotte plus fort, mécaniquement, de plus en plus fort.

– Allez..., marmonne-t-il, presque sans se rendre compte qu'il parle à voix haute. *Allez...*

Il recule d'un pas, essoufflé. Il lève le bras pour s'y remettre –

Et, dans la lumière de la lampe, il se voit.

Il voit son visage affreusement maigre, ses cheveux coupés courts, la moustache sombre qui pointe sous ses narines et sur son menton, mais pas tellement sur ses joues, où il désespère d'obtenir une vraie barbe un jour.

Il voit ses yeux. Les yeux de quelqu'un qui fuit. Pourchassé. Ou hanté.

Et il voit aussi la pièce derrière lui. Cent fois plus vivable qu'avant sa frénésie de nettoyage, une frénésie qu'il ne s'explique pas trop.

Mais le résultat est là. Une pièce propre, ou du moins plus propre. Il a même dépoussiéré l'horrible, l'épouvantable tableau du cheval agonisant. Il observe son reflet, ses yeux fous, sa langue dardée comme une pique de terreur.

Et il se souvient.

Ce nettoyage. Cette remise en ordre des choses. Cette frénésie de rangement.

Il l'a déjà fait. Dans sa propre chambre en Amérique ?

– Non, murmure-t-il. Oh, non.

La dernière chose qu'il ait faite avant de quitter sa maison.

La dernière chose, avant de descendre à la plage.

La dernière chose qu'il ait faite avant de mourir.

27

– Et tu crois que ça me fait plaisir? chuchota furieusement Gudmund. Tu ne vois pas que c'est la dernière chose au monde que je souhaite?

– Mais tu ne peux pas…, reprit Seth. Tu ne peux pas, comme ça…

Il ne pouvait le dire. Ne pouvait même pas prononcer le mot.

Partir.

Du siège de la voiture, Gudmund jeta un regard inquiet vers sa maison. Des lumières éclairaient le rez-de-chaussée, et Seth savait que les parents de Gudmund étaient debout. Ils pouvaient découvrir son absence à tout moment.

Seth croisa fébrilement les bras pour se protéger du froid.

– Gudmund…

– Je dois finir l'année au lycée privé de Bethel, ou bien ils ne me paieront pas l'université, Sethy. Ils balisent à mort… Tout le monde ne peut pas avoir des dingues d'Européens gauchistes pour parents, ajouta-t-il en fronçant les sourcils.

– Pas si gauchistes. Ils me regardent à peine, maintenant.

– Ils te regardaient déjà à peine avant…

Puis, se tournant vers Seth:

– Excuse-moi, je comprends.

Seth resta silencieux.

– … Ça ne durera pas éternellement, poursuivit Gudmund. On se reverra à la fac. On trouvera un moyen pour que personne…

Mais Seth secouait la tête.

– Quoi ? demanda Gudmund.

– Je vais devoir aller à l'université de mon père, lâcha-t-il, sans relever la tête.

Interloqué, Gudmund esquissa un mouvement dans son siège.

– Comment ? Mais tu avais dit…

– La thérapie d'Owen leur coûte une fortune. Si je veux aller à l'université, ce sera au tarif familial, dans celle où mon père enseigne.

Gudmund resta bouche bée. Ce n'était pas le plan prévu. Absolument pas. Ils devaient aller à la même université, et partager la même chambre.

À des centaines de kilomètres de leurs maisons.

– Oh, Seth…

– Tu ne peux pas partir, reprit-il en secouant énergiquement la tête. Pas maintenant.

– Seth, il le faut…

– Non, tu ne peux pas. (Sa voix se brisait, et il luttait pour la contrôler.) S'il te plaît.

Gudmund posa une main sur son épaule. Seth s'en débarrassa d'une secousse, même s'il ne désirait rien de plus au monde.

– Seth, murmura-t-il, tout ira bien.

– Comment ça ?

– Notre vie ne s'arrête pas là. Et de loin. On est au lycée, *Sethy. Ça ne va pas durer éternellement. Et pour une putain de bonne raison.*

– Tu n'es plus là depuis le Nouvel An… (Seth parlait face au pare-brise.) Depuis le Nouvel An, et j'ai vécu…

Il s'arrêta net. Il ne pouvait dire à Gudmund ce qu'il avait vécu. La pire période de sa vie. Le lycée, insupportable, avec parfois des jours entiers sans parler à personne. Il y avait bien quelques élèves, des filles en majorité, qui essayaient de lui dire qu'elles trouvaient injuste ce qui lui arrivait, mais elles lui rappelaient surtout qu'après avoir eu trois bons amis il n'en avait plus aucun. Les parents de Gudmund l'avaient retiré du lycée. H fréquentait un nouveau groupe et ne lui adressait plus la parole.

Et Monica.

Il n'arrivait même pas à penser à Monica.

– Il ne reste que quelques mois, après tout, reprit Gudmund. Accroche-toi. Tu survivras.

– Pas sans toi.

– Seth, s'il te plaît, ne dis pas des choses comme ça. Je ne supporte pas, quand tu dis des choses comme ça.

– Tu es tout ce que j'ai, Gudmund, murmura-t-il doucement. Tu es tout cela. Je n'ai rien d'autre.

– Ne dis pas cela ! Je ne peux pas être tout pour tout le monde. Pas même pour toi. Cette histoire me rend dingue. Je ne supporte pas l'idée de devoir partir. Je voudrais tuer quelqu'un ! Mais je peux le supporter si je sais que tu es là, que tu survis, que tu t'en tires. Ça ne durera pas éternellement. Le futur existe. Vraiment. Nous trouverons un moyen, Seth. Tu m'entends ?

Seth le regardait, et il voyait maintenant ce qu'il n'avait pas vu auparavant. Gudmund était déjà parti. Son esprit était déjà au lycée de Bethel, à plus d'une centaine de kilomètres de distance, et il se projetait déjà à la fac d'UW ou à celle de WSU, qui étaient encore plus loin, et peut-être que ce futur incluait plus ou moins Seth, peut-être même que ce futur leur réservait réellement une place à tous les deux –

Mais Seth était ici, uniquement ici. Il n'était pas dans ce futur. Il était uniquement dans ce présent inimaginable.

Et il ne voyait pas comment il pourrait jamais passer d'ici à là-bas.

– Le pire n'est jamais une fin, Sethy, poursuivit Gudmund. Il faut juste tenir bon, et nous y arriverons.

– Nous y arriverons, répéta Seth, dans un murmure tout juste perceptible.

– Exactement... (Gudmund reposa sa main sur son épaule.) Accroche-toi, s'il te plaît. On y arrivera. Je te le promets.

Tous deux sursautèrent au claquement d'une porte.

– Gudmund ! cria son père sous le porche, assez fort pour réveiller les voisins. Tu ferais mieux de me répondre, mon gars !

Gudmund abaissa la vitre.

– Je suis là ! J'avais besoin de prendre un peu l'air !

– Tu me prends pour un imbécile ? répliqua son père en plissant les yeux pour percer les ténèbres où Gudmund et Seth étaient garés. Tu rentres, maintenant ! Immédiatement !

Gudmund se tourna vers Seth.

– On s'envoie des mails... On se parle au téléphone... On garde le contact, je te le promets.

Et il plongea pour l'embrasser Seth une dernière fois, très fort, son parfum lui emplissant les narines, la masse de son corps le plaquant contre le dossier, la pression de ses mains autour de sa poitrine –

Et il se glissa par la portière, pressant le pas dans la lueur du porche et discutant avec son père en même temps.

Seth le regarda s'éloigner.

Et quand Gudmund disparut derrière un nouveau claquement de porte, Seth sentit ses propres portes se fermer.

Les portes du présent, closes tout autour de lui, l'enfermant à l'intérieur.

Pour toujours.

28

Seth met un temps à réaliser qu'il gît sur le plancher. Il ne se rappelle pas s'être allongé, mais se sent tout courbaturé, comme s'il était resté là pendant des heures.

Il s'assied. Il se sent plus léger.

Comme vidé, presque entièrement.

Le poids du rêve fait sentir sa présence quelque part dans la pièce, mais de lui-même il ne sent –

Rien. Il ne sent rien.

Il se relève. Le sommeil lui a restitué un peu de force. Il ouvre et ferme les mains, fait rouler sa tête, et s'étire.

Puis il aperçoit les minces rayons de soleil filtrer par les fentes des stores.

La pluie s'est arrêtée. Le soleil est revenu.

Et il s'est bien promis de courir, non?

Sans penser à rien d'autre, il se change pour enfiler un short et un nouveau tee-shirt. Ses chaussures ne sont pas vraiment idéales, mais elles feront l'affaire. Il hésite à prendre une bouteille d'eau, puis décide de la laisser là.

Il fait l'impasse sur le petit déjeuner. Il n'a pas mangé grand-chose depuis un jour et demi, mais il ressent comme une urgence dans sa poitrine qui le nourrit.

La même urgence qu'il avait ressentie quand il était descendu à la plage.

Il laisse l'idée lui traverser la tête et ressortir.

Il n'y a rien ce matin. Rien du tout.

Rien que courir.

Il franchit le seuil de la porte. Il ne la referme pas derrière lui.

Il court.

Il faisait froid, peut-être moins de zéro quand il quitta sa maison cet après-midi-là, après avoir méticuleusement nettoyé sa chambre sans vraiment savoir pourquoi, sans même s'en rendre vraiment compte, replaçant juste chaque chose à sa place, bien proprement, correctement, sans rien omettre.

Sa mère avait emmené Owen à sa séance de thérapie et son père travaillait dans la cuisine. Seth descendit au salon. Son regard accrocha l'horrible tableau peint par son oncle, le cheval fou de terreur et d'agonie, pétrifié pour toujours, le regardant partir, le regardant fermer la porte derrière lui.

Il fallait une bonne demi-heure de marche jusqu'à la plage, sous un ciel menaçant de virer à la neige. La mer ce jour-là était un peu moins monstrueuse que d'habitude. Les vagues moins hautes, mais toujours aussi creuses et puissantes. Et les rochers toujours aussi noirs.

Il se tint immobile pendant un moment, puis ôta lentement, soigneusement, ses chaussures.

Seth court vers la gare, marquant de ses empreintes la boue à moitié sèche, ses articulations craquant et grinçant après une si longue période d'inactivité.

Il remonte les marches entre les immeubles. La première suée commence; la sueur picotant ses yeux en dégoulinant de son front. Le soleil l'aveugle. Son souffle s'épaissit.

Il court.
Et tout en courant, il se souvient.
Il court plus vite, comme s'il pouvait fuir.

Il y avait du sable à cet endroit, entre les rochers, et il avait choisi ce bout de sable pour enlever une chaussure, puis l'autre. Il les posa soigneusement côte à côte, puis il s'assit sur un rocher pour ôter ses chaussettes, les plier et les glisser au fond de ses chaussures.

Il se sentait… pas vraiment calme, non, calme n'était pas le mot juste, mais il y avait des moments, les moments où il ne se concentrait pas sur le pliage méticuleux de ses chaussettes, où il se sentait presque étourdi par une sorte de soulagement.

Soulagement parce qu'enfin – enfin, enfin.

Enfin il n'y avait plus ce fardeau à porter, plus ce poids, plus rien à supporter.

Il prit un temps pour essayer d'évacuer la pression sur sa poitrine.

Il respira.

Seth enjambe le portillon près des guichets de la gare, et il grimpe jusqu'au quai. Il essaye d'ignorer le train en se dirigeant vers la passerelle qui enjambe les voies. Il n'entend rien du côté du sanglier, sans doute accablé par la chaleur et profondément endormi dans son repaire.

Il traverse la passerelle, redescend de l'autre côté.

Il avait enlevé sa veste, parce que ça lui semblait la chose à faire, également. Il ne portait qu'un tee-shirt en dessous, et le vent mordait ses bras nus. Il frissonna un peu plus en repliant la veste et en la posant sur ses chaussures.

Il se sentait présent, et en même temps déconnecté, comme s'il s'observait du haut d'une falaise, un garçon sans chaussures, sans veste, face à l'océan.

Comme s'il attendait.
Mais quoi ?
En tout cas, rien n'est venu.
Alors, « je suis prêt », murmura-t-il pour lui-même.
Et il découvrit avec surprise, et une vague soudaine de chagrin qui faillit le renverser, qu'il disait la vérité.
Il était prêt.
Lentement, il s'avança vers la mer.

Il saute par-dessus le portillon de sortie, de l'autre côté de la gare. Ses pieds martèlent la pente qui mène à la route, la tension lui arrachant une grimace, mais ses muscles semblent s'éveiller, retrouver la mémoire d'eux-mêmes, retrouver la mémoire de la course –
Il pénètre en courant dans le quartier incendié.
Autour de lui, tout est mort.

Le froid de l'eau lui administra une gifle brutale, dès les premiers pas, et il ouvrit la bouche, le souffle coupé. La chair de poule lui rongea les bras, hérissant ses fins poils noirs comme des aiguilles. Pendant un instant, il eut l'impression de déjà se noyer, chevilles simplement mouillées dans quelques centimètres.
Il comprit alors que même si l'eau ne le tuait pas, le froid s'en chargerait.
Il s'obligea à faire un autre pas.
Puis un autre.

Dans ce grand silence, il n'entend que ses propres pas et son souffle. Dans cette rue, tout a été aplati, bordé de chaque côté par une terre noircie. Ses pieds projettent des noyaux de cendre dans le soleil, qui forment un nuage à chaque foulée.
Il regarde droit devant lui.

Vers Masons Hill.

Ses pieds s'engourdissaient déjà en passant d'une dalle à l'autre. Chaque nouveau choc en entrant dans une eau plus froide le transperçait comme un couteau, mais il s'obligeait à continuer. L'eau atteignit ses genoux, ses cuisses, trempant et noircissant son jean. Il aborda un long banc rocheux, mais il savait qu'un peu plus loin il perdrait pied. Il savait aussi que le courant, à cet endroit, pouvait happer un nageur imprudent, et le fracasser contre les rochers qui dominaient la plage.

Il avait si froid maintenant que sa peau lui semblait tremper dans de l'acide. Une vague plus haute éclaboussa son teeshirt, et il ne put s'empêcher de crier. Il tremblait malgré lui et dut se forcer pour avancer encore.

Une autre vague monta, plus grosse que la précédente, et il faillit perdre l'équilibre. Une autre suivit. Il ne pourrait pas tenir debout bien plus longtemps, ses pieds et ses orteils agrippant les dalles submergées, le flux le poussant en arrière puis le tirant en avant. Il s'apprêta à lâcher prise, à plonger pour entamer sa nage vers un froid plus intense, vers la terrible, si terrible liberté qui l'attendait.

Il y était. Il avait réussi, jusque-là. Il restait si peu à parcourir, et lui seul était venu jusqu'ici.

C'était presque fini. Il y était presque.

Jamais, pas une fois dans sa vie, il ne s'était senti aussi fort.

Dans une autre rue, les squelettes en béton de certaines maisons tiennent encore debout, quoique totalement carbonisés, à l'intérieur comme à l'extérieur. Pas seulement les maisons, mais les vitrines des magasins, et des bâtiments plus grands, aussi.

Tous noircis, tous vides, tous morts.

Sa gorge brûle, il aurait dû emporter de l'eau. Mais l'idée ne fait que le traverser, brièvement.

Masons Hill reste solidement campée à l'horizon, et c'est tout ce qui l'intéresse.

Il se sent vide. Vidé de tout.

Il pourrait courir pour toujours.

Il se sent fort.

Puis une vague, plus grosse que toutes les précédentes, l'avait submergé, plongé dans son emprise glaciale. Comme une secousse électrique, elle traversa son corps d'un spasme douloureux. Il se tordit sous l'eau, et manqua de se briser le crâne contre une saillie rocheuse.

Toussant, crachotant, il creva la surface alors qu'une autre vague déferlait. Il remonta, cherchant désespérément pied, mais le ressac l'entraînait déjà. Il recracha une gorgée d'eau de mer, et s'enfonça sous une nouvelle vague.

(Il lutta. En dépit de tout, il luttait –)

Le froid, terrible, l'empoignait comme une chose vivante. En un temps incroyablement court, il se retrouva incapable de mouvoir ses membres correctement, et quand il distinguait encore le rivage désert durant les quelques secondes passées en surface, celui-ci reculait de plus en plus loin, tandis que le courant le poussait vers les rochers.

Il était trop tard.

Plus de retour en arrière possible.

(Mais il luttait malgré tout, encore et encore –)

Seth accélère, en apnée maintenant, le souffle plus rauque et brûlant, repoussant les souvenirs pour ne pas les laisser prendre racine.

« Je vais y arriver. Je vais l'atteindre, cette colline. Plus bien loin, maintenant. »

Une autre rue, et encore une autre, des constructions vides

partout, dressées comme des stèles, son souffle plus bruyant dans ses poumons, ses jambes plus cotonneuses.

«Je vais y arriver. Je vais courir jusqu'au sommet –»

Alors il court, le garçon.

Il se noyait, le garçon.

En ces derniers instants, ce n'était pas l'eau finalement qui l'achevait; c'était le froid. Le froid avait saigné à blanc toute son énergie et contracté ses muscles en une inutilité douloureuse, malgré ses efforts désespérés pour rester en surface -

(et il avait lutté à la fin, vraiment -)

Il était fort, et jeune, presque dix-sept ans, mais les vagues hivernales ne cessaient de revenir, chacune apparemment plus grosse que la dernière. Elles le roulaient, le renversaient, l'enfonçaient plus bas, toujours plus bas.

Il ne pense pas à sa destination finale en courant, pas avec des mots. C'est juste une volonté. Une légèreté.

La légèreté d'en finir avec tout ça. La légèreté de tout laisser tomber.

Puis, sans prévenir, le jeu que la mer semblait jouer, ce jeu cruel de le garder juste assez en vie pour qu'il croie encore pouvoir s'en sortir, ce jeu sembla terminé.

Le flot monta, le balança contre les rochers meurtriers. Son omoplate droite se brisa en deux, si fort qu'il entendit le crac! – même sous l'eau, même dans la poussée du courant. L'intensité brute de la douleur fut si forte qu'il lâcha un cri, emplissant instantanément sa bouche d'une eau glaciale et amère. Il toussa pour la refouler, mais en aspira encore plus dans ses poumons. Il s'arc-bouta contre la douleur de son épaule, aveuglé par elle, paralysé par sa violence. Il ne pouvait même plus tenter de nager maintenant, incapable de résister quand les vagues le retournèrent une fois de plus.

Pitié – il ne se dit rien d'autre. Juste ce mot, qui résonna dans sa tête.
Pitié.

« Pitié », se dit-il –
Le versant à pic de Masons Hill, il le distingue au loin.
Vingt mètres de haut, et le béton en contrebas –
« Pitié » –

Le courant l'agrippa une dernière fois – reflua comme pour prendre son élan, et le projeta tête la première contre les rochers. Il s'y heurta avec toute la force d'un océan en colère massé derrière lui.

Mais il n'a pas trouvé la liberté.
Il s'est réveillé ici.
Ici où il n'y a rien.
Rien qu'une solitude plus horrible que celle qu'il a quittée.
Une solitude devenue insupportable –

Il y est presque. Un dernier tournant. Une dernière rue, mais bien longue, et il atteindra le pied de la colline.
Il bifurque à un croisement –

Et plus loin, très loin dans cette rue qui s'allonge, il aperçoit une camionnette noire.
Qui se déplace.

29

Il s'arrête si brusquement qu'il bascule en avant, plongeant les mains dans plusieurs centimètres de cendre.

Une camionnette qui s'éloigne.

Une camionnette avec *quelqu'un* au volant.

Elle se déplace lentement, soulevant un nuage de cendre derrière elle, mais sa silhouette bien réelle, aussi réelle que le monde.

Il y a quelqu'un d'autre en enfer.

Seth se relève en vacillant, et agite les bras au-dessus de sa tête avant même de savoir si c'est une bonne idée ou pas.

– Attendez ! crie-t-il. ATTENDEZ !

Presque aussitôt, la camionnette s'immobilise. Elle est assez loin pour scintiller dans la brume chaude des cendres, mais elle s'arrête.

On l'a manifestement entendu.

Seth plisse les yeux, cœur battant follement, poumons brûlés par le manque d'air.

La portière de la camionnette s'ouvre.

Et une paire de mains se plaque sur la bouche de Seth, par-derrière.

DEUXIÈME PARTIE

30

Les mains plient la nuque de Seth tellement en arrière qu'il peine à conserver son équilibre. Il tente de lutter, mais se sent si affaibli – par le manque de nourriture et de sommeil, par la course, et par le poids qui lui écrase la poitrine – qu'il ne peut que trébucher et essayer de ne pas tomber –

Même si ces mains lui semblent étrangement menues –

Elles l'entraînent à l'écart de la rue, vers la coquille d'un bâtiment effondré qui a pu se dresser sur plusieurs étages, mais se résume maintenant à des pans de murs en béton et à un épais jeu d'ombres.

On pourrait lui faire n'importe quoi si on l'emmenait là-dessous.

Il se laisse tomber de tout son poids, sur les cendres de la chaussée, entraînant son assaillant avec lui.

– Aïe! crie une voix, et Seth roule, poings serrés, prêt à combattre quiconque a soudain surgi du vide –

Mais ce n'est qu'un gamin.

Il n'a sûrement pas plus de onze ou douze ans et mesure trente bons centimètres de moins que lui. Pas étonnant, cette sensation bizarre – comme un singe accroché à une girafe.

– Non ! chuchote le garçon manifestement paniqué. Il faut quitter la rue !

Et il se lève déjà, fixant la camionnette. Seth se retourne également. Dans cette brume de chaleur, il n'est pas sûr de bien distinguer une silhouette à côté –

Le gamin agrippe le tee-shirt de Seth.

– Viens ! Il le faut !

Seth se libère brusquement.

– Lâche-moi !

– Non, il le *faut* ! répète le garçon, avec une sorte d'accent, peut-être d'Europe de l'Est. Derrière lui, Seth remarque un vélo couché dans les cendres, devant les ruines.

Le garçon se retourne et appelle :

– Régine !

Une fille noire, grande et plutôt forte, bien plus proche de l'âge de Seth, et peut-être même plus vieille, émerge des ténèbres du bâtiment, sur son propre vélo. Derrière elle, un rayon de soleil perce l'ouverture par laquelle ils ont dû passer. Manifestement essoufflée, la fille lui jette un regard furieux.

– Bon sang, ce que tu peux courir vite !

– Qui êtes-vous ? questionne Seth. Qu'est-ce que... ?

– Il faut y aller ! insiste le garçon en pointant la camionnette du doigt. Le Conducteur !

La porte de la camionnette s'est refermée. Le véhicule s'ébranle à nouveau, fait demi-tour.

La fille saute de son vélo, terrifiée.

– Tommy, cache-toi ! crie-t-elle.

Le garçon agrippe les deux vélos, et les tire dans les ténèbres du bâtiment. La fille empoigne à deux mains le tee-shirt de Seth, essayant de l'entraîner, lui aussi.

Elle est *beaucoup* plus forte que le garçon.

– Lâche-moi, marmonne Seth, en se débattant.

Elle colle son visage au sien.

– Si tu ne te caches pas avec nous *maintenant*, tu vas mourir !

– Elle ne raconte pas de bobards, crois-moi ! ajoute le garçon, levant la tête de derrière un muret. S'il te plaît, viens !

Et, traînant les vélos avec lui, il se glisse vers une sorte d'abri improvisé sous les dalles de béton.

La fille continue à tirer sur le tee-shirt de Seth, si fort que le tissu commence à se déchirer. Il résiste et jette un nouveau coup d'œil vers la route. La camionnette a complété son demi-tour. Elle se dirige vers eux.

« C'est quoi, cette histoire ? se demande-t-il. Non mais, sérieux ? »

La fille jette un glapissement terrifié, le lâche et court se réfugier dans le bâtiment.

Et c'est ce qui pousse finalement Seth à bouger. Sa peur.

Il la suit dans les ténèbres.

La pénombre à l'intérieur est si profonde et si noire que Seth en reste aveuglé pendant une minute.

– Vite ! fait la fille en le tirant avec elle par-dessus le muret et dans le petit espace encore rétréci par le garçon et les vélos. Seth se demande un instant pourquoi il n'a jamais pensé à chercher un vélo.

– C'est ridicule, dit-il. Il va nous voir…

– Il pensera que nous sommes repartis par le même chemin, répond la fille. Avec un peu de chance…

– Et sinon ?

Elle lève l'index pour l'arrêter.

Et il l'entend aussi, maintenant.

Le moteur de la camionnette. Presque là.

Le garçon pousse un gémissement.

– Sainte Vierge, il arrive…

La fille et lui reculent encore dans les profondeurs de leur abri, maintenant désespérément trop petit pour tous les trois, pressés contre les vélos, transpirant, haletant, tâchant de ne pas émettre le moindre son.

La camionnette s'arrête à l'extérieur. Seth entend une porte s'ouvrir.

Devant sa poitrine, un bras se tend vers la fille, qui prend la main du garçon, et la serre bien fort.

Ils ne respirent plus.

Seth entend des pas piétiner les cendres. Une personne, juste deux pieds. Et alors, il le voit, qui pénètre dans les ombres du bâtiment.

Malgré la chaleur, chaque centimètre de sa peau est recouvert, des orteils jusqu'au cou, par une matière noire d'aspect synthétique, un peu comme une combinaison de plongée. Son visage est caché par une sorte de heaume, un casque moulé au niveau du nez et du menton, mais sinon parfaitement lisse, noir et métallique.

Comme le cercueil dans le grenier de la maison de Seth.

Seth entend un léger souffle sur sa droite. Le garçon a fermé les yeux, et ses lèvres s'agitent follement, comme s'il récitait une prière.

La silhouette s'arrête à deux pas. Il lui suffirait de se tourner d'un quart, de se pencher et de jeter un coup d'œil -

Il dépasse l'abri, disparaît du champ de vision de Seth, qui sent la fille relâcher son souffle, mais elle se reprend quand le personnage pivote. Il s'arrête encore, étudie les cendres piétinées, les traces qui sûrement vont le mener jusqu'à eux. Dans sa main, Seth voit un bâton noir menaçant, qui a tout d'une arme très, très redoutable.

Le personnage – le Conducteur, comme l'appelle le garçon – a quelque chose d'inexplicablement terrifiant. Sa silhouette est bien celle d'un homme, mais quelque chose dans la noirceur de ses vêtements, quelque chose dans sa manière de se tenir –

« N'est pas tout à fait humain », pense Seth.

Car on ne sent aucune pitié, chez lui. Absolument rien à quoi se raccrocher. Il pourrait vous tuer, comme a dit la fille, et il le ferait sans qu'on puisse le convaincre de ne pas le faire et sans qu'on sache jamais pourquoi on meurt.

Il avance vers leur abri.

Seth sent la main du garçon serrer plus fort celle de la fille –

Puis il s'arrête. Il reste immobile une seconde, repart, et disparaît silencieusement. Seth entend claquer la porte de la camionnette, le moteur tourner, puis la camionnette s'éloigner.

– Loué soit le Seigneur, chuchote le garçon.

Après avoir attendu un moment pour être sûrs qu'il soit parti, ils rampent hors de l'abri. Le garçon et la fille se tiennent dans un rayon de soleil, le garçon d'un air timide, la fille avec un regard de défi.

– Qui êtes-vous ? demande Seth. Et ce machin, c'était quoi ?

Ils le regardent un moment. Puis le visage du garçon se chiffonne. La fille lève les yeux au ciel, mais elle ouvre les bras. Le garçon s'y précipite, la serrant étroitement, pleurant contre sa poitrine.

31

– Qui êtes-vous ? répète Seth. Et que se passe-t-il ici ?

– Il est un peu émotif, dit la fille, sans lâcher le gamin. Peut-être son côté polonais.

– Ce n'est pas ce que je voulais dire.

– Je le sais bien.

Elle libère le garçon, dont le menton tremble encore.

– Tout va bien, Tommy. Tout va bien.

– En sécurité ? demande-t-il.

La fille hausse les épaules.

– Autant que possible.

Elle est anglaise, Seth l'a presque aussitôt remarqué. Elle a des cernes autour des yeux, et ses vêtements sont aussi neufs et couverts de cendre que les siens. Elle est plutôt grande, plus grande que lui, ses cheveux tirés en arrière par une barrette. Quant au gamin, il est si petit qu'il en serait presque comique. Et un invraisemblable nid de broussailles couronne sa tête, comme celle d'Owen.

En pensant à son frère, Seth se laisse surprendre par un pincement douloureux.

– Régine, se présente la fille. Et voici Tomasz.

Elle prononce « Raychine » et « Tomash ». Tous deux regardent Seth avec curiosité.

– Seth, dit-il. Seth Wearing.

– T'es américain ? note Régine. C'est curieux.

– Comment sais-tu qu'il est américain ? demande Tomasz.

– L'accent.

Le gamin esquisse un sourire gêné.

– Je ne fais toujours pas la différence. Vous sonnez tous pareil, pour moi.

– Je suis né en Angleterre, dit Seth, troublé. Je suis né ici. Au cas où cela signifierait quelque chose.

La fille tire les vélos de l'abri.

– Tu devras monter avec lui, dit-elle à Tomasz.

Le garçon pousse un soupir mécontent en prenant son vélo.

– ... Allez, viens, lance-t-elle à Seth. On ne peut pas traîner ici.

– Parce que vous croyez que je vais venir avec vous ?

– On n'a pas le temps de discuter. Viens ou ne viens pas, mais...

– Régine ! coupa Tomasz, choqué.

– ... Mais si tu restes ici, le Conducteur te trouvera et tu mourras.

Seth ne répond pas. Il ne sait pas quoi répondre. La fille le scrute, et il la voit détailler ses vêtements de sport, remarquer l'absence de bouteille, et il la voit aussi réfléchir à sa manière de courir, obstinément, furieusement, vers un but. Elle jette un coup d'œil derrière lui.

Vers Masons Hill.

La colline est proche, si proche qu'il pourrait s'élancer à la seconde même et courir jusqu'en haut –

Mais il ne se sent plus si sûr, maintenant. Ce sentiment

de libération, si fort il y a quelques instants, l'a quitté. Ce sentiment qui l'aurait conduit jusqu'au sommet.

Au bord de la falaise.

Ils l'ont arrêté. De justesse.

Il y réfléchit.

Un garçon et une fille, surgis de nulle part, qui l'arrêtent juste avant qu'il n'escalade la colline, juste avant qu'il ne rencontre la camionnette noire.

Également surgie de nulle part. Les a-t-il appelés ? Les a-t-il créés ?

Juste à temps ?

Mais, Tomasz, Régine… Noms invraisemblables, étranges, même ici.

Et la camionnette. Et le Conducteur.

À quoi tout cela peut-il bien rimer ?

– Êtes-vous réels ? demande doucement Seth, presque pour lui-même.

Le garçon acquiesce, gentiment.

– Je sais pourquoi tu demandes ça, dit la fille. Mais la seule réponse que je puisse te donner, c'est que nous sommes aussi réels que toi.

Seth respire un peu, puis ajoute :

– Enfin, ça ne me paraît pas très réel, pour l'instant.

La fille semble comprendre le sens de ses paroles.

– Bon, on doit vraiment bouger, maintenant. Alors, tu viens ?

Il ne sait pas quoi faire, ce qu'il est *supposé* faire. Mais il ne peut nier que, réels ou pas, ils lui paraissent infiniment plus rassurants que le Conducteur.

– D'accord, dit-il.

32

Le vélo de Régine éjecte des grumeaux de cendre séchée sous ses pneus. Seth pédale en danseuse, à quelques mètres derrière, Tomasz assis sur la selle, agrippant Seth autour par la taille, sans doute plus fort qu'il ne faudrait.

– Je n'aime pas ça, dit-il. Tu es trop grand. Je n'y vois rien.

– Accroche-toi, c'est tout, réplique Seth.

Ils remontent les rues cendreuses, sans s'écarter du sillage laissé par Régine et Tomasz à l'aller, guettant la camionnette à chaque croisement.

– Mais c'était qui ? demande Seth. C'était *quoi* ?

– On t'expliquera plus tard, lance Régine.

– Elle l'a déjà vu, pépie Tomasz dans son dos. Elle a vu ce qu'il fait.

– Plus tard, les explications, répète Régine, appuyant plus fort sur les pédales.

Ils tournent à un carrefour, puis à un autre, en direction de la gare. Les traces de leurs pneus longent les empreintes laissées par Seth durant sa course.

– Vous me suiviez, s'étonne-t-il.

– On essayait de te rattraper, fait Tomasz.

– Comment saviez-vous où j'étais ?

– Plus tard ! coupe Régine, au dernier carrefour. Il faut s'éloigner de – MERDE !

La camionnette noire est là. Elle les attendait.

Régine fait un écart si brutal qu'elle dérape et tombe de vélo. Seth conserve tout juste son équilibre, alors que Tomasz a sauté en marche pour courir l'aider. La camionnette est arrêtée un peu plus loin, en travers du carrefour, anticipant manifestement qu'ils arriveraient de l'une des trois rues. Mais ils ont pris celle à laquelle elle s'attendait le moins, et doit engager une vitesse pour tourner dans leur direction.

Vu sous cet angle, le véhicule n'a plus franchement l'air d'une camionnette, avec ses lignes profilées, ses contours arrondis, et des vitres teintées si sombres qu'elles semblent faire partie de la carrosserie. Rien, aucun élément ne l'identifie nulle part. Même la cendre et la poussière ne semblent pas pouvoir y coller. Juste un bloc de noirceur intense, dur et froid, découpé dans le paysage gris.

Comme le casque porté par le Conducteur.

Comme le cercueil dans la maison de Seth.

– Le pont ! crie Régine, redressant et enfourchant son vélo en même temps que Tomasz saute en selle derrière elle. Avant qu'il fasse demi-tour !

Elle se met à pédaler, zigzaguant d'abord, puis de plus en plus vite. Elle évite tout juste l'avant de la camionnette, rasant le véhicule, mais ils ne vont pas pouvoir tenir la distance bien longtemps. Seth l'a suivie, et doit grimper sur un trottoir pour éviter le véhicule qui tente de lui barrer le passage.

Seth aperçoit le pont dont elle parle. Quittant la gare, les voies passent sur une voûte en brique. Elle s'est à moitié effondrée sur la route en dessous, mais les éboulis laissent une brèche praticable pour un vélo.

Un vélo, pas une camionnette.

Seth double Régine, ralentie par le poids de Tomasz. Un bruit de moteur monte brusquement, et ils se retournent pour voir que la camionnette arrive derrière eux, à pleine vitesse.

– On va pas y arriver ! hurle Tomasz.

– Accroche-toi ! glapit Régine, moulinant frénétiquement.

Seth se retourne encore. La camionnette fonce sur eux.

Tomasz a raison. Ils ne vont pas y arriver.

Sans même réfléchir, Seth vire brutalement sur la droite, projetant un nuage de cendre, et il repart en sens inverse.

– Mais qu'est-ce que tu fais ? hurle Régine.

– Foncez ! Foncez !

Il se catapulte en avant, filant droit vers la camionnette.

– NON ! entend-il Tomasz crier, mais il continue, de plus en plus vite.

– Allez, marmonne-t-il, debout sur les pédales. Allez !

La camionnette ne freine pas, ne dévie pas.

Seth non plus. Et il hurle, maintenant : – ALLEZ !

Ils sont à vingt mètres de distance –

Dix mètres –

Le moteur de la camionnette gronde –

Puis, juste avant l'impact, elle dévie soudain à gauche, heurtant un trottoir fissuré et dérapant sur les fondations carbonisées d'une maison.

Seth effectue un nouveau virage serré dans la cendre.

– Foncez ! Foncez ! crie-t-il à Régine et Tomasz, qui ont ralenti pour l'observer.

Régine se remet à pédaler, et disparaît entre les éboulis du pont. Seth se lance à leur suite. Ils entendent le moteur ronfler, mais ils pédalent sans plus se retourner maintenant, à travers le trou de pénombre sous les arches, puis ressortent de l'autre côté.

– Il va nous poursuivre ? crie Seth.

– J'en sais rien! répond Régine. Il faudrait retourner chez toi et nous y cacher!

– *Chez moi*?

– Le prochain carrefour se trouve un paquet de rues plus au nord, poursuit-elle, Tomasz toujours collé contre son dos. On pense qu'il ne sait pas où tu habites…

– Mais comment savez-*vous* où j'habite?

– On cachera les vélos, ajoute-t-elle, sans relever sa question. Il ne vient généralement jamais de ce côté…

– Généralement?

Régine lâche un grognement exaspéré tandis qu'ils tournent à un nouveau carrefour.

– Il y a encore bien des choses qu'on ne sait pas.

– Mais on sait certaines choses, ajoute Tomasz.

– Comme quoi? questionne Seth.

– Comme le fait qu'on a eu raison de te suivre, enchaîne Tomasz en riant. Parce que tu nous as sauvés.

– Et de quoi est-ce que je vous ai sauvés? s'étonne Seth, comme ils ralentissent enfin le rythme. Et enfin, c'était quoi, cette chose?

Tomasz se tourne vers lui.

– La mort. C'était la mort.

33

– Pas la vraie mort..., précise Régine pendant qu'ils cachent les vélos dans un jardin en friche, à deux rues de sa maison. On l'appelle le Conducteur.

– Oui, mais c'est *peut-être* quand même la vraie mort, intervient Tomasz.

Régine hausse les épaules.

– En tout cas, c'est pas un squelette sous une cape noire avec une... (Elle fait un geste de la main.)

– Une faux? suggère Seth.

– Une faux, oui. Mais il te tuera, en tout cas.

– Comment le sais-tu?

– Pas le moment de t'expliquer, réplique-t-elle en se dirigeant vers la maison de Seth. Il faut se mettre à l'abri, tout de suite.

– Mais qui êtes-vous? demande encore Seth en les suivant. D'où venez-vous? Êtes vous seuls, ou...?

Régine et Tomasz échangent un regard. Assez long pour lui donner presque aussitôt la réponse. Et l'énormité de sa déception le surprend.

– Alors... vous êtes seuls, hein?

Régine hoche la tête.

– Juste moi et Tommy. Et la chose qui conduit cette camionnette.

– Alors, nous sommes trois. Et c'est *tout*?

– Trois valent mieux que deux, rétorque Tomasz. Et bien mieux qu'un tout seul.

– Mais il y a sûrement d'autres gens quelque part, dit Régine. Cela n'aurait pas de sens, autrement.

– Ah, fait Seth. Parce que le reste a un sens, peut-être.

– Non, non, dit Tomasz en plissant le front. Du sens, on n'en a pas trouvé.

– N'essaye pas de faire de l'humour, lance Régine à Seth. Il ne comprend pas.

– Mais si! proteste Tomasz. Dans ma langue, *plein* d'humour! Je pourrais te raconter l'histoire du dragon de Cracovie qui...

– Il faut se réfugier à l'intérieur, coupe Régine. Je ne crois pas que le Conducteur nous considère comme une vraie menace, sauf si on s'approche trop, mais...

– Si on s'approche trop de quoi? demande Seth.

Tous deux le fixent, surpris. Régine secoue la tête.

– Parce que tu te crois *où,* là?

Seth répond, tout simplement:

– En enfer.

– Ben oui, enchaîne Tomasz. C'est bien ce que je dis, moi aussi.

– Bon, on peut voir les choses comme ça, acquiesce Régine, en pressant le pas.

Ils avancent prudemment, marchant sur les endroits les moins poussiéreux de la chaussée, essayant de masquer leurs empreintes, même s'il ne faudrait pas se donner beaucoup de mal pour les suivre à la trace.

Enfin, il faudrait y regarder à deux fois, quand même.

– En tout cas, cette… chose, dit Seth, n'est jamais venue ici. Croyez-moi. Aucune voiture n'est passée dans ces rues depuis des années.

– On se sentira quand même mieux une fois dans la maison, grommelle Régine.

– Il y a quelque chose à manger ?… demande Tomasz.

Elle lui lance un regard furieux.

– … Ben quoi ? J'ai faim, moi.

– Seulement des conserves, dit Seth. Des soupes, des fayots et de la crème anglaise.

– On a l'habitude, commente Régine.

Ils tournent à l'angle de la rue de Seth.

– Celle-là, hein ? fait Tomasz, pointant la bonne maison du doigt.

Seth s'immobilise.

– Mais comment vous le savez ? Vous m'avez espionné ?

Le sourire de Tomasz s'estompe et même Régine a l'air gêné.

– Quoi ?

Elle soupire.

– Tommy t'a aperçu sur le toit de la passerelle de la gare, il y a quelques jours.

– Elle me croyait pas, coupe Tomasz. Disait que je t'avais imaginé. (Il sourit.) Mais non.

– On habite une maison à environ deux kilomètres d'ici, reprend Régine en montrant le nord. Mais on était sortis chercher à manger, et Tommy a dit qu'il avait vu quelqu'un.

– On a cherché très longtemps sous la pluie qui s'arrêtait jamais, acquiesce Tomasz. Très mouillés.

– Et alors, euh, fait Régine, qui semble rougir, on t'a vu prendre ta douche. Sous la pluie. Devant ta maison.

Le sourire de Tomasz s'élargit.

– Tu tirais sur ton zizi !

– Tommy ! coupe Régine. (Puis elle fronce les sourcils.) Bon, et puis c'est vrai. Et on n'allait pas dire bonjour quand tu étais si *occupé*, et on avait faim, on était trempés, alors on est rentrés à la maison, pensant qu'on reviendrait à un moment moins...

– Intime, souffle Tomasz.

– *Pluvieux*, corrige Régine.

Seth sent sa gorge le brûler.

– Je croyais que j'étais seul ici. Je croyais que j'étais complètement seul.

– C'est ce que je pensais aussi, dit gravement Tomasz. Jusqu'à ce que Régine me trouve. (Il sourit, timidement.) Et maintenant on est trois.

– Alors on arrive ici ce matin, poursuit Régine, juste pour te voir courir très, très vite vers quelque chose en particulier. (Elle croise les bras.) Presque comme si tu avais quelque part où aller. Quelque chose à faire.

Il y a un silence, que Seth ne brise pas.

– Et on pouvait pas laisser le Conducteur t'attraper, ajoute Tomasz. Alors on t'a suivi. Et nous voilà ici tous les trois. (Il hausse les épaules.) Toujours dehors.

Seth attend un moment sans rien dire, puis passe devant eux, les guidant vers sa maison. L'histoire de la douche l'embarrasse, mais pas autant qu'il aurait cru. Il y a toujours quelque chose qui ne colle pas. Ces deux-là se sont trouvés là comme par hasard, alors qu'il courait vers la colline, l'ont arrêté comme par hasard avant qu'il n'entre en contact avec la camionnette, et ils ont trouvé comme par hasard un endroit où se cacher du Conducteur ?

Il glisse un coup d'œil derrière lui en tournant dans l'allée.

Un petit Polonais joyeux avec une grande et grosse Noire du genre soupçonneux.

Est-ce qu'il les a créés ? Mais comment aurait-il pu imaginer des personnages aussi bizarres ?

Il pousse la porte d'entrée, et ils le suivent à l'intérieur. Régine prend une chaise et Tomasz s'affale dans un canapé.

– En voilà une affreuse peinture, dit-il en fixant le cheval affolé au-dessus de la cheminée.

– Je vais faire quelque chose à manger, propose Seth. Mais ça ne sera pas grand-chose. Pendant ce temps, dites-moi tout ce que je dois savoir.

– D'accord, rétorque Régine. Mais d'abord, tu dois *nous* dire quelque chose.

– Et quoi donc ? répond Seth en se dirigeant vers la cuisine.

Et il l'entend demander :

– Comment es-tu mort ?

34

– Qu'est-ce que tu as dit ?

– Je crois que tu as très bien entendu, répond Régine en le fixant comme pour le soumettre à un test.

– Comment je suis mort ? répète Seth, promenant son regard d'elle et à Tomasz. Alors tu dis... tu dis qu'ici on est vraiment...

– Je ne dis rien du tout, coupe Régine. Je te demande juste comment tu es mort. Et ta réaction me prouve que tu comprends parfaitement ce que je veux dire.

– J'ai été frappé par la foudre ! clame Tomasz.

Régine le rembarre sèchement.

– Bien sûr que non.

– Tu n'en sais rien. Tu n'y étais pas.

– Personne ne se fait *frapper* par la foudre ! Pas même en Pologne.

Tomasz roule des yeux indignés.

– Je n'étais pas en Pologne. Combien de fois je dois te le répéter ? Ma maman est venue ici pour trouver un meilleur travail et...

– Je me suis noyé, coupe Seth, si doucement qu'il ignore s'ils l'ont entendu.

Mais ils cessent aussitôt de se chamailler.
– Noyé ? demande Régine. Où ça ?
Seth plisse le front.
– Halfmarket. Une petite ville sur la côte de...
– Non, je veux dire, dans quoi ? Une baignoire ? Une piscine ?...
– L'océan.
Elle hoche la tête, comme si c'était déjà plus logique.
– Tu t'es cogné la tête ?
– Si je me suis cogné la... ? (Seth se touche l'arrière du crâne, là où il s'est fracassé contre les rochers.) Et quel est le rapport ?
– Je..., commence Régine, avant d'observer le plancher nettoyé par Seth. ... Je suis tombée dans l'escalier. Je me suis explosé la tête sur une marche.
– Et tu t'es réveillée ici ?
Elle acquiesce.
– Moi, c'est la foudre ! s'exclame joyeusement Tomasz. C'est comme se faire boxer tout le corps en un seul coup !
– Tu n'as *pas* été frappé par la foudre, coupe Régine.
– Alors tu n'es pas tombée dans l'escalier ! lance Tomasz, vexé, d'un ton où Seth reconnaît celui d'Owen, lors de leurs innombrables chamailleries.
– Ainsi, tous les deux vous êtes...
Seth ne termine pas sa phrase.
– Morts, répond Régine. Et d'une blessure bien particulière.
Seth palpe à nouveau l'arrière de son crâne. Il se rappelle l'horrible soudaineté de cette collision, jurerait qu'il sent encore ses os craquer, d'une manière qui lui interdisait tout espoir de retour.
Jusqu'à ce qu'il se réveille ici.
Il ne remarque aucun os brisé, bien sûr, il était dans un autre endroit, et c'était un autre *lui*, et tout ce qu'il sent, c'est

la dureté de ses cheveux courts, alors que ceux de Régine et Tomasz ont manifestement eu le temps de repousser. Mais il y a quelque chose d'autre de bizarre, au creux de son cou, sous le crâne.

Régine regarde Tomasz.

-- Montre-lui, dit-elle.

Tomasz saute du canapé.

– Penche-toi, s'il te plaît, lui demande le gamin.

Seth pose un genou par terre et laisse Tomasz lui prendre la main. Il écarte soigneusement les doigts de Seth, pointant la langue en se concentrant et, une fois de plus, ce garçon lui rappelle tellement Owen qu'il sent sa poitrine se contracter.

– Là, chuchote Tomasz en posant les doigts de Seth sur un os derrière son oreille. Tu sens quelque chose ?

– Je dois sentir quoi ? demande Seth.

C'est l'endroit précis où sa tête a heurté le rocher, mais il n'y a là rien de particulier, juste un...

Il y a quelque chose. Une bosse si légère qu'elle pourrait ne pas être là, si infime qu'il ne l'a pas sentie il y a quelques minutes quand il a posé la main exactement au même endroit.

Une bosse. Qui précède une étroite entaille dans le même os.

– Mais..., murmure Seth. Comment ?...

Il *jurerait* qu'elle n'était pas là avant. Pourtant, elle y est bel et bien maintenant, pas grosse mais très nette, comme une excroissance parfaitement naturelle de son cerveau.

Presque naturelle.

– C'est là que tu t'es cogné le crâne ? demande Régine.

– Oui... Et toi ?

Elle acquiesce.

– Et c'est là que la foudre m'a boxé ! enchaîne Tomasz.

– La foudre ou autre chose, marmonne Régine.

– Mais c'est quoi? questionne Seth en palpant le côté droit, pour vérifier s'il n'y a pas une deuxième bosse. Mais non.

– À notre avis, un genre de connexion, dit Tomasz.

– Connexion à quoi?

Aucun des deux ne répond.

– Connexion *à quoi*? répète Seth.

– Tes rêves, ils sont de quel genre? demande Régine.

Seth fronce les sourcils. Puis il détourne les yeux, la réalité de ses rêves rougissant soudain sa peau.

– Les rêves..., dit Tomasz en lui tapotant gentiment le dos. Pas faciles, les rêves, hein?

– Comme si tu ne revoyais pas seulement tout le passé, précise Régine. Comme si tu y étais vraiment. Comme si tu le revivais, en remontant le temps.

Surpris, Seth sent ses yeux se mouiller, sa gorge se serrer.

– Et qu'est-ce que c'est? Pourquoi viennent-ils comme ça?

Elle jette un regard à Tomasz.

– On n'est pas sûrs, dit-elle prudemment.

– Mais vous avez une idée.

Elle hoche la tête.

– Les choses que tu rêves. Elles sont importantes?

– Oui. Affreusement importantes.

– Une partie est bonne, dit Tomasz. Mais bonne à faire mal.

Seth acquiesce.

– Mais ça, tout ça... (Régine dessine une sorte de monde, entre ses deux mains, pouces écartés, qui englobe tous ses rêves.) Tout ça n'est pas toute ta vie.

– Comment?

– Il y a bien autre chose. Il y a beaucoup, beaucoup plus. (Sa bouche se pince, tristement.) Et tu l'as oublié.

Pour une raison qu'il comprend mal, Seth est furieux.

– Ne me dis pas que j'ai oublié, dit-il avec une violence qui surprend les deux autres, et même lui. Je me rappelle trop de choses, et c'est bien le problème. Si seulement je pouvais en oublier un peu, alors...

– Alors quoi ? coupe Régine. Tu ne te serais pas *noyé* ? Elle prononce le mot avec une note sarcastique, le défiant du regard.

– Tu es vraiment tombée dans cet escalier ? interroge Seth comme en écho. Ou quelqu'un t'a poussée ?

– Waouh, fait Tomasz, reculant d'un pas. J'ai raté un épisode. C'est quoi, cette chamaillerie ?

– On se chamaille pas, réplique Régine. On apprend à se connaître.

– Les gens qui apprennent à se connaître échangent des informations, corrige Seth. Tout ce que vous m'apportez, ce sont des énigmes et la certitude que vous en savez bien plus que moi. (Il se redresse, et sa voix monte d'un cran en même temps.) Pourquoi est-ce que j'ai une entaille toute fraîche dans le crâne ?

– Elle est pas toute..., balbutie Tomasz.

Mais Seth poursuit :

– Pourquoi est-ce que je me suis glissé hors d'un cercueil, dans la maison même où j'ai grandi ?

– Tu as grandi ici ? Dans cette maison ? lâche Régine, l'air surpris.

Mais Seth écoute à peine.

– ... Et où sont passés tous les autres ? Et qui êtes-vous, d'ailleurs ? Comment saurais-je si vous ne travaillez pas pour cette chose, dans la camionnette ?

Là, il déclenche une indignation bien plus forte qu'il n'aurait imaginé.

– Jamais de la VIE ! s'exclame Tomasz.

– Tu ne sais rien du tout ! ajoute Régine.

– Alors dis-moi !

– Très bien. Pour commencer, Tomasz n'est pas la première personne que j'ai vue ici, mais la deuxième.

– Ah, bon…, fait Seth avec un étrange sentiment de victoire. Il y en a donc *d'autres* ?

– Seulement celle-là, avant que je découvre Tomasz.

– Et bénie soit la Sainte Vierge, ajoute Tomasz. Parce que j'étais pas vaillant.

– Mais avant, reprend Régine, il y a eu cette femme. Je l'ai connue pendant une journée. Une journée. Et puis je l'ai regardée mourir. Elle m'a poussée à l'abri et a laissé le Conducteur l'attraper pour qu'il ne prenne pas. Je l'ai regardé la tuer. Ce bâton, il y a une sorte de charge électrique dedans. Elle te tue. Et puis le Conducteur emporte ton corps.

– Elle n'aime pas en parler, murmure Tomasz en fronçant les sourcils.

– … Alors, va te faire voir, poursuit Régine. Parce que nous, qu'est-ce qu'on en sait si *toi* tu ne… ?

Elle s'arrête.

Parce qu'ils ont remarqué le bruit.

Un ronronnement distant, un bruit de vent qui n'est pas le vent.

Le bruit d'un moteur.

Qui s'amplifie en approchant.

35

Ils se tournent vers les fenêtres, même si les stores sont baissés, ne laissant rien voir de la rue.

– Impossible, lâche Régine. Il ne pousse jamais aussi loin. Quand on lui échappe, il s'arrête toujours.

Le bruit du moteur monte encore, à deux, peut-être trois rues de distance.

Et se rapproche.

Tomasz lance à Seth un regard furieux.

– Tu criais ! Il t'a entendu !

– Mais non, fait Régine. Il nous cherche, c'est tout, rue après rue. Et maintenant, tenez-vous tranquilles.

Ils restent silencieux, mais le bruit change quand il bifurque manifestement à un carrefour –

Et pénètre dans la rue.

Et Seth réfléchit.

Ils ont entendu le bruit du moteur seulement après qu'il eut prononcé les mots. Après qu'il les eut accusés de travailler avec lui.

Et maintenant le voilà.

« J'ai fait cela ? se demande-t-il. Est-ce que j'ai vraiment fait cela ? »

– Nos empreintes de pas, souffle Tomasz. Il y en a partout. Il va savoir que nous sommes là.

– Il conduit, dit Régine. Il peut passer trop vite pour remarquer...

Elle ne termine pas sa phrase.

Parce que le moteur s'est arrêté, juste devant la maison.

Seth sent la main de Tomasz se glisser dans la sienne, et la serrer comme Owen le faisait quand ils devaient traverser la rue. Il sent la tension qui fait vibrer ses petits doigts, remarque les ongles douloureusement rongés jusqu'à la chair, voit les yeux écarquillés, qui lui mangent la figure.

Exactement comme Owen.

– Il va passer, assure Régine. Il va continuer sa route. Ne bougez pas, c'est tout. D'accord ?

Ils ne bougent pas. Mais le ronronnement du moteur non plus.

– Mais qu'est-ce qu'il *fabrique* ? chuchote Tomasz, avec une note de désespoir étranglée.

Et Seth observe à nouveau le chaos de ses cheveux embroussaillés. Comme chez Owen. Et il regarde Régine, laissant son cerveau fonctionner à cent à l'heure.

Tout dans ce monde lui a paru petit. Comme s'il se cachait dans une minuscule poche dont les murs seraient portée de main, sous la forme de souvenirs qu'il ne pouvait chasser, avec un désert carbonisé pour frontière, et maintenant ces deux-là, apparus juste à temps pour l'empêcher de continuer plus loin, le ramenant à cette même maison alors qu'il essayait de la quitter pour toujours, et que, peut-être, il a lui-même attiré cette camionnette ici.

– Quelque chose ne colle pas, dans tout ça, murmure-t-il.
– Quoi ? lance Tomasz.
Seth presse sa paume, puis la lâche.
– Je vais en avoir le cœur net.
– Tu vas quoi ? questionne Régine.
– Je vais vérifier ce qui se passe exactement, poursuit-il en s'avançant vers les stores.
Tomasz se réfugie près de Régine et lui agrippe la main.
Seth s'arrête, et il les dévisage.
– Vous n'êtes pas là, hein ? questionne-t-il, comme si les mots se formaient malgré lui.
Régine fronce les sourcils.
– Je te demande pardon ?
– Je crois que vous n'êtes pas vraiment ici. Je pense que *rien* de tout cela n'est vraiment ici.
Dehors, le moteur ronfle.
– Si nous ne sommes pas là, rétorque Régine, les yeux dans ses yeux, alors toi non plus.
– Et c'est une réponse, ça, tu crois ? Tu crois que c'est une preuve ?
– Je me fiche de ce que tu penses. Si tu laisses cette chose nous voir, on est morts.
Mais Seth secoue la tête.
– J'ai l'impression que je commence à comprendre. Je commence enfin à comprendre la nature de cet endroit. (Il se tourne vers la fenêtre.) Et comment il fonctionne.
– Qu'est-ce que tu fais, monsieur Seth ? demande Tomasz. Tu disais que tu voulais juste vérifier…
– Seth, s'il te plaît…, lâche Régine, et il l'entend dire à Tomasz : File, cours, il doit y avoir une sortie à l'arrière…
– Il n'y a rien à fuir, coupe Seth. Il n'y a rien ici qui puisse me faire du mal, n'est-ce pas ?
D'un geste presque nonchalant, il relève les stores.

Le soleil explose dans la pièce, Seth cligne des paupières, ébloui –

Et le Conducteur passe un poing par la vitre, percutant la poitrine de Seth, l'envoyant voltiger dans la pièce avec une force inouïe.

36

Il atterrit recroquevillé aux pieds de Régine et de Tomasz, qui fuient vers la cuisine. Il sent comme un énorme trou au creux de sa poitrine, un trou qui retire tout l'air de ses poumons. Le Conducteur fracasse le reste de la fenêtre, il écarte le store d'un geste brutal mais parfaitement maîtrisé, puis enjambe le rebord, et vient frapper le plancher avec une invraisemblable pesanteur.

Il se tient là, bras légèrement écartés, tête penchée comme s'il fixait Seth, toujours plié sur le sol, à chercher sa respiration. Seth entend Régine et Tomasz se débattre avec la porte du jardin, mais ils n'y trouveront que des palissades et des herbes hautes. Rien qui leur permette de fuir cette horrible *chose* sans regard.

Pas d'échappatoire. Pour aucun d'entre eux.

Le Conducteur avance vers Seth, et ses pas résonnent sur les planches avec un bruit de tambour. Il fait un mouvement du bras, et le bâton noir, métallique, surgit dans sa main. Le Conducteur le soupèse, une fois, comme pour le tester. L'arme grésille, émettant un bourdonnement menaçant, et des pointes de lumière.

Les pensées de Seth se télescopent en même temps qu'il recule.

« Comme c'est bête de se tromper à ce poin »t, et « La voilà, ma mort », et « Ils n'ont qu'à tirer dessus pour débloquer le loquet » et « Ça va faire mal ? Oh, mon Dieu, ça va faire mal ? » et il recule en rampant, et le Conducteur s'avance, implacable, bâton levé –

Seth entend vaguement Tomasz répéter dans la cuisine –

– On peut pas ! On peut pas !

Et Régine crier :

– Tommy ! Tommy !

Mais tout ce qu'il voit c'est le visage vide, sans merci, qui le fixe, s'avance sur lui –

– Non…, balbutie Seth.

Le Conducteur fait un bond, levant le bâton pour l'abaisser avec une autorité terrifiante, définitive –

Et s'écroule par terre, renversé par une bibliothèque pleine de livres. Seth pousse un cri de surprise, mais Tomasz s'écarte déjà du meuble qu'il a fait tomber, tandis que Régine glisse ses mains sous les aisselles de Seth pour le soulever. Ils le tirent jusqu'à la cuisine, et Seth voit le Conducteur se débarrasser des étagères avec une force sidérante. Tomasz claque la porte de la cuisine derrière eux, et Régine l'aide à incliner le réfrigérateur pour la bloquer.

– Tu as la clé ? crie Tomasz, désignant la porte du jardin. S'il te plaît, dis que tu as la clé !

– C'est ouvert, halète Seth, la poitrine encore douloureuse. Tirez dessus, secouez le loquet.

Un fracas retentit quand le Conducteur jette son poids contre la porte de la cuisine, et renverse presque le réfrigérateur du premier coup. Mais Régine a déjà ouvert la porte du jardin. Elle attrape la main de Tomasz et le propulse dehors, hurlant – « Allez ! » – à Seth.

Il se redresse en vacillant au deuxième coup de bélier qui dégonde le haut de la porte. Mais elle tient bon. Pour le moment. Bouche ouverte, plié en deux par la douleur qui lui troue la poitrine, il se précipite vers le jardin.

Ils ont déjà disparu dans les hautes herbes quand il s'avance sur la terrasse. Il distingue encore la tête de Régine, mais Tomasz ne trace plus qu'un sillage, comme un poisson sous la surface d'un étang.

Seth trébuche, contourne le tas de bandelettes argentées – toujours là où il les a laissées – puis, comme il entend un fracas plus net à l'intérieur de la maison, il se lance à travers les herbes.

– Dis-moi qu'il y a une issue ! lui crie Régine.

Seth ne répond rien.

– Merde ! l'entend-il jurer.

Ils s'arrêtent à côté de l'ancien abri antiaérien, privé de porte depuis longtemps, l'intérieur semé de tessons de poterie et de dix millions de cintres. La clôture en bois ne présente pas de prises faciles pour les pieds, et le talus de l'autre côté grimpe jusqu'à une autre clôture, horriblement haute et barbelée à son sommet.

– Mais on est où, *là* ? s'exaspère Régine.

– Le terrain de la prison, souffle Seth. Il y a une autre clôture après celle-là, et puis une autre encore… (Il s'arrête, car Régine et Tomasz se regardent surpris.) Quoi ?

– La *prison* ? articule Tomasz.

– Mais oui, et alors ?

– Oh, merde, lâche Régine. Oh merde, et merde, et merde.

– ICI ! crie Tomasz, tirant sur une planche au pied de la clôture.

Régine et Seth lui donnent un coup de main, Seth grimaçant quand il se plie, et ils arrachent deux, puis trois planches. Tomasz se glisse de l'autre côté. Ils en arrachent une quatrième, et Régine pousse Seth.

Il se retourne pour l'aider.

Mais elle a tourné la tête vers la terrasse.

Où le Conducteur se dresse.

À travers la brèche, ils le voient les observer, se tourner vers eux.

Il semble calculer.

Il ne bouge pas.

– Qu'est-ce que tu fais ? crie Tomasz, inquiet.

– Allez-y, vous deux, dit-elle. (Puis, fixant Seth.) Prends soin de Tommy.

– NON ! hurle Tomasz en se jetant vers la brèche, mais Seth, machinalement, l'arrête.

– Régine, t'es dingue ou quoi ? lance-t-il.

– Je vais le ralentir ! Vous pouvez encore vous en tirer…

– Régine ! crie Tomasz en tirant sur le bras de Seth.

Le Conducteur produit un long bruit en froissant les herbes hautes, lentement, comme s'il était certain de les avoir.

– Allez-y ! crie Régine. Maintenant !

– Régine…, balbutie Seth, quand Tomasz se dégage brusquement et se rue à travers la brèche, esquivant Régine quand elle tente de lui barrer le passage.

– Tommy ! s'écrie-t-elle.

Mais Seth le voit qui fouille dans sa poche, en tire une petite cartouche en plastique, et il voit ses petits doigts qui s'activent frénétiquement –

La flamme d'un briquet danse.

– Tommy ? lance encore Régine.

Le garçon promène le briquet parmi les longues herbes encore desséchées malgré la dernière pluie, encore prêtes à s'enflammer là où le briquet les touche.

– Viens ! crie-t-il à Régine en se précipitant par la brèche.

Elle observe les flammes qui montent, et progressent si vite que leur panache de fumée masque déjà le Conducteur. Seth la voit hésiter, immobile, pendant quelques minuscules secondes, puis elle plonge derrière Tomasz. Ils tournent à droite, en bas du talus, espérant trouver une issue au bout de la clôture.

Et ils courent, comme des fous.

37

– C'est mon briquet, sale petit voleur ! lance Régine.

Seth regarde sans cesse par-dessus son épaule, mais les flammes brûlent maintenant si haut qu'elles dépassent le sommet des clôtures.

– Elles vont s'étendre, dit-il. Tout va brûler, comme de l'autre côté des voies.

– Désolé, fait Tomasz.

– Je veux mon briquet, insiste Régine.

L'espace entre les clôtures et le talus est très étroit. Ils courent tant bien que mal, un pied à plat et l'autre sur la pente.

– Il ne nous suit pas, dit Seth, après un nouveau coup d'œil.

– Pas encore, répond Régine.

Ils atteignent l'extrémité des maisons, déboulant sur le parking d'un petit immeuble, devant le cratère. Seth oblique à gauche, s'écartant de sa rue.

– Non ! crie Régine, essoufflée. Il faut s'éloigner de la prison ! Sinon, on n'a aucune chance de le semer !

Seth s'arrête.

– Hein ? Et pourquoi ?

Mais elle court déjà dans l'autre direction, vers le cratère et la grand-rue, Tomasz juste derrière elle.

– Tu nous conduis juste devant la maison ! crie Seth. Bon sang !

Mais ils continuent, alors il les suit, les doigts crispés sur sa poitrine encore douloureuse –

Encore douloureuse, mais –

Ils courent jusqu'au bord du cratère, puis s'aplatissent au sol. Tomasz glisse un coup d'œil au coin d'un bosquet.

– Rien, dit-il. La camionnette est encore là, mais rien d'autre. Juste des tonnes et des tonnes de fumée.

– Alors, on y va, dit Régine.

Et elle s'élance, Tomasz sur ses talons, tous deux en vue de la camionnette pendant deux petites, horribles secondes. Seth suit, jetant un regard vers sa maison, mais rien ne bouge. Ils se cachent dans les buissons en face.

– Ma poitrine, souffle Seth, une main plaquée sur son cœur. Elle…

– On va retourner dans *notre* maison, dit Tomasz. On pourra s'occuper de toi.

– Trop loin pour y aller à pied avec cette chose à nos trousses, réplique Régine.

Elle se tourne vers Seth :

– Tu connais un endroit où nous cacher ?

Il scrute la grand-rue, réfléchissant à tous les magasins où il est entré, jusqu'au supermarché en haut de la côte.

– Je crois, oui…, murmure-t-il.

– Il fait noir, là-dedans, dit Tomasz en regardant par la vitre du supermarché, dans la grand-rue.

– C'est parfait, acquiesce Régine. (Elle regarde Seth et hoche la tête.) Bien joué.

Seth se retourne en direction de sa maison, où la fumée monte toujours.

– Vous croyez qu'on l'a tué ? demande-t-il.

– La mort, ça ne peut pas mourir, dit Tomasz.

– C'est juste une chose en combinaison, réplique Régine. Pas la mort. On ne devrait même pas la traiter de chose.

Elle plonge à l'intérieur, où elle disparaît presque aussitôt. Seth va pour la suivre, mais Tomasz reste planté, en se mordant la lèvre.

– Fait noir..., répète-t-il.

– Alors, vous venez, ou quoi ? appelle Régine.

– On est avec toi, Tomasz, dit Seth. Et puis, tu as le briquet.

Il le sort de sa poche, le retourne entre ses doigts.

– Pas le mien. À Régine. Elle m'a demandé de le garder. Pour ne pas la tenter.

– Elle a dit que tu lui avais volé.

– Les gens ont leur façon à eux de demander, soupire Tomasz en haussant les épaules. Quelquefois, sans même demander. C'est ce que ma mère dit toujours.

Régine sort des ténèbres à grands pas.

– Tommy, la seule chose qui peut te faire du mal ici, c'est moi, si tu ne remues pas ton petit cul.

– Tu fumes ? lui demande Seth.

Elle ouvre de grands yeux.

– T'aurais pas un autre sujet de conversation ? Tu te fiches de moi, ou quoi ?

– Allez, Tommy, dit Seth en se retournant. Il faut vraiment rentrer à l'intérieur, maintenant.

Tomasz lui jette un regard surpris.

– Tu m'as appelé Tommy.

– Oui.

– Je préfère Tomasz, s'il te plaît.

– Mais elle t'appelle Tommy.

– C'est permis. C'est Régine. Avec toi, je préfère Tomasz. Plus logique comme ça.

Il suit Seth et Régine dans l'obscurité du magasin. Ils remontent les allées silencieuses, foulant la poussière des aliments éparpillés.

– C'est bon, dit Régine en se tournant vers Tomasz. Donne-moi le briquet.

– Non. Tu as dit que tu arrêtais de fumer. Fumerais plus jamais, ça, tu l'as dit.

– Mais c'est quand même le mien. Il faut que je voie si Seth, là, va pas mourir d'un poumon percé.

– Alors, je le fais, réplique Tomasz.

Il allume le briquet, le brandissant au-dessus de lui pour éclairer l'allée.

– Pas si haut, dit Régine, ou ça se verra du dehors.

– Ah bon? fait Tomasz. Des conseils, maintenant, mais rien quand Tomasz met le feu à l'herbe et nous sauve la vie à tous les trois. Hein, merci Tomasz, merci beaucoup pour ton idée géniale… Ouïe!

Il lâche le briquet et se glisse le pouce dans la bouche.

– Mmouais, acquiesce Régine. Merci, petit génie.

– Je t'en prie, Tomasz en se léchant le pouce.

Régine tâtonne sur le sol à la recherche du briquet.

– Et qu'est-ce qu'il a de si précieux, ce briquet? demande Seth.

– Il marche, réplique Régine, qui le trouve et l'allume. Ces trucs marchent à l'alcool. Sais-tu combien j'en ai essayé avant d'en dénicher un qui ne se soit pas évaporé? Maintenant, enlève ta chemise.

Seth fait une grimace.

– Pour voir ta poitrine, idiot, dit-elle. Tu marches et tu parles, alors j'imagine que tout va bien, mais mieux vaut vérifier.

Seth hésite, pris d'une timidité soudaine.

Régine fronce les sourcils.

– On t'a déjà vu te doucher.

– Et plus que ça! renchérit Tomasz.

Régine fait passer le briquet dans son autre main, et lui jette un regard malicieux.

– … Je ne t'ai pas demandé de sortir avec moi ni rien de ce genre.

– Ça ne m'aurait pas gêné, lâche Seth presque involontairement. Je ne sors pas avec les filles.

Son visage se ferme aussitôt.

– Tu veux dire que tu ne sors pas avec les… *grosses*?

– Non, ce n'est pas ce que…

– Ouais, je lis dans tes pensées. Comment peut-elle être aussi grosse dans un monde où il reste à peine de quoi se nourrir? Elle a dû être *obèse*, au départ!

Seth ouvre la bouche, puis s'arrête. Il n'a pas pensé à ça. Mais une question lui vient à l'esprit, du coup.

– Depuis combien de temps êtes-vous là?

– Cinq mois et onze jours, répond Tomasz.

– Bien assez longtemps, répond Régine, presque au même moment.

Un silence s'installe, Seth ne sachant quoi dire, avant de préciser:

– Non, je voulais juste dire que je ne sortais pas avec des filles. N'importe quelles filles.

Régine lève le briquet pour le regarder.

– Alors, si je comprends bien, si nous voulons repeupler la planète, ça repose sur moi et ce petit bout de Polonais?

– Quoi? s'exclame Tomasz. Qu'est-ce que vous dites? Je ne vous suis pas.

– Il sort avec des garçons, explique Régine.

– *Vraiment*? fait Tomasz, fasciné. Je me suis toujours

demandé comment ça marchait. J'ai plein de questions là-dessus...

– Laisse-moi voir ta poitrine avant qu'il s'y mette..., insiste Régine. *S'il te plaît.*

À la lumière de la flamme, tout ce qu'ils voient sur la peau de Seth, c'est une marque et peut-être une certaine rougeur.

– Comment c'est possible ? s'exclame Tomasz. Il t'a projeté à travers toute la pièce.

– Je sais..., dit Seth. Je m'attendais à voir mes côtes ressortir de mon dos...

Régine hausse les épaules.

– Peut-être qu'il ne t'a pas frappé si fort que ça ?...

Seth lui jette un regard noir.

– ... Bon, eh bien tant mieux. (Elle a repris sa voix irritable et s'avance dans l'allée, vers le fond du magasin.) Il y a quelque chose à boire, ici ?

– Tu pourrais être un peu aimable, tu sais, lâche Seth. On est tous dans le même bateau.

Elle se retourne vers lui, ses joues en sueur scintillant à la lueur du briquet.

– Ah bon ? Je croyais pourtant que Tommy et moi on n'était pas vraiment là. Et si on n'est pas là, alors quel intérêt d'être aimable ? Surtout quand te viennent des idées géniales comme tout à l'heure, où tu as failli tous nous faire tuer. Enfin, heureusement qu'on n'était pas là, hein ?

– Mais tout va bien ! coupe Tomasz. Grâce à moi.

– Oui, mais si j'avais su ce qui se passait, rétorque Seth, au lieu de toutes ces stupides cachotteries...

– Tu veux des réponses ? lance Régine avec un air de défi.

– Régine..., intervient Tomasz, il n'est peut-être pas prêt.

– Je m'en fiche. Il veut savoir ? Je vais lui dire, moi.

– Me dire quoi ? demande Seth.

Elle le fixe, la flamme vacillant entre eux.

– Ce monde... Cet enfer où tu crois être...

– Régine, intervient Tomasz, arrête.

Mais elle continue :

– On n'est pas en enfer, monsieur Vous-Êtes-Pas-Là-Alors-Ça-Vous-Embête-Pas-Si-Je-Vous-Tue. Tous ces souvenirs, tous ces rêves, tous ces stupides petits morceaux de vie que tu te rappelles avoir vécus, hein ? (Elle se penche dans la flamme jusqu'à ce que ses yeux brûlent eux-mêmes comme des feux.) *Ça*, c'était l'enfer.

– Bien sûr que non, réplique Seth fermement.

– Mais si, et tu le sais parfaitement. Et ici (elle fait un geste pour englober le magasin, les rues désertes dehors, le Conducteur qui les cherche encore sûrement quelque part), c'est le monde réel. Ici. *Ici* !

Et elle lui balance une gifle en pleine figure.

– Hé ! crie Seth.

– Tu l'as sentie, celle-là ? Il n'y a pas plus réel, mec.

Seth plaque une main sur la brûlure qui gagne toute sa joue.

– Pourquoi t'as fait ça ?

– Tu n'es pas mort, et tu ne t'es pas réveillé en enfer. Tu t'es *réveillé*, point barre.

Elle éteint le briquet et s'enfonce dans l'obscurité.

– Mais réveillé de quoi ? balbutie Seth en la suivant.

Elle s'arrête devant les eaux minérales, yeux écarquillés. Sans un mot, elle et Tomasz fouillent parmi les bouteilles, les éclairant à la lueur du briquet, rejetant celles qui sont vides ou trop opaques.

– Vous n'avez pas de supermarché, dans votre quartier ? questionne Seth, surpris par leur frénésie.

– Il y en a un grand, près de chez nous, souffle Régine, mais complètement vide.

– Reste plus que des supérettes appelées Express quelque chose, halète Tomasz entre deux gorgées.

– Mais vous n'êtes qu'à trois kilomètres, maximum, répond Seth en prenant une bouteille pour boire lui aussi, réalisant seulement maintenant à quel point il a soif. Vous n'avez pas cherché par ici ?

– Pas avec le Conducteur qui patrouille dans les rues. On reste toujours à couvert, de maison en maison, sans faire de bruit et en essayant de ne pas nous faire voir. On avait plutôt bien réussi, jusqu'à aujourd'hui.

– Si c'est de ma faute, alors je suis désolé. Mais je commence à en avoir un peu assez de…

– Il me faut une cigarette, lâche Régine.

– Non ! s'écrie Tomasz. Tu vas mourir ! Tes poumons deviendront aussi noirs que ta peau ! Ta cervelle va te sortir par les yeux !

– Hou là, ça en fera un beau spectacle, ricane-t-elle en se dirigeant vers l'avant du magasin.

À travers les portes, ils entendent toujours le moteur ronronner à travers le silence du quartier, mais à une distance rassurante, et certainement trop loin pour présenter une menace immédiate.

– Tant qu'on ne s'approche pas de la prison, jette Régine en gagnant le comptoir aux cigarettes, j'imagine qu'on l'intéresse nettement moins.

– Mais qu'est-ce qu'elle a de si spécial, cette prison ? demande Seth. Et pourquoi disais-tu que je m'étais *réveillé* ?

– Attends…, murmure Régine, accroupie derrière le comptoir. Tout semble avoir été mis en pièces par une bande de rats, mais après inspection, elle finit par trouver un paquet presque entier de Philip Morris. Elle le déchire comme si c'était le premier cadeau de Noël qu'on lui ait jamais offert, et tapote pour en faire sortir une cigarette.

– Régine, implore Tomasz.

– Tu ne peux pas imaginer, marmonne-t-elle. Je veux dire, sérieux, t'as même pas idée.

Elle fait du briquet l'usage initialement prévu, le bout de la cigarette rougeoyant dans la pénombre. Elle prend une longue, très longue inspiration, retenant la fumée, et ils la voient plisser fortement les yeux dans l'effort, des larmes coulant d'abord sur une joue, puis sur l'autre.

– Oh, bon sang, chuchote-t-elle. Oh, sacré bon Dieu de m…

Tomasz jette un regard consterné vers Seth.

– Ça la tuera.

– Je croyais que tu avais dit qu'on était déjà morts, réplique Seth.

– Non, souffle Régine. Pas morts. Tommy se trompe, sur ce point…

Elle tousse, et reprend une nouvelle bouffée, posant la main sur le comptoir avec un regard de zombie.

– Aaah… Quelle journée pourrie…

– Régine, coupe Seth d'un ton sec.

– D'accord. D'accord… (Elle tire une nouvelle bouffée.) Je vais lui dire, Tommy. Hein, t'es d'accord ?

Le garçontend le pied, traçant une courbe dans la poussière.

– Ça va le secouer, Régine. Il voudra rien savoir.

Puis, fixant Seth, il ajoute :

– Moi non plus, je voulais pas y croire. Et j'y crois toujours pas vraiment.

Seth déglutit avec difficulté.

– Je préfère prendre le risque.

– Très bien, fait Régine, après une dernière bouffée.

Elle écrase son mégot sur le comptoir, et tire une autre cigarette pour l'allumer. Elle tend le paquet à Seth.

Il désigne machinalement son short, son tee-shirt et ses chaussures de tennis.

– Je cours, précise-t-il. Je peux me permettre à peu près tout, sauf *fumer*.

Régine hoche la tête. Puis elle commence.

– Le monde, dit-elle, est fini.

38

– Fini ? demande Seth. Comment ça, fini ?

Régine pousse un soupir noyé de fumée.

– Nous pensons qu'il est fini parce qu'on a voulu en finir avec lui.

– Nous ?

– Oui, nous tous.

Seth veut en savoir plus, mais elle l'arrête.

– Est-ce que tu utilisais Internet ? Avant de te réveiller ici ?

Il la fixe, embarrassé.

– Bien sûr. Pourquoi me poses-tu ce genre de question ? On ne pouvait pas vivre sans un téléphone ou une tablette.

– Et c'était vrai partout, semble-t-il, acquiesce Régine. Même en Pologne.

– J'étais pas en Pologne, coupe Tomasz, furieux. Combien de fois je devrai le répéter ? Ma maman est venue ici pour du travail. Et la Pologne est très bien connectée, merci. Pays très avancé, la Pologne. Et puis, j'en ai marre de vous, de toute façon…

– Oui, *de toute façon*, reprend Régine. Nous pensons qu'un jour, il y a huit ou dix ans, si on se repère aux dates qu'on trouve ici, tout le monde s'est connecté. Indéfiniment.

Seth plisse le front.

– Comment ça, indéfiniment?

– Moi, je sais! s'exclame Tomasz. Ça veut dire quelque chose comme décider de le faire encore et encore, pour toujours.

– Je sais bien ce que le mot signifie, s'irrite Seth.

– Tout le monde a laissé le monde réel derrière soi, continue Régine, pour se déplacer vers un autre, entièrement en ligne. Une version globale, qui ne ressemblait pas à Internet, mais tellement à la vie réelle qu'on ne pouvait plus voir la différence.

Seth secoue la tête.

– Absurde. Ce genre d'idiotie n'arrive qu'au cinéma. Tu peux toujours voir la différence. La vie réelle est la vie réelle. Tu ne pourrais pas l'oublier comme ça.

– Justement, coupe Tomasz. Elle a une théorie là-dessus, aussi. Elle pense qu'on s'est obligés à l'oublier. Comme ça, on avait moins de peine et elle nous manquait moins.

Seth le fixe sévèrement.

– Tu as dit que tu ne la croyais pas. Et qu'ici c'était l'enfer.

Tomasz hausse les épaules.

– Bien sûr. Mais l'enfer que tu crées toi-même, ça reste quand même l'enfer, non?

– Et tu imagines que je vais avaler ça?

– Je me fiche de ce que tu crois ou pas, reprend Régine. Tu as demandé la vérité, et c'est la plus logique. Nous nous sommes installés dans ces cercueils…

Seth sursaute.

– Parce que, vous aussi, vous vous êtes réveillés là-dedans?

– Mais oui, réplique Régine. Mais pas des vrais cercueils, en fait. Tous ces tuyaux, ces bandages métallisés. Conçus pour nous garder en vie, bien sûr. Nous alimenter, évacuer nos déchets, empêcher nos muscles de s'atrophier, pendant que nos cerveaux imaginent que nous sommes ailleurs.

– Je n'y voyais rien quand je suis sorti du cercueil, dit Seth. En fait, je ne savais même rien de ce cercueil avant de remonter l'escalier, deux jours plus tard.

– L'escalier ?

– Le cercueil est dans le grenier. Dans mon ancienne chambre.

Régine hoche la tête, comme si cela confirmait quelque chose.

– Je me suis réveillée dans mon salon, dit-elle. Aussi déboussolée que toi. Pendant un jour ou deux, j'ai même pas bougé de l'endroit où je suis tombée.

Seth jette un coup d'œil vers Tomasz, qui promène le bout de son pied dans la poussière, comme avant.

– La pluie arrive, dit-il.

Ils se retournent. Des nuages s'accumulent à l'horizon. Un nouvel orage tropical.

– C'est calme, aussi, ajoute Tomasz.

Seth tend l'oreille. Le bruit du moteur a disparu pendant qu'ils parlaient. Il n'y a que le vent, qui pousse les nuages de pluie. Au moins, ils finiront d'éteindre l'incendie.

« Encore quelque chose qui tombe à pic. »

– Ce que tu dis est invraisemblable, argumente-t-il. (Régine fait claquer sa langue, mais il poursuit.) Quoique au fond, pas plus invraisemblable que tout le reste, ici. Ce désert. Cette poussière. Ce monde qui vieillit sans personne dedans.

– Sauf nous, corrige Tomasz.

– Oui, et c'est bien le problème. Il n'y avait pas d'autres cercueils dans ma maison ni dans aucune autre maison de ma rue. Si le monde s'est mis en sommeil, alors, où sont les autres ?

Aucun d'eux ne répond.

Alors, Seth réalise qu'il le sait déjà. Comme une histoire mille fois entendue.

– La prison, murmure-t-il enfin.

Tomasz détourne consciencieusement les yeux. Régine détourne les siens, également, puis lui jette un regard résigné.

– On ne peut pas, lâche-t-elle.

– On ne peut pas quoi ? Tu ne sais même pas ce que je vais dire.

– Mais si. Et je te dis qu'on ne peut pas.

– On ne peut vraiment, vraiment pas, insiste Tomasz. Sans blague, hein.

Seth s'irrite de leur obstination soudaine. Depuis qu'il est ici, cette prison domine le paysage. Au loin, ou derrière une colline, ou juste le fait de la savoir là, quelque part, invisible. Source de tout ce qui l'a éloigné d'une vie qui aurait pu être bonne, qui aurait pu être heureuse.

Il l'a toujours évitée, par pur instinct animal.

Mais maintenant qu'ils lui disent de ne pas y aller, cela devient brusquement la chose la plus urgente, la plus évidente à faire. Qu'il ait créé cet endroit de toutes pièces pour pouvoir accepter la mort, ou qu'il s'agisse d'une sorte d'enfer, dans les deux cas, cette prison joue un rôle. Et elle pourrait lui apporter des réponses.

Et puis, si Régine dit vrai, si ce monde-ci est réel, alors sa famille se trouve là-bas.

Maintenant.

– Montrez-moi, dit-il fermement. Emmenez-moi à la prison.

39

– Oh ! s'écrie Tomasz, tirant à pleines mains sur sa tignasse ébouriffée. Je le *savais* ! Je savais que ça devait arriver !

– C'est trop dangereux, ajoute calmement Régine. Le Conducteur ne nous laisserait jamais approcher.

– Mais il n'est manifestement pas tout le temps à la prison, dit Seth. Puisqu'il part en patrouille.

– Il saura que tu es là, et il fera plus que te trouer la poitrine, cette fois.

– Un trou qui s'est guéri drôlement vite, tu ne trouves pas ? s'interroge Seth, tambourinant sur son torse, puis grimaçant de douleur. On pourrait trouver le moyen d'entrer.

– S'il te plaît, lâche Tomasz. S'il te plaît, ne m'y ramène pas.

– Hein ? Comment ça ?

– Je me suis réveillé là-bas, murmure tristement Tomasz. Tant de cercueils. Et tu ne sais pas qui se trouve dedans ou à quoi ils rêvent, tu ne sais même pas s'ils sont vivants. (Il a joint les mains, et les tord, comme jamais Seth n'a vu des mains se tordre.) Et ma mère…

– Ta mère ?

Mais Tomasz ne dit rien, se déplace juste vers Régine, qui écrase son mégot et le prend dans ses bras pour qu'il puisse pleurer contre son ventre.

– Il fuyait le Conducteur quand je l'ai trouvé, explique-t-elle. On l'a échappé belle. Il m'a fallu une bonne semaine pour le convaincre que je n'étais pas un ange, ni un démon.

– Ça, je peux le comprendre, réplique Seth. Mais qu'est-ce qu'il veut dire, à propos de sa mère ?

– Là, ça ne te regarde pas. Je peux te dire ce que nous savons et ce que nous croyons, mais certaines choses doivent rester privées.

– Alors, tout le monde se trouve dans la prison ?

– Pas le monde entier, évidemment. Mais un tas d'habitants de cette ville. Il doit y avoir d'autres endroits ailleurs, mais où ? Et qui, ou quoi les garde ?

– Mais on pourrait...

– On n'ira *pas* à la prison. C'est le seul endroit ici où on ne va pas.

– Tu y es allée, pourtant, quand tu as trouvé Tomasz.

Elle soupire.

– Becca venait d'être tuée. Cette femme que j'avais rencontrée. Je ne savais pas quoi faire d'autre.

Il la fixe, plus attentivement.

– Alors, tu es allée dans un endroit que tu savais dangereux ?

Elle décolle un peu de cendre de sa bouche, puis lui demande, d'un ton innocent :

– Et toi, tu courais vers où, ce matin ?

Un long silence suit. Tomasz renifle toujours. Régine le prend par la main, et ils s'assoient contre le comptoir de cigarettes.

– Mais pourquoi seraient-ils tous là-bas, alors que je me suis réveillé chez moi ? questionne à nouveau Seth.

Régine hausse les épaules.

– Moi aussi, j'étais chez moi. Peut-être qu'ils ont manqué de place. Ou de temps. Peut-être qu'ils ont dû improviser.

– Plutôt désordonnée, comme organisation.

– Et qui parle d'organisation ? Peut-être qu'ils étaient pressés, et qu'ils ont dû faire avec les moyens du bord.

– Comment ça ?

– Tu as vu ce monde ? réplique-t-elle en haussant les sourcils. Où sont les animaux ? D'où viennent toute cette poussière et cette moisissure ? Huit années n'ont pu en accumuler autant. Et cet incendie, de l'autre côté des voies, il est arrivé quand ? Avant, ou après ? Et cette météo invraisemblable ? (Elle secoue la tête.) Peut-être que le monde devenait simplement invivable, et qu'on n'avait pas d'autre choix, finalement, que de le quitter.

Les éclairs brillent si violemment que tous trois sursautent, même Tomasz malgré ses yeux fermés. L'univers retient son souffle, puis un long roulement de tonnerre retentit, presque aussitôt suivi par le martèlement de la pluie contre le verre, et son souffle contre la vitrine du magasin semble désespérément vouloir entrer et les emporter.

Tomasz s'endort, la tête sur les genoux de Régine. Seth prend quelques conserves et s'assied auprès d'elle. Ils mangent avec des cuillers en plastique, s'efforçant de ne pas réveiller Tomasz. La pluie fouette les vitres, si fort qu'ils se croiraient sous une cascade.

– Je n'ai jamais vu une pluie pareille, murmure Régine. Pas en Angleterre. On dirait un ouragan.

– Il y a trop de choses qui ne collent pas dans ton explication, reprend Seth en luttant pour avaler ses spaghettis froids. Pourquoi me retrouver *moi* dans ma maison, et pas mes parents ni mon frère ?

– Je n'en sais rien. On est réduits à des suppositions. Par exemple, pourquoi les cercueils sont-ils alimentés par le fond, alors qu'il n'y a pas d'électricité ailleurs ?

– Oui, j'ai remarqué, aussi.

– Et ça ? (Elle se presse l'arrière du crâne.) Une fiche de connexion qui ne percerait pas la peau ?

– Mais si cette technologie est là, demande Seth, en pensant également aux bandelettes métalliques, pourquoi ne l'avions-nous pas dans le monde en ligne ? Pourquoi ne pas l'avoir amenée avec nous ?

– Peut-être que nous voulions des choses plus simples, plus faciles.

– Parce que ta vie n'était pas simple et facile ?

Elle lui jette un regard noir.

– Tu sais très bien ce que je veux dire.

– En tout cas, c'est certainement plus simple et plus facile de t'avoir là pour m'expliquer tout cela. Drôlement pratique, tu ne trouves pas ?

– Allez, voilà que tu remets ça. Tommy et moi, on n'est pas réels, hein ? Tu veux encore une baffe ? Ce serait avec plaisir, tu sais.

– La pluie qui éteint le feu et nous enferme pour que nous puissions parler…, continue Seth. Une blessure à la poitrine qui se guérit assez vite pour me permettre de fuir… Un peu trop beau pour être vrai, non ?

– Les gens aiment se raconter des histoires… C'est ce que disait mon père. On prend des événements au hasard et on les colle ensemble pour qu'ils nous racontent une histoire rassurante, même si la réalité n'a évidemment rien à voir (Elle fixe Seth.) On doit se mentir à soi-même pour survivre. On deviendrait fous, autrement.

Tomasz s'agite dans son sommeil, marmonne en polonais.

– *Nie, nie.*

Régine tend une main pour le réveiller, mais il s'apaise.
– Il fait un rêve… Ces rêves-*là,* hein ? questionne Seth.
– Je suppose.
– Et toi, tu rêves de quoi ?
– Propriété privée, réplique-t-elle sèchement.
– Désolé. Mais comme tu parlais de ton père…
Ils mangent en silence, pendant quelques minutes.
– Mais alors, Seth finit par reprendre, si le monde est en ligne, pourquoi, comment le fait de mourir nous a-t-il réveillés ici ? On n'aurait pas dû se reconnecter, ou quelque chose du genre ?
– J'en sais rien. Mais les gens mouraient quand même, là-bas, non ? Ma tatie Geneviève est morte d'un cancer du pancréas. Et mon père… (Elle s'éclaircit la voix.) Parce que pour avoir l'air réel, tellement réel qu'on en oublierait avoir jamais vécu ailleurs, la mort faisait forcément partie du paysage, non ? Nos cerveaux n'y auraient pas cru, autrement. Tu meurs en ligne, parce que tu meurs en vrai et que c'est la vie.
– Mais on n'est pas morts pour de vrai, jette Seth de nouveau en colère, pensant à ce qui est arrivé à Owen, à ce qui est arrivé avec Gudmund, à ce qui *lui* est arrivé. Et à quoi bon tout ça, d'ailleurs ? Pourquoi vivrait-on dans un monde encore plongé dans une telle merde ? Si nous habitions un endroit parfait…
– Ne me regarde pas comme ça. Ma mère a épousé mon enfoiré de beau-père dans ce monde parfait, alors j'en sais rien. (Sa main remonte machinalement à l'arrière de son cou.) Tout ce que je sais, c'est que si tu offres à un être humain la moindre chance de se montrer stupide et violent, alors il la prend, et tout de suite. Peu importe où.
– Mais comment avons-nous échoué ici ? Pourquoi ce monde n'est-il pas peuplé de gens qui sont morts et se sont simplement réveillés ?

– À mon avis, nous étions aussi supposés mourir dans ce monde-là. Mais je suis tombée dans l'escalier, et je me suis cogné la tête à un certain endroit. Tommy (elle baisse les yeux sur lui, toujours endormi), bon, Tommy dit qu'il a été frappé par la foudre, mais je suppose qu'il ne veut pas se rappeler, et peu importe, mais c'est bien au même endroit. Un défaut de fonctionnement au point de connexion qui télécharge le système, et au lieu de nous tuer, ça nous déconnecte. (Elle hausse les épaules, l'air épuisé.) En tout cas, c'est ce qu'on imagine.

Elle passe doucement ses doigts dans la tignasse hérissée de Tomasz.

– C'était son idée, d'ailleurs, même s'il ne cesse de répéter qu'il n'y croit pas. Plein d'idées pas stupides du tout dans cette drôle de petite tête.

Tomasz se serre plus étroitement contre elle, dans son sommeil.

– Mais si tout ce qui nous est arrivé n'était pas réel, commente Seth, si tout ce que nous connaissons n'était qu'une simulation en ligne...

– Non, c'était bien réel. On l'a bien vécu. On y était. Si tu vis quelque chose et si tu veux y échapper plus que tout, alors c'est sacrément réel.

Seth pense à Gudmund, il pense à son odeur, à sa *présence*. À tout ce qui est arrivé pendant l'année, le bon, le mauvais, et le vraiment très mauvais. À ce qui est arrivé à Owen, à ces journées affolantes quand il a disparu, à chaque petite punition ou rebuffade muette distribuée par sa mère et son père durant les années qui ont suivi.

Rien de plus réel. Simulé, et comment ?

Et s'il était ici, maintenant, où était Gudmund ?

– Il ne faut pas rentrer chez nous avant la nuit, dit Régine. On dormira à tour de rôle, chacun surveillera la rue.

Rien que d'y penser, Seth sent le poids de la fatigue. Après être resté debout presque toute la nuit, après avoir couru, après la fuite à vélo, c'est un miracle, tout à coup, qu'il parvienne à garder les yeux ouverts.

– Très bien, marmonne-t-il. Mais quand je me réveillerai…

– Quand tu te réveilleras, je te dirai comment entrer dans la prison.

40

– Il faut que tu me pardonnes, lança Monica, sur le perron, sans même dire bonjour. Je ne pensais pas à mal. J'étais juste tellement en colère et…

Seth sortit dans le froid, fermant la porte derrière lui.

– Comment ça? Que se passe-t-il?

Elle lui jeta un regard apeuré. Il n'y avait pas d'autre mot. Elle avait peur de ce qu'elle devait lui dire.

Il sentit une crampe glacée lui serrer l'estomac.

– Monica?

Au lieu de répondre, elle leva les yeux au ciel, comme si elle pouvait y trouver de l'aide. Bêtement, Seth l'imita. Il gelait en cette période de Noël, et depuis des semaines, mais il n'y avait pas eu un seul flocon. Une multitude de taches grises encombraient le ciel, comme si la neige était trop en colère pour tomber.

Il baissa les yeux sur Monica. Elle pleurait.

Alors il comprit.

Car cela ne pouvait être qu'une chose, bien sûr. Cela voulait fatalement dire que la seule bonne chose dans sa vie allait se terminer. Il ne lui restait plus qu'à savoir comment.

– Toi et Gudmund…, dit-elle doucement, son nez coulant dans

l'air froid, son haleine sortant par petites bouffées blanches au-dessus de son écharpe. Toi et cet enfoiré de Gudmund.

Elle avait presque l'air d'une enfant dans son gros manteau d'hiver et son bonnet tricoté avec le renne dessus, qu'elle portait depuis l'époque où il était bien trop grand pour sa petite tête, et qu'elle continuait aujourd'hui à porter par grand froid, sans réaliser son côté comique. C'était son bonnet rouge, et il faisait autant partie d'elle que ses cheveux ou son rire.

– … Je comprends mieux, maintenant, poursuivit-elle. À y repenser. Si tu m'avais demandé, je te l'aurais même souhaité. (Elle lui adressa un sourire triste.) À toi, Seth, je te l'aurais souhaité. Une chose qui pouvait te rendre si heureux.

– Monica, souffla Seth d'une voix à peine audible. Monica, je ne…

– S'il te plaît, ne me dis pas que ce n'est pas vrai. S'il te plaît. Avant que tout cela tourne au cauchemar, ne fais pas comme si ce n'était pas vrai.

Il fronça les sourcils.

– Avant que tout cela tourne au…

– Bonjour, Monica! claironna sa mère en sortant sur le pas de la porte.

Owen surgit bruyamment derrière elle, emmitouflé comme une momie polaire, Thermos dans une main, clarinette dans l'autre.

Pourquoi la fais-tu attendre dehors? Elle va mourir de froid! (Elle sourit à Monica, mais son sourire disparut devant l'expression de la jeune fille.) Que se passe-t-il?

– Rien, répondit-elle, avec une bonne humeur forcée et en s'essuyant le nez avec son gant. Juste un gros rhume.

Elle parvint même à rire dans sa main.

– Très bien, dit la mère de Seth d'un ton signifiant qu'elle n'était pas dupe. Raison de plus pour vous réfugier à l'intérieur. La bouilloire est encore chaude.

– Salut, Monica, lança joyeusement Owen.

– 'Jour, Owen, marmonna-t-elle.

Owen agita la Thermos.

– On a fait du chocolat chaud.

– Ouais, fit-elle avec un nouveau rire forcé, et tu en as encore sur la bouche, grand bêta.

Owen lui retourna son sourire sans même tenter d'essuyer le chocolat sur ses lèvres.

– Allons, dit la mère de Seth en traînant son fils vers la voiture. Entrez à l'intérieur. Bien plus chaud. (Elle agita la main en s'asseyant au volant). Bye, Monica !

– Bye, Mrs Wearing, répondit-elle en agitant son gant.

La mère de Seth leur jeta un dernier regard préoccupé en démarrant.

– Elle prononce « bouloire », dit Monica.

– Monica, fit Seth en croisant les bras, et pas seulement à cause du froid qui transperçait sa chemise. Dis-moi.

Elle attendit encore, piétinant sur place.

– J'ai trouvé des photos, lâcha-t-elle finalement. Sur le téléphone de Gudmund.

Alors c'était ça, aussi simple que ça. Et le monde se refermait, doucement.

– Je suis tellement désolée, dit Monica, et elle se remit à pleurer en répétant : ... Tellement désolée.

– Qu'est-ce que tu as fait ? Bon sang, mais qu'est-ce que tu as fait, Monica ?

Elle grimaça, mais sans détourner les yeux. Il s'en souviendrait. Elle avait été courageuse, et assez bouleversée pour ne pas détourner le regard quand elle lui avait dit ce qu'elle avait fait.

Mais il l'avait quand même maudite. Maudite à tout jamais.

– Je les ai envoyées à H, dit-elle. Et à tous ceux du lycée que j'ai trouvés sur le téléphone de Gudmund.

Seth resta muet, esquissa juste un pas en arrière, comme s'il perdait l'équilibre. Il faillit tomber sur le banc en pierre que ses parents avaient placé à côté de la porte.

– Je suis désolée, reprit Monica en sanglotant. Je n'ai jamais été aussi désolée de toute ma vie…

– Pourquoi, questionna doucement Seth. Pourquoi avoir fait ça ? Pourquoi…?

– J'étais en colère. Tellement en colère, je n'ai même pas réfléchi.

– Mais pourquoi ? insista Seth. Elles ne sont pas… elles n'ont rien de… sexuel ! Le sexe, encore, je pourrais comprendre, je suppose, mais…

– Et alors ? (Elle le fixa droit dans les yeux.) C'était de l'amour, Seth.

Elle s'arrêta, et il ne lui demanda pas ce qu'elle voulait dire, pourquoi l'amour était tellement plus douloureux à voir.

– Je l'ai aimé la première, dit-elle. Je m'excuse de te donner une raison aussi merdique, mais je l'ai aimé la première. Avant toi.

Même durant cette chute libre, même durant cette première secousse d'un monde qui s'écroulait sur lui – chacun pénétrant sa vie la plus secrète, ses amis, ses parents, tout le monde à l'école –, il ne pensa qu'à Gudmund, que tout pourrait encore aller bien si Gudmund allait bien, qu'il pourrait tout supporter, n'importe quoi, si Gudmund était là avec lui.

Il se redressa.

– Il faut que je l'appelle.

– Seth…

– Non, il faut que je lui parle.

Il ouvrit la porte et –

41

Seth se réveille. Recroquevillé contre le comptoir à cigarettes, il s'est confectionné un oreiller avec des torchons de cuisine tout raides. Il sent le rêve se répandre, et tente de ne pas le laisser l'emporter.

Une conversation sur le pas d'une porte. Quelques mots de Monica, pendant qu'il frissonnait dans le froid. Le commencement de la fin.

La fin qui l'avait amené ici.

Mais pourquoi a-t-il rêvé de cela? Il y avait eu pire. Il a même rêvé pire, depuis qu'il est ici. Et pourquoi le rêve se termine-t-il ainsi? Il a ouvert la porte et –

Il ne se souvient plus. Il essaye désespérément de trouver Gudmund, bien sûr, mais ce qui s'est passé exactement après qu'il fut retourné à l'intérieur –

Quelque chose d'important, on dirait. Mais quelque chose qui reste hors d'atteinte.

– Mauvais? questionne Régine, debout au-dessus de lui.

– J'ai crié? demande-t-il en se rasseyant.

Il porte toujours ses vêtements de jogging, qui commencent à sentir mauvais.

– Non, mais ils le sont généralement, n'est-ce pas?

– Pas toujours.

– Hmm…, acquiesce-t-elle en s'asseyant à côté de lui.

Elle lui tend une bouteille d'eau.

– … Mais quand ils sont bons, c'est d'une manière qui les rend encore plus insupportables.

– Où est Tomasz ? demande Seth en avalant une gorgée.

– Il cherche un petit coin privé pour faire ses besoins. Tu n'imagines pas comme il est coincé, là-dessus. Il pourrait même pas en parler. Disparaît simplement, fait son affaire, et revient sans un mot. Je te jure qu'il en a pleuré quand il a vu tout le PQ qu'ils ont ici.

La pluie a cessé. La nuit commence à tomber sur la partie piétonne de la rue. Toujours aucun signe de moteur, et plus une trace de fumée dans l'air. Le monde à nouveau silencieux, à part leurs deux souffles.

– Je réfléchissais à ce que tu as dit, reprend Régine. Pourquoi on se serait mis dans un monde en ligne aussi merdique. Mais peut-être qu'à côté du monde réel, *c'était* le paradis. Peut-être qu'on voulait seulement avoir une chance de revivre une vie réelle, sans voir tout s'effondrer continuellement.

– Alors, tu y crois vraiment ? Que le monde réel est ici, et que tout le reste n'était qu'un rêve, pour nous comme pour les autres ?

Elle prend une longue inspiration.

– Ma mère me manque, murmure-t-elle en observant les stries du crépuscule. Ma mama de quand j'étais petite, pas celle qu'elle est devenue, pas *qui* elle est devenue après l'avoir épousé, mais avant. On s'amusait bien, toutes les deux. On riait, et on chantait, comme des folles. (Elle hausse un sourcil.) Tu sais comme les Noires sont supposées avoir des voix d'enfer, hein ? Et que le monde les laissera jamais gouverner ou diriger quoi que ce soit, ou être présidentes ou autre chose, mais que ça n'a pas d'importance puisqu'on chante toutes comme le chœur des anges ?

– Je n'ai jamais dit…

– Eh bien, c'était vraiment pas le cas, je t'assure. Ma mama et moi, bon Dieu, on grognait comme deux caribous solitaires. (Elle éclate de rire, doucement.) Mais peu importe, hein ? Quand ça reste entre toi et ta mama…

Seth étend ses jambes.

– Mais tu dis que tout cela n'était pas réel.

– Tu fais exprès de ne pas comprendre, rétorque-t-elle en soupirant. J'y étais. Ma mama y était. Même si on dormait profondément à différents endroits. C'était réel. Sinon, pourquoi est-ce qu'on n'aurait pas chanté comme des anges ?

– Il y a toujours de la beauté, murmure Seth. Si tu sais où chercher.

– Comment ça ?

– Rien. Juste une phrase de quelqu'un que j'ai connu.

Elle l'observe attentivement, trop attentivement.

– Tu avais quelqu'un. Quelqu'un que tu aimais ?

– Pas tes oignons.

– Et tu te demandes si c'était réel, hein. Tu te demandes si tu l'as vraiment connu… *lui*, je suppose ?

Seth reste silencieux, puis articule :

– Gudmund.

– Good Monde ? Un genre de surnom ?

– *Gudmund*. C'est norvégien.

– Ouais, bon, alors tu te demandes si ce Norvégien de Gudmund était réel, hein ? Tu te demandes si tous ces merveilleux moments te sont vraiment arrivés. Si tu étais vraiment là. Si *lui* était vraiment là.

L'esprit de Seth retourne à l'odeur de Gudmund, au bout de ses doigts. Au contact électrique, soyeux, de ses doigts sur sa poitrine. Au baiser des photos, ces photos que tout le monde a vues –

– Il l'était. Il l'était forcément.

– C'est bien ce que je disais. Autrement, on serait quoi, ici ?

Le jour s'est assombri, même pendant leur brève conversation, et les ténèbres du magasin les recouvrent comme un tapis.

– Voilà ce que je pense, reprend Régine en allumant une cigarette. Je pense que je suis la seule chose que j'aie, excepté peut-être Tommy. Même ici, dans cet endroit, parce que qui peut dire si ce n'est pas *aussi* une sorte de simulation, un autre niveau dont on se réveillera également. Mais où que je sois, quel que soit ce monde, je dois m'assurer que je suis bien moi et c'est cela qui est réel. (Elle souffle un nuage de fumée.) Connais-toi toi-même et vas-y, fonce. Et si ça fait mal quand tu te cognes, alors c'est peut-être réel.

– Ça m'a fait mal quand tu m'as giflé.

– Intéressant, réplique Régine en tendant le bras derrière elle vers le comptoir. Parce que je n'ai absolument rien senti. (Elle allume le briquet pour éclairer le bout de papier qu'elle a pris.) J'ai dessiné un plan du chemin à prendre pour retrouver la maison où on habite, Tommy et moi.

– Mais on ne devait pas...

– Comme ça, tu pourras retrouver ton chemin quand tu reviendras de la prison.

– Et ne dis rien à Tommy, chuchote-t-elle. Dis-lui juste que tu rentres chez toi pour changer de vêtements et que tu nous rejoindras plus tard. (Elle le fixe d'un air grave.) Tu m'entends ?

– Très bien.

Il lui prend le plan. Il reconnaît une route, qui s'éloigne de ce côté des voies et se dirige vers le nord. Il y a une croix tracée sur une rue adjacente et un numéro écrit en dessous pour l'adresse.

– Tu dois ajouter un trois à chaque fois, explique Régine. C'est en fait trois rues plus au nord que ça, et, pour la véritable adresse, tu ajoutes trois au premier chiffre et trois au second. Si tu te fais prendre, je ne veux pas qu'il nous trouve.

– Et la prison ? L'entrée principale se trouve très loin à l'arrière de ma maison.

– Tu ne pourras pas y pénétrer de ce côté. C'est barricadé et cadenassé comme pas possible, comme s'ils voulaient que personne ne puisse entrer ou sortir, quoi qu'il arrive. Ce que tu dois faire…

– Vous dites ? résonne la voix soupçonneuse de Tomasz, surgissant des ténèbres.

– Le plan pour retrouver votre maison, dit rapidement Seth.

– Pourquoi ? Tu ne viens pas avec nous ?

La flamme vacillante du briquet suffit à éclairer son expression inquiète.

– Si tu ne l'as pas complètement carbonisée, j'aimerais bien me changer, réplique Seth en reniflant son aisselle.

– Alors, pourquoi on ne vient pas avec toi ? Le nombre fait la force.

– L'union, pas le nombre, corrige Seth.

– Ah, bien sûr, parce que le vocabulaire, c'est vraiment le sujet principal en ce moment, ironise Tomasz.

– Je veux rentrer, coupe Régine. Trop risqué de traîner dehors, tous ensemble.

– Risqué, sauf pour lui ?

– C'est son choix, lâche Régine en se redressant.

– Eh bien, c'est pas mon choix à moi, glapit Tomasz en

ouvrant puis en serrant ses petits poings, comme faisait Owen quand il était inquiet, se rappelle Seth.

Owen restait là, vulnérable au possible, et on avait envie de le prendre dans ses bras et de lui dire que tout irait bien, ou de le gifler tellement il se mettait si ridiculement en danger.

– Je serai de retour en deux temps trois mouvements, dit-il, ajoutant: Je te le promets.

– Bon, alors, lâche Tomasz, peut-être pas tout à fait convaincu, c'est parfait.

Puis, regardant Régine:

– On devrait faire des provisions. De l'eau. Et de la nourriture. Et du papier toilettes. J'ai trouvé des bougies d'anniversaire, aussi. Pour quand on aura des anniversaires.

Les deux autres le fixent, interloqués.

– Ben quoi? J'aime ça, moi, les anniversaires.

– Et quel âge avez-vous, au juste, tous les deux? questionne Seth, curieux.

Régine hausse les épaules.

– Avant de me réveiller, j'avais dix-sept ans. Qui sait quel âge j'ai vraiment? Et si le temps est vraiment le même ici.

– Pourquoi? demande Seth. Tu ne crois pas...

– Impossible de savoir, dans un sens ou un autre.

– J'ai quatorze ans! s'écrie Tomasz.

Seth et Régine considèrent son invraisemblable petitesse, et tous deux éclatent de rire.

– Mais oui, quatorze ans, insiste Tomasz.

– Mais oui, ironise Régine. Et tu as été frappé par la foudre et la Pologne est pavée d'or et de chocolat. Allez, on y va maintenant.

Régine et Tomasz prennent des sacs aux caisses et les remplissent de toutes les provisions qu'ils pourront porter, puis ils sortent dans la grand-rue. Toujours aucun écho de moteur, mais ils avancent prudemment dans la nuit presque complète.

– Tu nous trouveras, dans le noir? questionne Tomasz, inquiet. On laissera une bougie allumée à l'extérieur...

– Certainement pas, tranche Régine. Il nous trouvera, t'en fais pas.

– Je ne vois toujours pas pourquoi on ne l'attendrait pas...

– J'ai juste besoin d'un peu de temps pour trier mes affaires, dit Seth. Certaines, c'est privé. Ça peut prendre un moment.

– Quand même...

– Bon Dieu, Tomasz, siffle Régine. Il veut probablement juste se branler un coup pendant le dernier moment d'intimité que tu voudras bien lui accorder.

Tomasz fixe Seth, stupéfait.

– Vraiment?

Seth distingue Régine qui rit silencieusement dans le clair de lune.

– Tu sais, Tomasz, j'ai un frère, dit-il. Où qu'il soit maintenant, on a grandi dans cette maison. Avant de déménager en Amérique...

Régine ne rit plus. Seth la voit allumer une cigarette, et faire semblant de ne pas écouter.

– ... Quand on vivait ici, un accident lui est arrivé. Quelque chose qui l'a rendu différent. Un peu... spécial. Et d'une certaine façon, c'était ma faute.

– Ta faute? chuchote Tomasz, les yeux écarquillés.

Seth observe la rue. Le cratère un peu plus loin, sa propre rue à côté. Il pensait simplement détourner l'attention de Tomasz, mais la vérité des mots tranche plus profondément qu'il ne s'y attendait.

– Que cet endroit soit réel ou pas, ma maison est dangereuse à cause de la proximité de la prison. Et si je n'y reviens pas, je veux lui dire au revoir. (Il regarde Régine.) Je veux dire au revoir au frère que j'avais avant toute cette saleté.

– Et tu dois le faire en privé, oui, je comprends, acquiesce Tomasz, hochant gravement la tête.

Seth sourit malgré lui.

– Tu me rappelles mon petit frère. Enfin, version polonaise.

– Je croyais que t'allais dire version spéciale, se moque Régine en soufflant une bouffée de fumée.

– Ça, c'est pas gentil, dit Tomasz, et pour des millions de raisons.

– On va chercher les vélos, coupe Régine. Alors, on se voit plus tard, hein ?

– J'essayerai de ne pas être trop long, mais ne vous inquiétez pas si…

Il manque tomber à la renverse sur le trottoir quand Tomasz se précipite vers lui et le serre entre ses petits bras.

– La Sainte Vierge te garde, monsieur Seth, marmonne le garçon d'une voix étouffée dans son tee-shirt. Ne laisse pas la mort t'attraper.

Seth promène une main dans les broussailles qui se dressent sur la tête de Tomasz.

– Je ferai attention.

– Laisse-le aller, maintenant, dit Régine.

Tomasz recule, la laissant approcher.

– Je ne vais pas t'embrasser, prévient-elle.

– Pas de problème en ce qui me concerne, réplique Seth.

– Je ne te demandais pas ton avis… (Puis, baissant le ton :) N'essaye même pas l'entrée principale. C'est ce que j'allais te dire tout à l'heure. Suis les rails jusqu'à l'autre côté de la prison. Tu verras une bonne partie de murs écroulés.

– Merci, chuchote Seth.

– Mais tu commets une grosse erreur. Tu ne vas pas trouver ce que tu cherches et, en plus, tu vas te faire tuer.

Il lui sourit.

– Content de savoir que je te manquerai.

Elle ne lui retourne pas son sourire.

– Hé, vous parlez de quoi, vous deux ? les interrompt Tomasz.

– T'occupes, lâche Régine, puis baissant le ton : Pense seulement à peut-être tenir la promesse que tu as faite à Tommy.

Seth ravale sa salive.

– J'y penserai.

– Bon, eh bien parfait, marmonne-t-elle en se détournant. Ravie de t'avoir connu, mec.

Tommy le salue joyeusement dans le clair de lune, mais Régine ne se retourne pas, et ils disparaissent dans les ténèbres.

– Ravi de vous avoir connus, moi aussi, murmure Seth.

Puis il fait demi-tour, et se dirige vers le cratère.

Vers sa maison.

42

La camionnette n'est plus devant la maison. De l'endroit où Seth se cache, il distingue les marques tracées dans la boue quand elle a fait demi-tour pour repartir. Il attend, mais rien ne bouge, pas même un nuage devant la lune qui luit dans le ciel déjà éclairci, le temps changeant à la vitesse d'un film en accéléré.

Quelque part là-bas, bien des rues plus loin, Régine et Tomasz pédalent vers le nord, leurs vélos surchargés de provisions. Il prend un temps pour leur souhaiter d'arriver sains et saufs. Un souhait qui ressemblerait plutôt à une prière, si l'endroit s'y prêtait.

Il avance dans la rue, lentement, prudemment, guettant le moindre signe de la camionnette ou du Conducteur en embuscade, mais rien ni personne ne lui saute dessus. La maison paraît inchangée, à part la vitre fracassée de la grande fenêtre. Il fait trop sombre pour voir quelque chose à travers les stores cassés, et il s'en veut de ne pas avoir pris une bougie d'anniversaire pour s'éclairer. Il va lui falloir tâtonner dans le noir pour retrouver sa lampe, et qui sait quels dégâts l'incendie a pu provoquer avant que la pluie l'éteigne ? Il ne trouvera peut-être aucune lampe, ni aucun vêtement, rien pour se changer.

Et aucune trace des affaires laissées par sa famille.

Des affaires, et lesquelles, d'ailleurs ? se demande-t-il en repensant aux explications de Régine. Est-ce sa mémoire qui a reconstruit l'endroit, ou s'agit-il réellement de la même maison que sa famille a quittée pour l'Amérique ?

Ou quand ils ont *choisi* de croire qu'ils partaient pour l'Amérique, alors qu'ils étaient allongés dans des cercueils noirs profilés, accueillant une nouvelle version du réel ?

Pourtant, il se rappelle le déménagement, le stress et l'anxiété. Owen était sorti de l'hôpital depuis peu, et devait suivre un lourd programme de rééducation censé régler ses problèmes de motricité. Les médecins hésitaient toujours à déterminer la part des blessures physiques et celle du traumatisme psychologique, mais sa mère avait insisté pour le changement. Il n'était pas trop tôt, selon elle, et même en ce cas, un nouvel environnement avec des stimulations nouvelles – et des médecins complètement nouveaux, dans la foulée, et un peu moins nuls, surtout – ne pouvait qu'aider son jeune fils. Et puis, elle n'arrivait plus à supporter l'idée de rester *une minute de plus* dans cette maison.

Le père de Seth avait fini par trouver une solution surprenante. Une petite faculté de beaux-arts sur la côte sombre et humide de l'État de Washington, où il avait passé un semestre comme jeune professeur invité, avait répondu à sa requête et oui, en fait, ils avaient bien un poste d'enseignant à pourvoir, s'il le souhaitait. C'était encore moins bien payé qu'en Angleterre, mais l'université cherchait si désespérément du personnel qu'elle avait ajouté une allocation logement et payé les dépenses du déménagement.

La mère de Seth n'avait pas hésité, même devant une destination aussi isolée, à deux heures de voiture des grandes villes les plus proches. Elle avait commencé à faire les cartons avant même que son père ait accepté le poste, et ils avaient quitté l'Angleterre en à peine un mois, atterrissant à Halfmarket, un coin perdu peut-être pas soumis à une nuit polaire permanente, mais tout juste.

Seth secoue la tête, refusant l'idée que cette histoire ne leur soit arrivée qu'en ligne. Sa mère avait été trop furieuse contre tout, son père trop déprimé, Owen trop malade, et lui, trop seul. Si tout était faux ou programmé ou Dieu sait quoi, pourquoi n'auraient-ils pas été mieux ? Plus heureux ?

Non, tout cela n'avait aucun sens.

Bon, d'accord, c'était quand même l'explication la plus logique, pour l'instant. Le monde aurait pu effectivement se mettre en ligne pour oublier, mais ses parents ? Ils n'auraient jamais choisi de subir ça. Et Seth aurait encore moins voulu vivre un tel cauchemar.

À moins qu'ils n'aient pas eu le choix ?

Il s'arrête devant la porte d'entrée.

Les gens dans leurs cercueils, peut-être que le Conducteur ne les protégeait pas d'influences extérieures. Peut-être qu'il était là pour vérifier que personne ne se réveille jamais. Il n'avait pas l'air vraiment humain, et peut-être qu'il ne l'était pas du tout. Peut-être était-ce un robot. Ou un extra-terrestre, et ils avaient obligé les humains à…

– Science-fiction à la noix, murmure-t-il. La vie n'est jamais aussi palpitante. C'est le genre d'histoire…

Il s'immobilise encore.

C'est le genre d'histoire où tout s'explique par un seul grand secret, comme celui où tout le monde se met en ligne et où tout s'inverse, ce qui est réel et ce qui ne l'est pas. Le genre d'histoire qu'on pouvait à la rigueur suivre à l'écran pendant deux heures, satisfait du scénario, avant de reprendre sa vie normale.

Le genre d'histoire que son cerveau fabriquerait pour donner un sens logique à cet endroit.

Il pousse la porte. Elle n'est pas fermée, ne l'a jamais été. Le Conducteur aurait pu entrer et les tuer avant qu'ils aient la moindre chance de lui échapper. Mettant fin une fois pour toutes à *cette* histoire.

Mais ils ont survécu. Et d'une bien étrange façon. Le Conducteur a attendu dehors que Seth le voie, puis il a pris son temps pour rentrer dans la maison après l'avoir frappé à la poitrine – il frotte l'endroit, encore douloureux, mais sûrement pas autant qu'il devrait – et il avait encore pris son temps avant de leur courir après dans les hautes herbes.

Et tout le reste. Un magasin de sport qui lui fournit tout le matériel nécessaire. Un supermarché avec tout juste assez de nourriture pour qu'il ne meure pas de faim. Une pluie qui l'avait d'abord lavé, puis avait éclaté juste à temps pour éteindre un incendie qui n'avait même pas atteint la cuisine, comme il le constate maintenant, après avoir trouvé et allumé la lampe de camping.

Tout est comme il l'a laissé, à part l'odeur de fumée. Il grimpe par-dessus le réfrigérateur renversé et sort sur la terrasse. Les herbes ont entièrement brûlé, mais les planches n'ont pas souffert, un peu noircies seulement à leur extrémité. Le tas de bandelettes est toujours là lui aussi, ses parties métalliques reflétant la lune presque plus qu'elles ne devraient.

Il rentre à l'intérieur, se lave rapidement à l'eau froide de l'évier, et enfile des vêtements plus chauds. Il trouve sa lampe torche, et le voici prêt à partir, déjà.

Mais il jette un dernier coup d'œil au salon, et se surprend à faire comme il l'a dit à Tomasz.

– Au revoir, Owen, chuchote-t-il. Au revoir, maison.

Il sort sur le seuil et tire la porte derrière lui. Il se demande si c'est vraiment la dernière fois qu'il la verra. Bizarrement, cette idée l'attriste.

Réelle ou pas, cette maison signifiait quelque chose.

Puis il se rappelle les mots de Régine : « Je suis la seule chose réelle que j'aie. »

Et il se rappelle une autre chose qu'elle a dite : « Connais-toi toi-même et vas-y, fonce. »

Il est temps de rejoindre la prison.

Parce que, monde réel ou pas, des réponses l'attendent peut-être, là-bas.

43

Il se dirige vers la voie ferrée par un chemin devenu familier. La lune est assez claire pour qu'il n'ait pas besoin d'allumer sa torche. Le silence est total. Pas de grillons. Pas de chouettes. Et toujours pas de vent, même après toute cette pluie.

Il reste aux aguets en marchant, prêt à courir au moindre mouvement suspect, mais il parvient sans incident au passage qui sépare les barres d'immeubles. Il atteint la gare et la traverse silencieusement. En longeant le train, il se demande si les sangliers sont des animaux nocturnes. Il saute en douceur sur les rails et tourne les yeux en direction de la prison.

Les voies sont étrangement dégagées. À part quelques herbes plus hautes çà et là, le gravier se mélange à un tapis enchevêtré qui lui effleure à peine les chevilles. Les rails brillent encore très nettement sous le clair de lune, loin vers le sud. Des années de pesticides les ont préservés.

Sur la droite, il y a une allée en brique pilée, sans doute pour les cheminots chargés de l'entretien, et qui semble en assez bon état. Seth l'emprunte, et s'éloigne de la gare. À sa gauche, par-dessus les palissades, il devine le quartier incendié. Mais il fait trop sombre pour en distinguer les détails, juste quelques reliefs sur un paysage de cimetière. Il ne discerne aucun mouvement, rien qu'un vide désolé, marqué par la silhouette de Masons Hill à l'horizon.

Il sait de mémoire que cette ligne mène jusqu'à la mer, même s'ils n'y ont été que deux fois et, franchement, ce n'était pas beaucoup plus drôle que Halfmarket. Rien que des falaises, des rochers et une eau incroyablement froide. Juste après avoir quitté la gare, il se souvient, le train commençait son voyage en longeant de hautes ceintures de grillages, de barbelés et de murs en brique, flanquées de tours qui dominaient les arbres. Une architecture conçue pour se cacher dans ses propres replis : la prison.

Dans le clair de lune, il aperçoit déjà l'une des tours à travers les arbres. Probablement à peine à dix minutes à pied, alors qu'il aurait fallu des heures, normalement.

Dix minutes, cela paraît bien trop facile.

Et presque pas assez long pour qu'il s'y prépare.

Il continue sur l'allée en brique, cramponnant sa torche comme si elle était sa propre version du bâton du Conducteur. Il jette un regard en arrière pour vérifier que le sanglier ne le poursuit pas, et il aperçoit la passerelle au-dessus des voies, là où il a découvert pour la première fois le quartier incendié, et où Tomasz l'a vu pour la première fois, aussi.

Il se demande s'ils se sont inquiétés quand ils ont découvert qu'il y avait quelqu'un d'autre. S'ils ont eu peur, même. Pour lui. *De* lui. Et ce qu'ils ont pensé en le voyant se doucher. Côté intime. Il se sent rougir, même si Régine semblait aussi gênée que lui, alors que Tomasz avait pris cela avec le même enthousiasme que le reste.

Seth ressent comme un coup de poing, encore, d'avoir laissé Tomasz. Il l'imagine maintenant, attendant dans leur maison, guettant joyeusement son retour d'un instant à l'autre. Et Régine, qui n'en croyait pas un mot. Et elle avait peut-être raison.

Tomasz et Régine. Un garçon et une fille qui surgissent pour l'empêcher de rejoindre Masons Hill, et de courir droit dans la gueule du loup. Un garçon et une fille qui donnent des réponses à toutes ses questions, tout en laissant suffisamment d'ombre pour que le mystère paraisse quand même plausible –

– Arrête, murmure-t-il. Ce genre de raisonnement va te rendre dingue.

Sa gifle était bien réelle. L'étreinte de Tomasz, et le parfum légèrement écœurant d'un garçon de cet âge, tangiblement réels, imprégnant la peau et les narines de Seth.

Bon, d'accord, Tomasz ressemblait beaucoup à Owen, comme une sorte de personnage que son esprit aurait pu fabriquer de toutes pièces pour l'aider... à accepter la mort, ou bien à se déplacer dans une nouvelle conscience, ou à faire ce pour quoi cet endroit avait été conçu, s'il avait été conçu pour quelque chose.

Mais il n'aurait pas fabriqué Régine. Elle ne ressemblait à personne qu'il connaisse, nulle part. Pas avec cet accent, ni cette attitude.

Non, ils étaient réels. Ou suffisamment réels, en tout cas.

Mais alors, Gudmund –

– Arrête ça, se répète-t-il, continuant à avancer.

À travers les arbres, entre la ligne et la prison, il voit se rapprocher l'angle du mur en brique, haut de cinq mètres. La première enceinte de la prison.

Il prendra les choses comme elles viennent. S'il y a une brèche suffisante, il jettera un coup d'œil. S'il n'y a pas de risque à entrer, alors bon, c'est peut-être ce qu'il fera. Sinon, il pourra toujours revenir une autre nuit. Après tout, le temps, ce n'est pas ce qui leur manque, ici. Il y aura toujours une autre occasion –

Cinquante mètres plus loin, le long du mur en brique, il aperçoit une lumière.

Une lumière électrique. Manifestement électrique, car cette blancheur bizarre, aveuglante, est très différente de la flamme vacillante d'un feu et bien trop forte pour une lampe torche ou à gaz. Elle filtre à travers les arbres – et à travers ce qui devrait être de la brique, si l'enceinte se prolonge derrière les feuillages. Elle projette un éclat suffisamment bas pour ne pas avoir été visible de sa maison.

Seth écoute tout autour de lui, guettant d'autres pas sur le chemin, le ronronnement d'un moteur à l'approche, ou même le reniflement du sanglier. Mais rien, à part lui et son souffle. La lumière silencieuse également, aucun ronflement de générateur, ni grésillement de filament. Son éclat dur lui tombe dessus sans crier gare, à travers les feuilles. Il plisse les yeux, aveuglé, levant la main pour se protéger. Il a atteint la brèche de l'enceinte.

Régine avait raison. L'ouverture est énorme. Le mur s'est effondré, mais aussi toutes les clôtures à l'intérieur, y compris les parois en bois de ce qui ressemble à une sorte de sas, désormais presque aplati. À partir de là, une ligne droite conduit au cœur même de la prison.

La lumière n'a rien de plus extraordinaire qu'une grosse ampoule de réverbère. Accrochée à une clôture éventrée, elle éclaire les briques de l'enceinte extérieure qui s'empilent, et les grillages tordus des clôtures derrière.

On dirait qu'un engin énorme est passé à travers. Comme si quelque chose s'était soulevé du centre de la prison et avait tout défoncé sur son passage pour sortir.

« Mais comment ? Et quoi ? »

En tout cas, quoi ou quand, il ne reste plus que le silence et cette unique lumière qui lui montre le chemin, vers le cœur de la prison.

Il se tient là, hésitant. Le terrain s'abaisse à travers les clôtures et les murs démolis. Il y voit à cent mètres maximum, puis tout replonge dans l'obscurité.

Il pourrait y avoir n'importe quoi là-bas. Absolument n'importe quoi. Des gens endormis dans leurs cercueils. Ou personne, juste des salles vides. Ou une seule silhouette, habillée tout en noir, qui l'attend.

Si c'est un test, Seth ne connaît pas la bonne réponse.

Entrer, ou laisser tout cela sans réponse.

Il serre plus solidement sa torche.

– Je vais y jeter un coup d'œil, murmure-t-il. Rien de plus. Juste un coup d'œil.

Et il s'avance dans les ténèbres.

44

Il progresse à travers un premier amas de briques éparpillées. Certaines roulent et basculent quand il bute dessus, puis s'immobilisent presque aussitôt dans le silence.

L'enceinte extérieure est la plus haute. Trois rangs de grillage suivent, tous coiffés de barbelés – d'un aspect plus pointu, plus menaçant que sur des clôtures normales. Il prend d'infinies précautions pour franchir un tas particulièrement embrouillé, après quoi il se retrouve en sécurité, à côté de la lampe presque cassée, suspendue à la troisième clôture grillagée.

D'autres lampes ponctuent chaque côté de la clôture, mais c'est la seule à fonctionner ; l'ampoule logée dans une lourde coque en plastique. Aucun signe n'indique d'où provient son alimentation. Seth se demande, momentanément paniqué, si la clôture est électrifiée, avant de se rappeler qu'il l'a agrippée plusieurs fois en chemin.

Il avance encore, la lumière derrière lui maintenant, et orientée dans l'autre sens. Les ombres s'épaississent et se font plus confuses. Plus aucun arbre, évidemment. Ils n'allaient pas donner aux prisonniers la possibilité de grimper à quelque chose. Le terrain continue à descendre, la prison étant construite au fond d'une sorte de val – si c'est bien le terme, en anglais.

Il en discerne une partie au clair de lune, un complexe de bâtiments étalés en bas de la pente, certains derrière d'autres rangées de clôtures, d'autres alignés le long d'une voie de desserte. Il y a aussi de vastes espaces vides recouverts par un ciment fissuré où poussent de mauvaises herbes, peut-être d'anciennes cours de promenade. Au fond, les trois bâtiments principaux s'élèvent sur cinq étages, bordant les trois côtés d'un autre espace vide. Il fait trop sombre pour les distinguer nettement.

« Sombre. Comme s'il n'y avait pas d'autres lumières. »

Le reste de la prison ressemble de plus en plus au reste de ce monde. Abandonné, silencieux, immobile. Il marche à travers une herbe épaisse, quoique pas aussi haute que dans son propre jardin. Comme ailleurs, pas le moindre frémissement, pas un oiseau, pas une créature nocturne.

Il s'arrête au terme d'un monticule. Il a maintenant largement pénétré à l'intérieur du domaine pénitentiaire. Plus de grillage. La lune brille, toujours aussi pleine et claire, et ses yeux s'accoutument suffisamment pour balayer toute la scène.

Il ne se passe strictement rien. Aucun signe d'activité, pas même le son d'une machine. Rien – alors qu'on ne maintiendrait pas autant de gens en vie, même endormis, sans *un minimum* de bruit. Tomasz a dit qu'il s'était réveillé ici, enfermé au milieu d'innombrables cercueils, derrière d'innombrables portes et cloisons, mais il n'y a rien ici, maintenant. Si c'était possible, cet endroit paraîtrait même encore plus sombre et immobile et silencieux que le reste de ce monde.

Même l'air sent le renfermé, comme à l'intérieur d'une grande salle humide.

Rien. Vraiment rien. À ce point qu'une pensée lui traverse l'esprit.

... lui auraient-ils?

Lui auraient-ils *menti*?

Voulaient-ils le tenir à l'écart? En ce cas, ils n'avaient pas fait beaucoup d'efforts. À se demander, même, s'ils ne lui en avaient pas parlé de cette façon pour être sûrs qu'il aille y jeter un coup d'œil.

Seul.

– Non, dit-il à haute voix. Ils sont peut-être ceci, ou cela, mais certainement pas...

Un faisceau lumineux se déverse sur la petite place quand la porte d'un des trois bâtiments s'ouvre.

Le Conducteur fait irruption dans la nuit.

Seth se jette à terre. Aucun endroit où se cacher vraiment, aucun bâtiment assez proche pour courir s'y abriter. Il ne peut que s'aplatir dans les herbes hautes et prier pour qu'elles suffisent à masquer sa présence.

Le Conducteur se trouve assez loin, à deux cents mètres environ, sa silhouette découpée dans l'encadrement de la porte. Il se tient immobile, sur le qui-vive, comme s'il avait senti quelque chose d'anormal. Il descend les marches et s'avance dans la cour, l'écho de ses pas pesants répercuté au creux du vallon.

Seth se tend, prêt à fuir. Sûrement il sait qu'il est là. Il voit sans doute très bien dans le noir –

Le Conducteur se tourne vers la porte et la referme. La lumière disparaît, et dans l'aveuglement temporaire qui suit, Seth retient son souffle, concentrant toute son attention sur son ouïe. Il guette de nouveaux pas, mais rien. Le Conducteur s'est-il déplacé vers une partie plus molle de la place, tapissée d'herbe? Peut-être qu'il se dirige droit vers lui maintenant, adoptant une nouvelle allure, silencieuse –

Et puis un pas. Un pas très lourd, comme quand il a traversé la fenêtre de sa maison, comme un *coup de tambour*, d'un poids invraisemblable.

Et puis un autre. Et un autre.

L'écho des pas résonne et rebondit entre les trois bâtiments, brouillant toute perception de leur direction. Vient-il vers lui ? S'éloigne-t-il ? Seth se risque à relever la tête un peu plus, mais tout ce qu'il voit c'est l'éblouissant point mauve déposé sur sa rétine par la lumière de la porte.

Un autre pas. Puis un autre.

Plus forts, incontestablement.

Pas d'autre solution. Il va devoir courir aussi vite qu'il pourra en direction de la voie ferrée, trouver une issue, courir vers –

Mais non. Il ne peut courir chez Régine et Tomasz. Il mènerait le Conducteur tout droit à eux.

Un pas. Un autre pas.

– Je suis désolé, murmure-t-il involontairement, s'adressant à Tomasz, à Régine, à lui-même, sans savoir quoi faire, où aller. Je suis tellement désolé.

Il se redresse pour courir.

Et il entend le moteur de la camionnette démarrer.

Il se jette à nouveau à plat ventre. Là-bas, dans les ténèbres, le bruit du moteur s'enfle de manière curieusement douce, comme si son volume avait baissé, puis remontait lentement. Quelque part à l'écart des trois bâtiments, peut-être même –

Oui, *là-bas*. Des phares surgissent à l'angle du bâtiment le plus éloigné, celui d'où le Conducteur est sorti. La camionnette traverse la place, et tourne dans l'allée principale, au centre de la prison.

S'éloigne de Seth.

Se dirige vers l'entrée sud, celle dont Régine disait qu'elle était fermée. Le Conducteur semble en avoir la clé pour sortir et patrouiller dans le monde, remplissant le rôle mystérieux qu'on lui a – ou qu'il s'est – assigné.

En tout cas, il s'en va. Le bruit du moteur ne disparaît pas complètement, mais se fait plus distant, assez distant pour que Seth se sente un tout petit peu plus en sécurité. Il a une pensée inquiète pour Régine et Tomasz, cachés là-bas dans ce monde où le Conducteur rôde.

– Bonne chance, chuchote-t-il. Bonne chance à vous deux.

Il jette un regard sur les bâtiments en contrebas, vers la porte – plus aucun rai de lumière ne filtre, maintenant. Sa vision nocturne est revenue, et la lune l'aide à scruter la place, les contours des bâtiments, dans leur pénombre silencieuse.

Abandonnée.

Le moteur murmure faiblement au loin, mais si doux, si efficace que, dans un monde de voitures, un monde de sons *naturels*, jamais on ne l'entendrait venir.

Sauf que, quand même, il s'éloigne.

La prison, pour le moment, peut-être sans surveillance.

Seth se redresse. D'abord sur les mains puis, après une profonde respiration, sur ses pieds.

Rien ne se passe. Le silence continue à se dérouler comme un épais rideau. Le bruit du moteur si éloigné qu'il en disparaît presque.

Seth se pense, se *sent* seul, ici.

Et si c'est une histoire qu'il se raconte, ou un chemin qu'il est supposé emprunter, ou encore une nouvelle solution bien commode qui le pousse en avant, eh bien, quelle importance ? Hein, quelle importance, après tout ?

Puisqu'il veut savoir, plus que tout, ce qu'il y a derrière cette porte.

45

Il se glisse vers le bâtiment le plus proche, s'arrête pour regarder par une fenêtre. De vrais barreaux de prison la protègent. À l'intérieur, il ne distingue rien que les ténèbres. Il pousse le curseur de sa lampe torche. Rien ne se passe. Il la frappe plusieurs fois, l'ouvre, fait tourner les piles, la secoue encore. L'ampoule projette enfin une lueur vacillante, tout juste assez forte pour pouvoir lire, mais c'est mieux que rien.

Derrière les barreaux, à travers le verre armé poussiéreux, la torche éclaire un couloir vide, qui s'éloigne de lui. Il distingue de lourdes portes – des cellules, bien sûr, des cellules de prison, avec de petites fenêtres à barreaux, mais aucune ne laisse filtrer la moindre lumière.

Un endroit mort, aussi mort que le reste.

À la fenêtre suivante, plusieurs carreaux manquent, mais l'intérieur apparaît identique. Un autre bout de couloir, une autre rangée de cellules ténébreuses, sans le moindre signe de vie, de mouvement ou d'activité.

Et aucun cercueil en vue, en tout cas.

Avant qu'il atteigne la troisième fenêtre, la dernière avant l'angle du bâtiment, la torche s'éteint. Il a beau la traiter de tous les noms, elle refuse obstinément de se rallumer. Il pousse un soupir, mais doute qu'il y ait beaucoup plus à voir, de toute façon. Les architectes des prisons ne devaient sûrement pas chercher la variété. Il progresse donc jusqu'au coin du bâtiment, qui donne sur la place.

Les mauvaises herbes habituelles poussent dans les fissures du béton. Il ne distingue rien d'autre – ni bancs, ni bacs en ciment, non, absolument rien – juste une esplanade vide, complètement nue, à part les plantes qui commencent à proliférer. Une autre cour de promenade, peut-être, ou juste un endroit où les prisonniers ne pouvaient se cacher nulle part.

Chaque bâtiment ressemble au voisin. Laid, anguleux, impénétrable. Pas une ligne courbe. Une porte principale et des rangées de fenêtres régulièrement espacées, des barreaux et de grosses serrures posées sur la moindre ouverture.

Regardant autour de lui, Seth se demande un instant où était enfermé l'homme qui avait enlevé Owen. Le prisonnier dont il ne peut toujours pas retrouver le nom, en dépit de tous ses efforts.

Le prisonnier avait-il seulement marché dans cette cour ? Presque certainement. Et il avait sans aucun doute passé bien des heures dans l'une de ces cellules vides. Quand il s'était échappé, peut-être s'était-il caché derrière ce même angle où Seth se tient maintenant.

Seth se souvient que le prisonnier n'était pas classé comme à haut risque. La police disait que même s'il avait parfois été placé en cellule de confinement, c'était pour sa propre protection, et non pour les problèmes qu'il aurait pu poser aux autres ou un quelconque risque d'évasion. C'était un prisonnier modèle. C'est ce que les policiers ne cessaient de répéter à ses parents, pendant ces nuits épouvantables où ils cherchaient toujours Owen, comme si ce pouvait être une consolation, ou une excuse pour l'avoir quitté des yeux au moment fatidique.

Seth s'oriente dans le noir, plaçant mentalement la voie ferrée d'un côté et levant les yeux vers ce qui devait être la direction de sa maison.

Le prisonnier avait reçu une autorisation ce jour-là, ils l'apprirent ensuite, qui lui permettait de circuler d'un secteur de la prison à un autre, pour l'entretien extérieur, car il avait montré de bonnes dispositions pour le jardinage. Oui, les souvenirs commencent à lui revenir, maintenant (*mais son nom ?*). Le prisonnier s'était arrangé pour qu'un groupe de surveillants le croie à un endroit, et un autre ailleurs, si bien que personne ne l'avait cherché, juste pendant le temps nécessaire à son évasion.

La police supposait qu'il avait bénéficié de complicités, mais Seth ne se rappelle aucune autre explication. Le prisonnier avait creusé un trou, petit à petit, durant cet enchaînement de moments ténébreux et secrets qui lui avait permis de s'évader – Seth se tourne un peu – *par là*, et de se glisser à travers les grillages, de passer devant les gardiens (qui avaient peut-être regardé ailleurs, volontairement ou non), jusqu'à la dernière clôture.

Celle qui menait au jardin de Seth.

Il crache dans l'herbe, un goût amer dans la bouche. Il avait ouvert la porte à cet homme. Quoi qu'il arrive, pour le restant de cette vie, il aura toujours ouvert cette porte.

« Ce n'était pas de ta faute. Tu avais huit ans », avait dit Gudmund.

Et comme Seth aurait voulu le croire.

Il fouille les ténèbres, ses yeux remontent vers où le prisonnier est entré dans sa vie et lui a enlevé Owen, pour le rendre blessé et brisé.

Seth est en colère, maintenant.

En colère, et soudain beaucoup moins effrayé.

Il avance dans la cour et se dirige vers la porte d'où le Conducteur a surgi.

Elle semble identique aux portes des autres bâtiments. Aucune lumière ne filtre par une fissure ou un joint, ni par les fenêtres de chaque côté. Seth brandit sa torche en s'approchant, prêt à en frapper tout ce qui pourrait lui tomber dessus.

Mais toujours rien. Rien que le vide et le silence. Et toutes ces fenêtres à barreaux qui le fixent. Ces bâtiments sales et déserts qui le regardent avancer.

Plusieurs marches précèdent la porte, et le renfoncement, en masquant la lune, la plonge dans l'ombre. Il frappe sur sa lampe encore plusieurs fois, sans résultat, tâtonne dans le noir à la recherche d'une poignée –

La trouve, stupéfait, et –

La porte s'ouvre.

Avec un simple cliquetis, la porte s'ouvre sous sa main, tirée vers l'extérieur dans un silence aussi étrange que la discrétion du moteur de la camionnette. Pourtant, rien ne devrait grincer autant qu'une porte de prison, mais celle-ci glisse comme sur des roulements bien huilés.

Avant de s'y être préparé, sans même s'y attendre, Seth se retrouve devant l'entrée.

Une entrée si sombre qu'elle semble plonger directement dans un abîme.

Il cogne à nouveau sur la lampe, par simple nervosité.

Il plisse les yeux, essayant de voir quelque chose, n'importe quoi, dans le noir.

Mais il n'y a vraiment rien… que du vide.

Du néant.

Un trou béant dans le monde.

Seth recule, et redescend les marches. Il se déplace vers la fenêtre à droite et jette un coup d'œil à l'intérieur. Les ombres sont profondes ici également, mais il en devine assez pour réaliser que ce bâtiment est identique aux autres, avec ses couloirs, ses cellules et une poussière de plusieurs années.

Et l'entrée reste d'un noir absolu, irréel, comme si ce rectangle n'obéissait plus aux lois de la lumière et de l'espace.

Au-delà, il ne voit *rien*.

« C'est une illusion d'optique », se chuchote-t-il à lui-même. Une illusion créée par la lune.

Il reste encore immobile un instant, le monde retenant son souffle silencieux, le néant de l'entrée lui renvoyant son regard.

Il se raccroche à sa colère. La colère contre le prisonnier qui n'a eu qu'à parcourir quelques mètres pour venir tout ruiner dans sa vie. Il remonte les marches, s'approche des ténèbres, s'approche du seuil.

Le silence devient presque assourdissant, si épais que Seth commence presque à en douter. Il devrait pourtant bien entendre *quelque chose*.

Le souffle d'une brise. Le murmure des herbes sur la pente. Le craquement d'une charpente.

Mais rien que ce vide. Qui l'attend.

Il pourrait y avoir n'importe quoi au-delà, absolument n'importe quoi. Ce pourrait être l'entrée d'un autre *univers*, pour ce qu'il en sait –

– C'est idiot, chuchote-t-il en scrutant toujours les ténèbres.

Mais ici, dans le noir, son imagination commence à vaciller.

Parce que peut-être que cet endroit est un voyage.

Et peut-être, cette porte son terminus.

Parce que s'il y a la mort quelque part ici, ce ne peut être qu'au-delà de cette entrée.

Peut-être que *c'est* cette entrée.

Et si cet endroit est vraiment une sorte d'enfer, peut-être qu'il faut mourir pour le quitter.

Peut-être que c'est aussi simple que de passer une porte.

Du moment qu'il s'agit de la bonne porte.

Et, involontairement ou presque, il se met à penser à cette dernière journée sur la plage –

« Non, dit une voix dans sa tête. Non. »

Pourtant, il pense à ce jour, ce dernier jour, quand il est calmement entré dans une mer furieuse, glaciale, pour se retrouver sauvagement fracassé contre les rochers.

Et se réveiller ici.

« Arrête ça. Arrête – »

Mais il pense à ce matin aussi – ce même matin où il est parti courir vers Masons Hill, et qui lui paraît maintenant vieux de plusieurs semaines, de plusieurs siècles, même.

Dangereux, très dangereux d'agir, de raisonner ainsi, il le sait. Dangereux de revoir un endroit où la plupart des gens ne sont jamais allés, où la plupart ne *voudraient* jamais aller.

Est-il mort pour cela ? Est-ce là ce qu'il a toujours demandé ? Où Régine et Tomasz et le Conducteur et tous ces hasards si pratiques l'ont conduit ?

« Est-ce que je veux vraiment cela ? »

« Est-ce que je le veux toujours ? »

Et il réalise qu'il n'en est pas si sûr.

Mais voici l'occasion –

Voici l'entrée.

Il lève la main et s'avance.

46

Le flux de lumière l'aveugle avec une brutalité presque physique. Il ferme les yeux, sonné, et trébuche en arrière jusque dans la cour, prêt à fuir –

Mais pas tout à fait, pas encore.

Il lève la main pour protéger ses yeux, puis les rouvre imperceptiblement, d'un millimètre à peine. L'entrée, qui dressait un mur noir il y a seulement quelques secondes, dresse maintenant un nouveau mur, mais blanc.

Enfin, pas tout à fait un mur.

Il y a quelque chose, en retrait.

Une autre porte. Une seconde porte. En verre blanc, laiteux.

Et elle est ouverte.

Seth remonte prudemment les marches, une par une. La lumière ne semble pas provenir d'une source précise mais de partout : la porte intérieure, les murs au-delà, et il distingue aussi l'escalier qui descend, un peu plus loin. Tout est blanc, comme du verre.

Absolument rien ressemblant à l'intérieur des autres bâtiments.

Il entend quelque chose, aussi. Une sorte de bourdonnement… électrique ? Sûrement, pour pouvoir générer une lumière aussi puissante. Mais autre chose, encore. Un murmure, un *humm…* qui suggère une autre source d'énergie, venue du bas de ces marches, mais comme l'ouverture silencieuse de la porte, le moteur de la camionnette : un son plus propre, plus feutré, plus moderne que toutes les machines qu'il a jamais entendues.

Seth s'arrête sur le seuil. Il se penche, et tend la main jusqu'à toucher le sol. Le contact correspond exactement à son apparence, celui d'un panneau en verre blanc, et l'air à l'intérieur lui semble étrangement frais.

Il se redresse. Sous cette lumière tellement nue, tellement évidente dans cette nuit noire, il se sent dangereusement exposé. Il regarde autour de lui, inquiet. Il a dû déclencher une sorte d'alarme. Et le Conducteur doit sûrement être déjà en route.

Mais il n'entend que ce doux *humm…* Rien d'autre.

Aucun bruit de moteur.

Et sans plus réfléchir, sans se laisser entraîner dans un nouveau débat intérieur, il franchit le seuil.

Rien ne se passe. Aucun son, aucune sirène pour signaler sa présence, rien. Il se retourne vers la cour, largement éclairée par le flux lumineux. Dans tous les cas, il va devoir se dépêcher.

Deux pas lui suffisent pour gagner la porte intérieure. Toujours rien. Au-delà, l'escalier en verre blanc descend d'un palier puis tourne sur lui-même pour descendre encore plus bas. Il distingue tout juste le deuxième palier, où les marches rejoignent ce qui pourrait être un autre couloir.

Là encore, rien à voir avec le reste de la prison. Comme s'il était entré dans un bâtiment complètement différent, un lieu vraiment spécial. Même la porte n'a pas de loquet, rien pour l'ouvrir ou la fermer, ou la condamner. Juste un panneau sur des gonds invisibles, une porte comme il n'en a jamais vu, sauf peut-être à la télévision. Dans des documentaires de science-fiction.

Il pose un pied au-delà du seuil. Rien ne bouge. Il aborde la première marche. Puis la deuxième, et une troisième. Il se retourne, scrute le halo derrière lui. Toujours rien. Il continue, essayant d'alléger ses pas au maximum, guettant le moindre bruit.

Mais rien d'autre que lui, et ce *humm*… sourd.

Il marque une pause au palier. Les mêmes murs blancs et marches blanches conduisent à un petit couloir fermé par une porte au bout. Seth s'avance, notant que le même verre blanc recouvre la cage d'escalier. Toute la cage aurait pu être taillée dans un seul bloc de verre laiteux. Il atteint le fond du couloir et s'arrête devant la porte. Comme celle du rez-de-chaussée, uniforme et sans aspérité, elle génère sa propre lumière.

Il tend la main, mais avant même que ses doigts la touchent, elle s'ouvre. Il fait un bond en arrière, puis s'arrête en voyant qu'elle glisse simplement dans le mur, tout doucement et, comme en réponse à sa présence, effectue la tâche la plus évidente qu'il puisse lui demander. Au-delà, un autre couloir blanc se prolonge, et tourne à son extrémité.

Le *humm*… se fait plus fort.

Seth patiente un moment. Puis encore un peu. Toujours rien. Personne. La lumière de ce couloir paraît différente, à part le reflet des murs. Il y a quelque chose d'autre, après le tournant.

Seth avale sa salive. Une fois, deux fois.

« C'est maintenant ou jamais », pense-t-il.

Sans résultat. Il ne peut toujours pas bouger.

« Ce ne sera rien. Pas ce à quoi pensent Régine et Tomasz. Pas ce que j'imagine. Et sûrement pas des crétins d'extraterrestres. »

Mais il a peur, bien plus que quand il se trouvait dehors.

Parce qu'il y a manifestement *quelque chose*, plus loin.

Il passe la porte.

Avance dans le couloir.

Tourne à l'angle.

Et là –

Découvre une vaste salle, très vaste –

Au moins aussi profonde qu'un hangar à avions –

Qui contient des centaines, des *milliers* de cercueils noirs et luisants.

47

La salle n'est pas identique à la cage d'escalier. Ses murs et son sol construits dans une sorte de béton poli et brillant, d'une propreté immaculée. Des panneaux laiteux crèvent le plafond par intervalles, éclairant les cercueils.

Sur une superficie qui s'étend à perte de vue.

Seth se tient sur une petite plate-forme légèrement surélevée, face à la salle la plus vaste. Au-delà, les cercueils s'alignent, rangée après rangée. Ils s'éloignent en perspective, se pressent au fil de galeries qui supposent des salles encore plus profondes et même plus vastes, peut-être.

L'endroit paraît d'ailleurs infiniment plus vaste que la prison au-dessus. De larges allées partent du centre de la salle, et s'étendent aussi loin que les cercueils. « Assez larges pour permettre le passage d'une camionnette », pense Seth. Et puis, comment auraient-ils pu déposer les cercueils, sinon ? Il pouvait bien y avoir des portes secrètes quelque part, ouvertes en différents points sur le monde au-dessus, mais…

– Comment ont-ils fait ? chuchote-t-il. Comment ?

Le *humm…* vient d'ici. Il n'en distingue pas la source, aucun câble le long du sol, ni autre objet en dehors des cercueils, mais le son provient à coup sûr de cet endroit, alimentant ce qu'il doit alimenter.

Avec des gens à l'intérieur. Endormis.

Vivant leur vie.

La plate-forme se termine par quelques marches à son extrémité. Il descend sur le sol en ciment lustré, guettant l'alarme qui va l'obliger à fuir, ou la voix qui va lui demander ce qu'il peut bien fabriquer ici.

Il s'approche d'un cercueil. Le couvercle est étroitement fermé. Il s'attend presque à le voir s'ouvrir au plus léger contact, comme la porte, mais rien ne se passe. Il doit même chercher un bon moment avant de trouver le joint. Le métal lui semble frais, mais pas trop, et sans rien d'artificiel. Il se déplace autour du cercueil, mais rien ne diffère du sien à la maison, y compris – il s'agenouille pour vérifier – le petit tuyau du milieu qui disparaît dans le sol en ciment.

« Mais ça fonctionne comment ? se demande-t-il, pris de doute. Non, ça ne peut pas être réel. »

Parce que, enfin, comment feraient les gens pour avoir des bébés, hein ? Il arpente la salle, les cercueils alignés devant lui comme une armée de morts. Et comment pouvaient-ils rester en bonne santé ? Comment pouvaient-ils même être alimentés ? Régine, Tomasz et lui n'étaient peut-être pas de grands athlètes, mais enfin ils fonctionnaient comme des humains normaux, capables de marcher et de soulever des choses. Il avait été très faible pendant quelques jours, d'accord, mais comment ses jambes auraient-elles pu le supporter après des années d'immobilité ?

« Non, cela ne se peut pas. »

Mais il veut une explication. Il est venu pour obtenir une réponse, différente de celles qu'on lui a données. Il veut savoir si ce monde obéit à un but, à un but particulier.

Et il ne veut pas de l'explication la plus évidente.

Il plante les doigts sur le joint du couvercle, cherchant une prise. Il arrive tout juste à y glisser ses ongles – non coupés depuis qu'il s'est réveillé, mais oui, et comment les ongles des gens pouvaient ne pas pousser ? À peine un tressaillement, alors il pousse plus fort.

Le couvercle se soulève d'un demi-centimètre, d'un centimètre –

Avant de se refermer en le pinçant douloureusement. Il secoue ses doigts, puis essaye encore. Et encore.

– Allez, grogne-t-il. Allez !

Le couvercle s'ouvre si brusquement et si haut qu'il en perd l'équilibre et tombe lourdement par terre, cognant son coude contre le béton. Il pousse un énorme juron, choisissant le mot le plus ordurier qu'il connaisse, collant son coude à sa poitrine et le frictionnant, le temps que la douleur s'atténue.

– Merde, lâche-t-il plus doucement.

Le souffle encore court, il lève les yeux vers le cercueil ouvert. Il ne voit pas à l'intérieur, mais le dessous du couvercle ressemble bien à celui de sa maison, avec ses tuyaux et ses bandelettes métalliques, à part les lumières clignotantes qui entourent le bord.

Il s'accroupit prudemment, encore grimaçant de douleur, puis se redresse peu à peu pour découvrir l'intérieur du cercueil.

Il sursaute, surpris. Il ne devrait pas, il le sait, mais il ne peut s'en empêcher.

Parce que, bien sûr, il y a quelqu'un.

Un homme.

Un homme vivant, qui respire.

L'homme est enveloppé, tout comme Seth quand il s'est réveillé, de bandelettes autour des jambes et du torse. Ses organes génitaux à l'air, et Seth comprend maintenant pourquoi. Des tuyaux sont reliés au pénis, et un autre descend entre ses cuisses, maintenu par du sparadrap. Seth se rappelle les marques sur son propre corps. Les marques aux endroits où les tuyaux entraient de la même façon. Évacuant ses excréments, comme l'avaient deviné Tomasz et Régine.

Ailleurs, l'homme est presque entièrement recouvert, jusqu'au bout des doigts et sur presque tout le visage. Seth ne se rappelle pas ces bandages, mais il se souvient très bien de l'horrible période de vague qui a suivi sa mort. Ce sentiment de panique désorientée. Une terreur d'un genre bien particulier, presque pire que la mort elle-même. Et pourtant, qu'il ait obéi ou non à son esprit, son corps avait arraché les bandelettes de ses mains et de son visage, et il s'était glissé hors de son cercueil pour descendre l'escalier. Il se demande maintenant comment il avait fait pour ne pas se rompre le cou, comment il avait su se diriger alors qu'il était pratiquement aveugle.

L'instinct, sans doute. Et une capacité de mémoire qu'il ignorait posséder.

Le visage de l'homme ne se découvre qu'à l'endroit de sa bouche, où une protection glissée entre les dents permet à un tuyau d'apporter nourriture, eau ou oxygène, sans doute, mais comment être sûr ? Comment être sûr de *rien* ? Est-ce que l'adhésif métallique des bandelettes programme le monde du sommeil ? Stimule-t-il les muscles pour qu'ils ne s'atrophient pas ? Et les tuyaux d'évacuation servent-ils aussi à la reproduction ?

Comment savoir ? Et qui pouvait bien détenir les réponses ?

L'homme ne manifeste aucun signe de conscience, semble totalement ignorer que quelque chose a changé, que quelqu'un se tient debout au-dessus de lui. Aucun mouvement, à part le lent va-et-vient de sa respiration. Le sommet de son crâne n'est pas recouvert, dévoilant des cheveux aussi désagréablement courts que ceux de Seth. Son cou est également nu, et Seth tend machinalement la main, effleurant doucement sa peau, juste pour voir si elle est bien réelle.

Il est un peu surpris par sa chaleur, la chaleur tiède, sanguine, d'une personne vivante. Il est encore plus surpris de découvrir un peu de barbe. Presque imperceptible, mais tout de même. Et pourquoi cette barbe n'a-t-elle pas poussé plus ? Est-ce que quelqu'un le rase ? Reçoit-il des médicaments qui ralentissent la pousse ? Mais comment cela peut-il marcher ?

– Et qui es-tu ? chuchote Seth. Est-ce que je te connaissais ?

Parce que tous ces gens viennent bien de la même ville, cette ville, non ? Tous ces gens, des habitants du quartier déplacés en un seul endroit ? Et donc cet homme aurait pu être un voisin ou un ami de ses parents ou –

– Mais j'ai déménagé, non ? fait Seth en secouant la tête. Ou dans le monde imaginaire, en tout cas. Et *toi*, qui sait où tu imagines avoir été ?

Il observe l'homme, mal à l'aise devant sa vulnérabilité. Il a l'air d'un patient sur son lit d'hôpital. De quelqu'un qui aurait subi un accident terrible, et qu'on aurait maintenu dans le coma pour lui épargner un réveil trop douloureux –

Alors une idée traverse son esprit. Une idée folle, absurde.

Il l'écarte, croisant les bras, son regard toujours fixé sur l'homme.

Mais l'idée revient.

Parce qu'il mesure à peu près la même taille que lui, non ? Et pèse plus ou moins le même poids, aussi. C'est la même largeur d'épaules et de torse, les mêmes jambes maigres de coureur, la même couleur de poils.

« Mais non, se dit-il, ne sois pas stupide. »

Pourtant, l'idée ne le lâche pas. Plus il observe la forme de l'homme sous ses bandelettes étroitement serrées, les quelques parties de peau apparentes, plus il pense –

– Non, répète-t-il.

Mais il approche sa main du visage de l'homme, de ses bandages. Doucement, il en saisit un bord et essaye de le décoller. Rien à faire. Il le suit, cherchant une extrémité par où commencer, tourne la tête de l'homme.

– C'est débile, murmure-t-il. Cela n'aurait aucun sens.

Mais il veut tout de même voir. Il veut en être sûr –

Parce que si –

Et si c'était lui ?

Alors ce serait *ça*, la réponse ?

– Merde, dit-il, pris d'angoisse, et son cœur bat plus fort. Oh, merde.

Il repère l'extrémité du bandage près de l'oreille gauche et commence à la décoller, difficilement d'abord. Enfin une partie du visage apparaît peu à peu, et Seth soulève la tête de l'homme au-dessus de son coussin pour dérouler la bande à l'arrière –

Où une lumière clignote sous la peau de son cou.

Seth se pétrifie, la tête de l'homme entre ses mains. Il réalise pleinement, peut-être pour la première fois, qu'il manipule un être vivant, quelqu'un qui dort mais qui *respire*, tiède au toucher.

Vivant.

Doucement, tout doucement, il tourne la tête de l'homme pour observer la lumière clignotante. Verte et crue, elle s'allume et s'éteint régulièrement, juste à la base du crâne, sous l'oreille gauche, entre les bandelettes.

Exactement au même endroit que la bosse logée à l'arrière du crâne de Seth.

Exactement à l'endroit où il a heurté les rochers et où tout ici a commencé.

Alors, il remarque autre chose. Il soulève un peu plus la tête de l'homme. Sur le bout de peau dénudé au-dessus des bandages, une sorte de tatouage celtique couvre toute la largeur de ses épaules.

Un tatouage que Seth ne porte certainement pas.

Mais bien sûr, il voit les choses comme elles sont. Les cheveux de l'homme sont en fait un peu plus sombres que ceux de Seth, et la barbe de Seth n'est pas si épaisse, d'ailleurs. Le torse est nettement moins allongé, maintenant qu'il y regarde de plus près et, franchement, aussi embarrassant que cela puisse paraître, Seth comme tout adolescent de son âge, sait tout de même reconnaître son propre zizi.

Et cet homme n'est pas lui.

Évidemment que ce n'est pas lui.

Et, tout à coup, toucher cet homme lui paraît comme une intrusion, un acte presque criminel. Il replace le bandage autour du crâne, murmurant « désolé, désolé », en recolle l'extrémité sous l'oreille, peut-être un peu plus fort que nécessaire. Il laisse retomber la tête de l'homme sur son oreiller –

Et c'est à ce moment-là que l'alarme se déclenche.

48

Elle ne sonne pas si fort, rien d'assourdissant, mais ne laisse aucune ambiguïté sur sa signification et se répand avec l'indifférence têtue d'une mauvaise, très mauvaise nouvelle. Seth en cherche frénétiquement la source, mais il ne voit rien. Il attrape le couvercle du cercueil pour le refermer d'un coup. Mais il s'arrête subitement en chemin, achevant son mouvement avec une douceur lente d'automate, emprisonnant l'homme à l'intérieur avec un léger bruit hydraulique, comme s'il ne s'était rien passé.

L'alarme continue à retentir et Seth rejoint déjà la plateforme en courant pour remonter l'escalier et –

Il hésite.

Un panneau d'affichage apparaît sur le mur blanc et aveugle. Un long rectangle laiteux, qui semble se dégivrer pour révéler un vaste écran, maintenant couvert de mots, d'icônes et de symboles de couleurs différentes, comme sur un écran d'ordinateur. L'alarme vibre toujours, mais Seth reste en suspens, comme hypnotisé –

Car sur l'écran, circonscrits dans un ensemble de symboles graphiques, les mots CHAMBRE OUVERTE clignotent au rythme de l'alarme. Seth ne veut même pas imaginer que cette alarme a dû prévenir le Conducteur, et qu'il est sûrement en train de rebrousser chemin à toute vitesse –

CHAMBRE OUVERTE. CHAMBRE OUVERTE. CHAMBRE OUVERTE. En lettres rouges fluorescentes.

– Mais je l'ai fermée, la chambre ! s'écrie Seth, et, exaspéré, il tend la main et touche les lettres rouges.

L'alarme s'arrête.

Il écarte sa main. Les lettres sont passées au vert. Des personnages et des icônes et des images surgissent ailleurs sur l'écran, bourdonnant activement, apparemment indifférents à sa présence. Une section fait défiler des rangées de cercueils filmées sous plusieurs angles, manifestement une forme de surveillance, et Seth fait pratiquement un bond quand elle le montre debout, au premier plan. Le défilement se poursuit pourtant, sans s'arrêter, comme si sa présence ne présentait aucune menace.

Il regarde derrière lui pour tenter de repérer la caméra, mais ne distingue que la blancheur opaque des lumières, et l'alignement sans fin des cercueils noirs. Sur l'écran, les images continuent à défiler, y compris, le temps d'un éclair, une sorte de porte de garage aménagée dans un mur, et un malaise momentané l'envahit à l'idée que la camionnette puisse entrer par là et débarquer maintenant, à la minute, à la *seconde* même –

Mais il n'arrive toujours pas à se détacher de l'écran. Des icônes en périphérie donnent des informations comme la température ou le taux d'humidité, d'autres alignent des horloges dont seules quelques-unes indiquent une heure plausible, avant de céder la place à d'autres réglées différemment ou simplement arrêtées. D'autres cases affichent des graphiques auxquels Seth ne comprend strictement rien. Que peut vouloir dire TAUX DE MODULATION ? Et CYCLE

BETA ? SEGMENT QUATRE ? Et GESTION DES FLUX ? Flux de quoi ? Géré comment ? Par qui ?

Seth sait bien qu'il doit y aller, qu'il a peut-être éteint l'alarme, mais que le Conducteur a sûrement reçu un signal, sous une forme ou une autre –

Mais il ne part pas, pas encore –

Parce que le centre de l'écran lui pose une question.

CHAMBRE RÉACTUALISÉE ? lit-il.

Dessous, en vert, un plan des cercueils – ceux devant lesquels il se trouve, car la cage d'escalier y apparaît –, une ligne en pointillé soulignant le cercueil qu'il a ouvert.

Connectée à la ligne, une fenêtre affiche une photo – sans aucun doute celle de l'homme dont Seth a ouvert le cercueil.

Une photo de passeport, ou de permis de conduire. L'homme ne sourit pas, mais il n'a pas l'air trop malheureux non plus. Plus ennuyé qu'autre chose, face à cette corvée d'une énième photo exigée par l'administration.

Et son nom apparaît sous la photo.

– Albert Flynn, lit Seth à voix haute.

D'autres détails s'y ajoutent. Quelque chose comme une date de naissance, mais pas rédigée d'une façon habituelle, et peut-être sa taille et son poids, et d'autres mesures pas vraiment claires. Seth effleure une case légendée CARACTÉRISTIQUES PHYSIQUES. Une nouvelle icône s'ouvre, affichant le tatouage de l'homme, étiré d'une épaule à l'autre, jusqu'à la naissance des aisselles

Seth appuie encore, et l'icône disparaît. Il relève les yeux vers le symbole de l'alarme, toujours activé sur : CHAMBRE RÉACTUALISÉE ?

– Oui, articule-t-il, avant d'appuyer dessus. Le symbole et les mots s'effacent, et l'icône avec le visage d'Albert Flynn disparaît dans le néant, parmi le plan des cercueils agencés sur l'écran.

Seth jette un coup d'œil autour de lui, inquiet des minutes qui s'écoulent, mais il n'entend toujours rien venir de l'escalier. Le bruit du moteur avait disparu tout au fond de la nuit quand il se trouvait dehors. Peut-être le Conducteur s'est-il beaucoup éloigné, empruntant des rues qui ne lui permettent pas de rouler vite.

Il appuie sur l'un des cercueils affichés. Le visage d'une femme s'agrandit dans une case. Plus âgée, plus rigolote qu'Albert Flynn.

EMILIA FLORENCE RIDDERBOS.

Seth presse sur le cercueil voisin. Un autre visage se matérialise, celui d'un vieil homme.

JOHN HENRY RIDDERBOS.

– Le mari, commente machinalement Seth, vu qu'ils ne doivent pas être si nombreux, les Ridderbos. Il va pour sélectionner le cercueil d'à côté, puis s'arrête. Oui, le mari. Les familles ont dû entrer ici au complet, non ? Maris et femmes. Parents et enfants.

Sauf que Seth s'est réveillé seul, dans sa propre maison.

Alors que là, deux Ridderbos, l'un à côté de l'autre, dans la même allée.

– Et les Wearing, alors, dit-il, balayant le reste des infos, cherchant s'il n'y aurait pas moyen de –

Mais si. Une case tout simplement marquée : RECHERCHE. Il appuie dessus. Une petite fenêtre apparaît, organisée en clavier. « Alors, rien d'extraterrestre », se dit-il. Il tape « Wearing ». Hésite une seconde avant d'appuyer sur LANCER, puis se décide.

Le panneau d'affichage des cercueils se déroule à toute vitesse, comme si une caméra en hauteur zoomait sur les vastes salles avant de ralentir puis de se focaliser sur une rangée, au fond d'un recoin qu'il ne retrouverait certainement jamais.

Un premier cercueil se détache, puis un autre, et une liste de noms commence à émerger.

EDWARD ALEXANDER JAMES WEARING.

CANDACE ELIZABETH WEARING –

Seth n'attend même pas la fin de la procédure. Il appuie sur le nom de son père.

Et le voilà. Plus jeune, très nettement, ses cheveux coupés dans un style bien différent et sans la moindre touche de gris. Mais ses yeux ont déjà cet air vaguement drogué que Seth connaît trop bien. Il appuie sur le nom de sa mère, et sa photo surgit à côté de celle de son père. Elle est plus jeune, aussi, ses lèvres pincées dans cette attitude de défense reconnaissable entre toutes.

Ils sont là, tout simplement là.

Le choc de les voir ainsi, beaucoup plus dur que prévu. Encore plus que dur, *douloureux*. Physiquement, son estomac commence même à le faire souffrir. Leurs visages reconnaissables entre tous, jeunes mais immuablement eux, qui lui retournent son regard.

Et quelque part dans une salle derrière lui, aussi.

Il se retourne, mais la recherche caméra a été si vite qu'il n'a pas pu la suivre. Ils pourraient être n'importe où, en n'importe quel recoin de ce gigantesque complexe.

Endormis.

Sans dormir. Vivant leurs vies, des vies qui leur semblent totalement réelles. Il se retourne vers leurs photos et se demande ce qu'ils font, là, maintenant, en cette seconde même, dans le monde de leur maison de Halfmarket.

« Pensez-vous à votre fils ? » se demande-t-il.

Le fils qui est parti sans rien dire, pas même au revoir.

De l'écran, leurs visages lui renvoient son regard, et il essaie de ne pas y voir une accusation.

Il doit y aller. Il le sait. Il a trop tardé. Le Conducteur est sûrement en route, il sera là d'ici quelques minutes.

Il doit y aller.

Mais il continue à plonger son regard dans ceux de sa mère et de son père.

Enfin, il ravale le flux acide de son estomac, et tapote doucement sur leurs photos, qui s'effacent dans le plan des cercueils. Il est temps. Il est même *plus* que temps, mais il doit en voir un autre. Il tend la main vers la liste de noms pour presser les touches –

Puis s'immobilise.

Owen n'est pas là.

Dans la liste des Wearing, ils ne sont que deux. Edward et Candace, son père et sa mère.

Seth plisse le front. Il rouvre la case RECHERCHE, retape son nom de famille. Même résultat : Edward et Candace Wearing. Il retourne à la case RECHERCHE, tape Owen Wearing.

AUCUNE CORRESPONDANCE, indique l'écran.

– Comment ? s'écrie Seth, répétant plus fort : *Comment ?*

Il essaye encore. Et encore.

Mais Owen n'est pas là.

Il n'y croit pas, *n'arrive pas* à y croire. Il tape son propre nom, qui bien sûr n'apparaît pas, puisqu'il se trouvait dans un cercueil isolé, séparé du groupe principal, placé dans sa propre maison. Peut-être qu'ils avaient manqué de place. Peut-être que la plupart des cercueils étaient déjà pris quand sa famille est arrivée, et qu'ils ont dû prendre d'autres dispositions.

Qui sait ? Et, franchement, qu'est-ce que ça peut faire ?

Parce qu'Owen n'est pas là. Owen est *dehors*, quelque part.

Dehors dans ce monde désert, carbonisé. Dans son propre cercueil. Tout seul.

Seul, comme Seth l'était.

« Comment tu as pu... Comment tu as pu faire ça ? »

Sa colère monte. Car ça n'a pas de sens. Owen, où qu'il soit physiquement, se trouvait avec ses parents, certes dans un monde en ligne, mais peu importe. Il vivait ainsi depuis huit ans.

Mais, et s'il se réveillait ? Si, comme Tomasz, il se réveillait dans un lieu inconnu, sans personne pour le protéger ?

Il prend sa décision très vite, sans même y réfléchir, comme s'il savait intimement qu'il n'y avait pas d'autre choix.

– Je vais te retrouver, dit-il, subitement pénétré par un nouvel objectif, un objectif *salutaire*. Où que tu sois, merde, crois-moi, je vais te retrouver.

Il se penche pour taper sur le cercueil de ses parents, espérant y trouver des informations, une note sur l'endroit où leur fils repose –

– Aïe !

Une décharge d'électricité statique le secoue quand il touche l'écran. Pas grand-chose, une douleur négligeable –

Mais l'écran a changé. Les cercueils ont disparu, remplacés par quelques mots.

DÉTECTION NODULE ENDOMMAGÉ, affiche l'écran.

SCAN EN COURS.

Les lumières se modifient, l'extrémité de la salle subitement éclairée par une étrange lueur verdâtre. Bien trop rapide pour qu'il lui échappe, elle balaye la rangée de cercueils, puis inonde Seth.

Et s'arrête sur lui.

– Oh, bordel, lâche-t-il.

RESTAURATION POSSIBLE, mentionne l'écran.

RÉACTUALISATION ENCLENCHÉE.

– Merde ! souffle Seth, sans trop savoir ce que cette « réactualisation » peut signifier, mais se doutant bien qu'elle n'annonce rien de bon. Il pivote déjà vers le couloir et l'escalier, se met à courir –

Quand une douleur aveuglante, débilitante, lui traverse le crâne –

Partant précisément du point où les lumières clignotaient dans le cou d'Albert Flynn, du point où doit se trouver sa propre bosse –

Et tout disparaît dans un grand éclair.

49

– La beauté est partout, dit Gudmund. Si tu sais où la chercher.

Seth éclata de rire.

– Je te trouve bien optimiste, mon pote.

– Mon pote, répéta Gudmund en riant à son tour. Arrête de faire comme si tu étais anglais.

– Mais je suis *anglais.*

– Seulement quand ça t'arrange.

Gudmund se retourna vers l'océan. Ils se trouvaient en haut d'une falaise qui plongeait de dix ou quinze mètres vers les rochers et les vagues en contrebas. C'était la fin d'une de ces dernières journées d'été qui s'écourtaient peu à peu, annonçant qu'une nouvelle année scolaire allait bientôt reprendre.

Mais pas tout de suite.

– Je veux dire, regarde-moi ça… dit Gudmund.

Le soleil, coupé en deux par l'horizon, semblait plus gros et plus doré que nature, immense cuillerée de glace au caramel fondue sur l'océan. Le ciel au-dessus tendait vers eux ses langues roses et indigo, dispersant les nuages en éclatantes trompettes de couleurs.

– Oublie cette sordide petite plage, poursuivit Gudmund, ces rochers et ces vagues où tu ne peux pas te baigner, sans même un endroit où déballer un bon sandwich, et où le vent balayera

toute ton ennuyeuse petite famille si tu ne les encordes pas. Et puis regarde l'océan, et tu la vois.

– La beauté..., reprit Seth en ne regardant pas le coucher de soleil, mais le profil de Gudmund illuminé par ce même soleil.

Il y avait d'autres promeneurs sur la falaise, d'autres gens qui profitaient du coucher de soleil, mais Seth et Gudmund se trouvaient momentanément seuls, les autres trop loin pour partager exactement la même vue.

– Gudmund..., reprit Seth.

– Je ne sais pas... Je ne sais vraiment pas, Sethy. Mais nous avons le moment présent, et c'est bien plus que pour beaucoup de gens, non? Laissons le futur au futur.

Il tendit la main à Seth. Seth hésita, vérifiant d'abord si on pouvait les voir.

– Poule mouillée, lâcha Gudmund en souriant.

Seth prit sa main et la conserva.

– On a le moment présent, répéta Gudmund. Et je t'ai. Et c'est tout ce que je veux.

Leurs mains toujours serrées, ils regardaient le soleil se coucher

–

– Peux-tu me dire quelque chose d'autre? demanda l'inspectrice Rashadi en employant ce ton à la fois doux et grave qu'elle lui réservait, si différent de celui des autres policiers.

– Il était... petit? risqua Seth tout en sachant qu'il l'avait déjà dit.

Il voulait seulement que Rashadi reste encore avec lui, que la conversation ne s'arrête pas, parce que personne ne lui avait autant parlé depuis des jours.

Elle lui sourit.

– C'est ce que tout le monde dit. Mais d'après le dossier que nous avons, je mesure cinq centimètres de moins que lui, et personne ne m'a jamais dit que j'étais petite.

– Non, vous n'avez pas l'air si petite, marmonna Seth en tordant ses doigts entrelacés.

– Je le prends comme un compliment. Mais ne t'en fais pas. Ça ne veut pas dire qu'il sera plus difficile à trouver. Même les petits ne peuvent pas se cacher éternellement.

– Est-ce qu'il va faire du mal à Owen ? bredouilla Seth, et ce n'était pas la première fois qu'il disait cela non plus.

L'inspectrice Rashadi referma son carnet et croisa les mains sur la couverture.

– Nous pensons qu'il utilise ton frère pour garantir sa propre sécurité. Et il sait bien que si jamais il lui fait du mal, il perd toute chance de se protéger lui-même.

– Alors, pourquoi lui ferait-il du mal ?

– Exactement.

Ils restèrent silencieux un moment, puis Rashadi reprit :

– Merci, Seth, tu nous as été très, très utile. Et maintenant, je vais aller voir comment vont tes parents…

Tous deux se retournèrent en entendant la porte d'entrée s'ouvrir brusquement. Rashadi se leva tandis qu'un autre policier faisait irruption dans le salon.

– Qu'est-ce que c'est ? appela la mère de Seth, du haut de l'escalier.

Elle quittait rarement le grenier, voulait rester près des affaires d'Owen. Que s'est-il passé ? Vous avez…

Mais le nouveau policier parlait à Rashadi :

– Ils l'ont trouvé, lui dit-il. Ils ont trouvé Valentin…

Le téléphone de Gudmund sonna, sonna et sonna. À la seconde tentative, la boîte vocale s'enclencha directement.

Seth attrapa son blouson. Après ce que Monica venait de lui dire sur le seuil de la porte, il devait voir Gudmund. Rien d'autre ne pouvait avoir plus d'importance. Il devait le trouver. Maintenant. Il redescendit les marches deux par deux, et se trouvait devant la porte quand son père l'appela de la cuisine toujours en chantier.

– Seth ?

Il l'ignora et ouvrit la porte, mais son père répéta, d'un ton plus ferme :

– Seth !

– Papa, je dois y aller, dit-il en se retournant, mais il s'arrêta en voyant son père apparaître, couvert de sciure de bois.

Il tenait son téléphone dans une main, en le fixant bizarrement comme s'il venait de raccrocher.

– C'était ton proviseur, dit-il, d'un ton surpris. Il m'appelait, un samedi après-midi.

– Je dois vraiment y aller, papa…

– Il dit que sa fille a reçu une photo de toi. (Son père baissa les yeux vers l'appareil.) Cette photo, précisa-t-il, en tendant le téléphone, pour que Seth la voie.

Le silence tomba. Seth n'arrivait pas à bouger. Son père non plus. Il brandissait juste l'appareil, et fixait Seth, l'air interrogateur.

– … Il n'était pas furieux contre toi, rien de tout ça, reprit son père, retournant lentement l'appareil et contemplant la photo. Il a dit que tu étais un bon gars. Que quelqu'un cherchait manifestement à te causer des ennuis, et qu'il s'inquiétait pour toi, quand tu y retournerais, lundi. Alors il a préféré nous mettre au courant. Pour qu'on puisse t'aider.

Il s'arrêta, mais ne bougeait toujours pas.

Seth sentit ses yeux se remplir de larmes, ce qui l'exaspéra. Il essaya de les chasser en battant des paupières, mais quelques-unes roulèrent sur ses joues.

– Papa, s'il te plaît. Je dois y aller. Je dois…

– Trouver Gudmund, acheva son père à sa place.

Pas une question, juste une affirmation.

Seth se sentait piégé, plus piégé encore que le jour où l'homme avait frappé au carreau de la cuisine, dans sa maison en Angleterre. Le monde s'était arrêté alors, et puis il venait à nouveau de s'arrêter là, maintenant. Et Seth ne voyait vraiment pas comment il pourrait redémarrer.

– Je suis désolé, fiston, dit-il.

Et, pendant une horrible seconde, Seth crut qu'il disait cela parce qu'il n'allait pas le laisser sortir mais…

– … Je suis désolé que tu aies cru ne pas pouvoir nous le dire, continua son père, regardant à nouveau son téléphone, la photo de Seth et Gudmund, juste là ensemble, mais d'une façon si grave, réelle et indéniable pour quiconque regardait. Je ne peux pas te dire à quel point j'en suis désolé.

Et à la grande stupéfaction de Seth, sa voix se brisa en même temps.

– Nous n'avons pas été à la hauteur, reprit son père, en relevant les yeux. Je suis désolé.

Seth ravala la boule qui bloquait sa gorge.

– Papa…

– Je sais. Vas-y. Trouve-le. On parlera plus tard. Ta mère ne sera pas ravie, mais…

Seth attendit un moment, sans croire ce qu'il entendait, mais il n'y avait pas de temps à perdre. Il ouvrit la porte et s'élança dans l'air glacé, à la recherche de Gudmund –

Et c'était encore l'été, des mois plus tôt, et Seth lui sourit au bord de la falaise, le soleil couchant découpant son visage dans du cuivre.

– La beauté est partout, dit-il. Si tu sais où chercher.

Quand une violente, éblouissante lueur blanche submergea le monde -

50

Une douleur aiguë serre son crâne d'une poigne de fer, bloquant toute autre sensation. Il lui semble impossible de vivre avec une douleur aussi violente, impossible de ne pas imaginer des dégâts irréparables. Il entend un hurlement lointain avant de réaliser qu'il sort de sa propre bouche –

– Je ne sais pas quoi faire d'autre ! dit une voix.

– Tu n'as qu'à l'éteindre ! crie une autre. Éteins tout !

– Oui, mais COMMENT ?

Des mains que Seth ne connaît pas le maintiennent au sol, mais la douleur occupe le moindre espace, la moindre pensée, et il ne peut s'arrêter de hurler –

– Ce bruit qu'il fait ! Je crois que c'est en train de le tuer...

– Là ! Appuie ! Appuie n'importe où !

Avec la même soudaineté que s'il était tombé d'une falaise, la douleur s'arrête. Seth vomit sur le sol en ciment brillant et reste étendu, inerte, les yeux noyés, la gorge brûlante, cherchant sa respiration.

Deux mains l'agrippent encore.

De *petites* mains. Et il entend une prière inquiète dans ce qui ne peut être que du polonais.

– Tomasz ? grogne-t-il.

Et il sent deux petits bouts de bras l'étreindre de toutes leurs forces. Il a du mal à focaliser son regard, et doit cligner des paupières plusieurs fois avant de voir Régine penchée sur lui, elle aussi.

Malgré sa confusion, il devine à son visage couleur de cendre combien elle est terrifiée.

– Tu peux te lever ? crie-t-elle presque, d'une voix suraiguë.

– Tu dois te lever, monsieur Seth, dit Tomasz, et ils essayent de le remettre sur pied.

Mais ses jambes ne le supportent pas, et ils doivent pratiquement le traîner.

– Il faut y aller, le presse Tomasz. *Tout de suite.*

– Comment... ? bredouille Seth alors qu'ils le tirent sur la plate-forme et dans le couloir, mais il ne peut rien ajouter. Son cerveau fuit à toute vitesse, rempli d'images qui se télescopent en un torrent, une lame de fond venue le noyer. Il voit Tomasz et Régine, mais il voit aussi Gudmund en haut de la falaise, il voit son père, il se voit enfant quand Owen a été enlevé, et ça tourbillonne, et il ne peut s'en détacher, même quand il ferme les yeux.

– Je savais bien que tu ne disais pas la vérité ! La vérité que Régine a essayé de me cacher !

– Et alors, on est bien venus le chercher, non ?

– Mais on l'a trouvé de justesse !

– Encore une fois..., bredouille Seth, mais son cerveau galope si vite qu'il n'est même pas sûr de l'avoir dit à voix haute.

Mais si.

– Tu as raison, maugrée Régine en le manœuvrant dans l'escalier, puis en le poussant avec Tomasz vers la porte intérieure. Nous ne sommes pas vraiment là. Aucun de nous n'est là. C'est juste le produit de ton imagination.

– Moins de discussion, peste Tomasz. Et plus de vitesse !

Ils atteignent le haut des marches et guident Seth à l'extérieur. Chaque fois qu'il cligne des yeux, il voit ses souvenirs s'enchaîner, aussi nets et vivants que s'il basculait sans arrêt entre ce monde et l'autre. Owen et Gudmund et Monica et H et l'océan et la maison en Angleterre et la maison en Amérique, tout se déroule et s'enroule si vite que la nausée monte, et quand ils lui font descendre les marches, sur le seuil de la prison, il vomit encore.

– Qu'est-ce qui... se passe ? lâche-t-il. Je ne peux pas... Le monde... il s'effondre...

À travers le manège des images, il les voit échanger un regard inquiet –

Puis voit Tomasz redresser la tête, paniqué.

– Régine ?

Et voit un éclair de terreur traverser le visage de Régine –

Mais il cligne encore des yeux et une fois de plus les souvenirs reviennent, le submergent, lui assis avec l'inspectrice Rashadi, l'autre inspecteur surgissant et disant qu'ils l'ont trouvé, qu'ils ont trouvé Valentin –

Ses yeux s'ouvrent brusquement.

Là, soudain, ce quelque chose qui lui manquait. Un quelque chose à quoi il peut se raccrocher. Il sent le flot des souvenirs se retirer pendant un quart de seconde –

Il lève les yeux. Régine le tient dans ses bras. Tomasz et elle essayent de le remettre debout, mais la chose, la chose cruciale, il l'a juste au bout de la langue, c'est –

– Valentin, dit-il.

Régine et Tomasz s'immobilisent un instant pour l'observer.

– Quoi ? lâche Régine.

– Valentin, répète-t-il, en se cramponnant plus étroitement à ses bras. Il s'appelait Valentin ! L'homme qui a enlevé Owen ! L'homme qui... !

– Seth, tu l'entends ? hurle Régine.

Il se tait. Il écoute.

Le moteur de la camionnette.

Tout près, et s'enfle si vite, si fort que jamais ils n'auront le temps de lui échapper.

Tomasz file à travers la cour en direction des deux vélos couchés l'un sur l'autre. Paniqué, Seth veut le suivre, mais il titube, et Régine doit l'agripper pour l'empêcher de tomber.

– On n'y arrivera pas avec toi dans cet état, dit-elle, puis elle se tourne vers l'autre bâtiment, cherchant un endroit où se cacher.

– Mais, Tomasz..., balbutie Seth.

En fait, Tomasz ne relève pas son vélo. Il prend une sacoche attachée à l'arrière et déballe frénétiquement quelque chose

– Allez ! lance Régine, tirant Seth vers le bâtiment du milieu.

Le rugissement du moteur est presque là, et Seth voit les phares grossir dans les ténèbres, au-delà du bâtiment qu'ils viennent de quitter –

– Régine ! crie-t-il.

– Oui, je l'ai vue !

Tomasz court vers eux maintenant, portant un objet long et métallique, un objet que Seth a du mal à distinguer parmi les ombres projetées par la lune. Il plisse les paupières, essayant d'accoutumer ses yeux à l'obscurité –

– et il est allongé avec Gudmund dans le lit, le bras de Gudmund tendu vers le téléphone, prenant la photo, celle avec juste eux ensemble, ce moment intime capturé pour toujours –

– Régine ? dit-il. Régine, je crois...

– Non, Tommy ! hurle-t-elle.

Seth tente de stabiliser sa vision tourbillonnante. Tomasz en plein milieu de la cour, ses petites jambes pas assez rapides, manipulant l'objet entre ses mains –

Et Seth comprend soudain ce que c'est, mais tellement improbable, presque incroyable –

Tomasz porte un fusil.

Presque aussi long que lui.

– Tomasz, attention ! hurle-t-il.

Parce que derrière Tomasz, la camionnette noire déboule à l'angle du bâtiment, dans un grand rugissement –

Fonçant sur Tomasz qui court –

– Non ! crient Seth et Régine en même temps.

– Courez ! leur lance Tomasz.

La camionnette coupe entre eux deux, pneus hurlant sur le ciment dans un grand coup de frein, et avant même qu'elle soit complètement arrêtée, la portière s'ouvre –

Le Conducteur descend –

Et se rue vers Tomasz avec une rapidité impensable –

– Tommy ! vocifère Régine –

Et elle s'élance vers lui –

Mais ne l'atteindra jamais à temps –

Le Conducteur lève son bâton crépitant d'étincelles, prêt à frapper –

Tomasz pointe maladroitement le fusil –

– NON ! s'écrie Régine –

Et il appuie sur la détente.

51

Le *bang* résonne bien plus fort que Seth ne s'y attendait, produisant deux éclairs, l'un à la gueule du fusil qui a tiré dans la poitrine du Conducteur –

Et l'autre quand le fusil explose simultanément entre les mains de Tomasz.

À travers la fumée blanche, Seth voit les deux corps voler dans deux directions opposées, l'ombre tournoyante du Conducteur s'écrasant contre la camionnette, arrachant presque la portière sous l'impact, avant de retomber violemment sur le sol –

Mais aussi Tomasz, projeté en hurlant, des éclats de crosse fusant dans l'air, alors qu'il roule sur le ciment dans un sillage de fumée.

– TOMMY ! hurle Régine, et elle se précipite.

Seth essaye de suivre, vacillant sur ses jambes cotonneuses. Il contourne le capot de la camionnette, distingue une silhouette noirâtre sur le sol, presque immobile. Plus loin, Régine se laisse glisser sur le sol auprès de Tomasz –

« Non, pense Seth. Pitié, non. »

Puis il entend une petite toux sèche.

– Dieu merci, souffle Régine, et il s'agenouille maladroitement à son côté. Mon Dieu, merci.

– *Moje teçe,* murmure Tomasz, d'une voix à peine audible. *Moje reçe sq cale zakrwawione.*

Et il tend ses mains. Même dans la faible lueur diffusée par la porte du bâtiment, ils voient bien comme elles sont brûlées, ils voient les lambeaux de chair et le sang ruisseler sur ses poignets.

– Oh, Tommy, se lamente Régine, furieuse, en le serrant si fort contre elle qu'il en pousse un cri.

Elle le relâche et se met soudain à vitupérer :

– ... PETIT CRÉTIN ! JE TE L'AVAIS POURTANT DIT QUE C'ÉTAIT TROP DANGEREUX !

– C'était seulement en cas de dernière chance, gémit Tomasz. Et c'était notre dernière chance.

Seth jette un coup d'œil derrière lui. Les canons du fusil gisent en deux endroits distincts parmi les herbes, la crosse en bois éparpillant ses braises fumantes dans toutes les directions –

– et le policier est entré dans leur salon et il a dit : « Ils ont trouvé Valentin » -

Seth écarte l'image avec un gémissement, se retournant vers Régine et Tomasz. Elle a retiré sa veste et elle en déchire une manche, pour l'enrouler autour des mains de Tomasz.

– Où avez-vous trouvé un fusil ? demande Seth, butant sur les mots.

Maintenant que les choses se sont calmées, ses souvenirs recommencent à valser.

– Dans le grenier d'une maison voisine, réplique Régine, enveloppant l'autre main de Tomasz sans se soucier de ses grimaces. Mais il était manifestement en *mauvais état* et *dangereux*, et absolument *inutilisable.*

– Je te le répète, grommelle Tomasz. Notre dernière chance. Quand il ne reste plus d'espoir.

– Tu aurais pu mourir, petit...

Mais elle laisse sa phrase inachevée, ses yeux remplis de larmes de colère. Elle toise Seth, le défiant de dire quelque chose. Puis change d'expression.

– ... Hé, ça va ?

Seth plisse les paupières, tellement les souvenirs continuent à se bousculer, à tourbillonner dans sa tête.

– Il était prêt à me tuer, lâche Tomasz en fixant la camionnette. À tuer le petit Tomasz. Mais je l'ai tué d'abord, non ?

Ils se tournent vers le Conducteur. Un gros trou crève son uniforme, là où la décharge du fusil l'a frappé en pleine poitrine.

– Valentin..., murmure Seth, se raccrochant une fois de plus à ce nom.

– Pourquoi tu répètes ça tout le temps ? questionne Régine.

Il la fixe, d'un air douloureux.

– Sans blague, continue-t-elle, ça va ?

– Je ne sais pas, répond Seth, luttant pour se remettre debout.

– Tu disais que c'était le nom d'un homme, fait Tomasz en se redressant tant bien que mal, sans utiliser ses mains blessées. Il a enlevé quelqu'un appelé Owen ?

– Owen est mon frère, repond Seth.

Tomasz pousse un « ahhh »... respectueux.

Seth sent les souvenirs tournoyer dans son cerveau comme s'il se trouvait dans l'œil d'un typhon qui se rapproche, se précipite vers lui, *exigeant* quelque chose de lui.

– Valentin..., répète-t-il dans un souffle.

– Bon, d'accord, fait Régine, doucement. Valentin. On a saisi. (Puis, se tournant vers Tomasz :) Tu as mal ailleurs ?

52

Tomasz pousse un cri en polonais, si terrifié qu'il n'y a pas besoin de traduire. Régine pivote vers le Conducteur et hurle.

– Les vélos ! crie Tomasz.

Régine attrape Seth par le bras en passant, mais il garde les yeux rivés sur le Conducteur, qui s'assied lentement.

Se redresse péniblement sur ses jambes.

– Allez, allez, allez ! répète-t-elle, en le tirant si fort qu'elle manque le faire tomber.

Et maintenant, il court aussi, essayant surtout de ne pas perdre complètement l'équilibre. Tomasz ne peut soulever les vélos avec ses mains brûlées. Régine en attrape un et le balance vers Seth. Il l'agrippe par réflexe, et Tomasz l'enfourche déjà derrière lui, nouant ses mains emmaillotées autour de sa taille.

Seth jette un dernier regard vers le Conducteur.

Il se tient à côté de la camionnette maintenant, s'appuyant sur la portière cassée. Il les regarde, sans visage, la visière de son casque reflétant le clair de lune.

Un énorme morceau arraché au milieu de sa poitrine.

« Comment ? s'interroge Seth dans le tourbillon de son cerveau. Comment ? »

Mais ils roulent, aussi vite que les jambes cotonneuses de Seth lui permettent d'appuyer sur les pédales, Tomasz fermement cramponné à lui. Régine sort de la cour en tête, et Seth fait de son mieux pour la suivre, luttant pour conserver son équilibre.

– Hé, ne tombe pas, souffle Tomasz derrière lui. Ne tombe pas, hein !

Il se concentre là-dessus, essayant de chasser toute autre pensée de son cerveau embrouillé. Tomasz presse si fort ses poignets contre lui qu'il en a mal aux reins, mais il parvient à sortir de la cour, guettant le bruit du moteur après le premier bâtiment, mais aucune variation de son ou de volume, aucun signe que le Conducteur soit à leur poursuite.

« À moins qu'il ne vienne à pied, pense Seth. Qui sait à quelle vitesse il peut courir ? »

Il appuie plus fort sur les pédales.

Régine, devant, attaque une allée en pente, recouverte de mauvaises herbes. « Allez, se dit-il, obligeant son corps à travailler. Allez, allez, pied, pédale, appuie, allez, allez. »

– Tu t'en sors très bien, approuve Tomasz, comme s'il lisait dans ses pensées.

– J'ai du mal, halète Seth, la sueur ruisselant dans ses yeux durant la montée. J'ai du mal à rester…

« Rester quoi ?… Rester conscient ? Rester dans cet endroit ? »

Il n'ose pas battre des paupières, craignant ce qu'il voit les yeux fermés. Et même ouverts, il voit toujours toutes ces ombres, ces deux mondes empilés l'un sur l'autre, tous ceux qu'il a aimés, tous ceux qu'il a connus, accompagnant la montée des vélos –

– Il nous suit pas ! lance Tomasz à Régine.

visage.) Comme on vient de le faire avec cette super grande évasion ! Même avec des fusils !

– Chut…, commande Régine qui fixe toujours Seth dans les yeux. Dis-nous où tu es, Seth. Dis-nous où tu es pour qu'on puisse venir te chercher.

Il sent ses deux mains tenues par Tomasz et Régine, il sent leur chaleur et leur grain, l'inquiétude de Tomasz à travers le tissu, il sent même leurs battements de cœur, même si pour Tomasz c'est à peine –

Mais quand même, il sent *quelque chose* de réel –

(Non ?)

(Mais si.)

Et il se sent revenir –

Sent tout cela tournoyer, bouillonner, remuer, hurler comme un ouragan –

Mais l'œil de l'ouragan revient lui aussi –

Petit –

Mais –

Il lève les yeux vers la lune, la prison autour d'eux, le silence en bas de la pente – aucun Conducteur n'émergeant des ténèbres, aucun bruit croissant de moteur, même si son cerveau lui dit toujours qu'ils doivent fuir, quitter cet endroit, mais –

Mais Régine et Tomasz sont là, aussi.

Et il leur dit.

Leur dit ce qui s'est passé.

– Je me souviens, dit-il. Je crois que je me souviens de tout.

TROISIÈME PARTIE

– Plus tard, les excuses, coupe Régine, le souffle court. (Ils la rattrapent facilement.) Saloperies de cigarettes.

– Et puis, lâche Tomasz, t'es plutôt... enrobée.

Elle lui balance une tape sur le crâne, mais elle accélère un peu. Ils atteignent la gare sans avoir vu le moindre signe du Conducteur. Ils grimpent sur le quai et filent vers la sortie, puis dévalent les marches entre les immeubles. Au lieu de tourner vers la maison de Seth, ils piquent vers le nord, par des rues bordées de maisons. Après plusieurs carrefours, Régine les entraîne dans un jardin ombragé, le temps de souffler à l'abri.

Haletants, ils tendent l'oreille. La nuit est silencieuse. Aucun pas, aucun bruit de moteur, alors qu'il devrait s'entendre, même à cette distance.

– Peut-être qu'on l'a vraiment blessé, lâche Régine.

– Mais comment est-ce qu'il a pu se relever ? dit Tomasz. Je lui ai tiré dessus. Avec un fusil.

– Et tu as bien failli en mourir, toi aussi.

– Pas le problème pour l'instant, même si personne n'a l'air de penser à me remercier. Je lui ai tiré dessus à un mètre. Et il se remet debout ?

– J'en sais rien, dit Régine, puis, plissant le front, elle se tourne vers Seth : C'est toi qui as dit que tu te souvenais. Tu as la réponse ?

– Non, répond-il en secouant la tête. Tout se bouscule. Je n'arrive pas encore à y remettre de l'ordre et c'est...

Il s'arrête, parce que quand il essaye d'y penser, *ça* menace de le submerger à nouveau. On dirait que ça englobe tout ce qu'il sait, mais sans aucune possibilité de faire le tri. Comme si un million d'instruments jouaient un million d'airs différents en même temps dans sa tête, un vacarme bien trop énorme pour y comprendre quelque chose. Il se cramponne à la seule chose dont il se sente absolument certain.

– ... Je dois trouver mon frère. C'est ce que je dois faire, maintenant.

– Il est ici ? questionne Tomasz, étonné.

– Je crois. Je ressens comme la *certitude* qu'il est ici quelque part. Seul, sans personne d'autre. Et s'il se réveille et que personne n'est là...

Ses yeux se mouillent de larmes. Les deux autres le dévisagent, inquiets.

– Je comprends, dit Régine. Mais ça devra attendre jusqu'à demain matin. L'autre pourrait se trouver n'importe où, maintenant.

Seth fouille la nuit profonde, ténébreuse. Sa tête si lourde de souvenirs et de pensées qu'il a du mal à parler, du mal même à se sentir présent. Les réponses sont toutes là, il en est sûr, seulement il n'arrive pas encore à en débrouiller le sens –

– Seth ? lance Régine.

– D'accord, répond-il, presque machinalement. Je peux attendre. J'ai besoin de repos. Je tiens à peine debout...

– Ce n'est pas ce que je veux dire.

Elle abaisse le col de sa chemise.

– Tu clignes des yeux, monsieur Seth, dit Tomasz.

– Je... quoi ? demande Seth, posant la main sur l'endroit qu'ils examinent.

– Là..., dit Régine, le guidant jusqu'à la fenêtre de la maison.

Sa vitre est sale mais, même à travers la poussière, Seth y voit se refléter la lumière bleue qui irradie la peau de son cou.

– Bleue, marmonne-t-il. Pas verte.

– Comment ça, bleue et pas verte ? Quelle importance ? questionne Régine.

– Je ne sais pas.

Elle soupire.

– Alors, quand tu disais que tu te souvenais de tout, ce que tu voulais dire en fait, c'est que tu ne te souvenais de *rien d'utile*.

– J'ai ouvert un cercueil. Il y avait un homme à l'intérieur, attaché par des bandelettes et des tuyaux et toutes sortes de choses. Il avait une lumière verte, à cet endroit précis.

– Quand on t'a trouvé, intervient Tomasz, l'écran disait RÉACTUALISATION NODULE. Peut-être que le bleu signifie que tu n'es pas complètement réactualisé. Peut-être que c'est la raison de tout ce hurlement.

– Mmouais, fait Régine. Mais *réactualisé*, ça veut dire quoi ? (Elle jette un regard noir à Seth.) Ah, laisse-moi deviner : tu ne t'en souviens pas non plus.

– Je t'ai dit que...

Elle lève une main pour l'arrêter, fronçant les sourcils.

– Je n'aime pas ça.

– Tu n'aimes pas quoi ?

– Ce truc de pas savoir.

– Qu'est-ce que ça change, par rapport à avant ?

Elle le fixe.

– On vient de découvrir qu'il y a de nouveaux trucs à ne pas savoir.

Seth voit Tomasz se tordre les lèvres à essayer de comprendre ce qu'elle vient de dire.

– Rentrons à la maison, reprend Régine. Je me sentirai mieux à l'intérieur.

– Ça fait encore long à marcher, soupire tristement Tomasz.

– Alors autant ne pas traîner.

Ils se glissent comme des ombres le long des trottoirs, jetant des coups d'œil méfiants. Régine qui tourne dans une rue puis une autre.

– *Clic, clic,* fait Tomasz en observant le cou de Seth. Clic, clic.

– Et t'as pas l'impression d'embêter le monde, bien sûr, jette Régine.

– J'essaye de voir s'il y a un rythme, réplique Tomasz.

– Et tu l'as trouvé ? demande Seth.

– Oui, *clic clic, clic clic.* Mais pourquoi, il faudrait poser la question à quelqu'un d'autre, je crois.

Régine marche toujours en tête, sans vraiment les laisser la rattraper.

– Elle est en colère contre toi, chuchote Tomasz.

– Elle est en colère depuis l'instant où je l'ai rencontrée, rétorque Seth.

– Non, je veux dire, à cause d'avant. C'est plus calme maintenant, alors ça lui revient. Elle voulait pas que tu disparaisses comme ça. Elle a dit que c'était ton droit de faire ce que tu voulais, mais j'ai bien vu. Elle voulait pas que tu partes. (Il se tourne vers Seth.) Je voulais pas non plus. Moi aussi, je suis en colère contre toi.

– Je suis désolé, Tomasz. Mais je devais y aller. Il fallait que je sache. (Il pose son regard sur lui.) Merci d'être venu me chercher.

– Enfin, le voilà, le remerciement, soupire Tomasz avec un curieux élan de frustration. C'est pas trop tôt.

– Comment m'avez-vous trouvé ?

– Je savais que quelque chose clochait, fait Tomasz, désignant Régine d'un mouvement de menton. Elle était bizarre, complètement dans les étoiles.

– Dans les étoiles ?

– Et aussi un peu fatiguée de se moquer de ma façon

de parler, marmonne-t-il, puis, plus fort : Peut-être que j'ai mal compris. C'est quoi, l'autre mot ? Distraite ? Elle était distraite.

Seth extirpe quelque chose de sa mémoire tourbillonnante.

– Dans la lune ?

– Oui ! C'est ça ! Elle était dans la lune.

– La lune ou les étoiles…

– Et tu te moques encore de moi, alors que je t'ai sauvé la vie. Une fois de plus. Alors dis-moi un peu, s'il te plaît, tout ce que tu sais du polonais. Oui, ce serait assez amusant. On pourrait sûrement avoir une longue, très longue conversation sur ce que tu connais de notre langue et des mots que les Polonais utilisent pour mettre leurs sentiments en images.

– Et quand as-tu appris l'anglais ? Dans les années 1950 ?

– Je disais donc : HISTOIRE D'UN SAUVETAGE !… reprend Tomasz en vociférant ou presque. Régine était distraite. Je vois très bien pourquoi. Je lui dis, on va te sauver. Elle dit non, c'est pas ce que tu veux. Je dis, ce que veut M. Seth, on s'en moque, M. Seth, il sait pas dans quel purin il s'est fourré. Je dis, on prend le fusil et on y va. (Il jette un coup d'œil vers Régine.) Là, il y a eu un peu de résistance.

– À juste titre, marmonne-t-elle, sans se retourner. T'aurais pu y laisser ta peau.

– Et pourtant, je suis là, réplique Tomasz. Désolé d'en savoir plus sur les fusils que toi, mais c'est la vérité.

– Pas assez pour l'empêcher d'exploser entre tes mains.

– Mais assez pour empêcher le Conducteur de t'attraper ! (Tomasz lève ses mains bandées, en signe de désespoir.) Pourquoi on ne reconnaît jamais mon mérite ? Pourquoi on ne me remercie jamais vraiment pour mes bonnes idées ? Je vous ai maintenant sauvés *deux fois* de la chose qui allait nous tuer, oh, mais non, je reste toujours ce petit rigolo de

Tommy avec son mauvais anglais, sa tignasse hirsute et son trop d'enthousiasme !

Ils s'arrêtent, un peu stupéfaits devant sa colère.

– Hou là…, fait Régine, quelqu'un a besoin de faire un gros dodo.

Les yeux de Tomasz lancent des flammes, et il lui balance en polonais une série d'adjectifs intraduisibles.

– Je t'ai dit que j'étais désolé, intervient Seth. Tomasz…

– Tu ne comprends rien ! glapit-il. Je suis seul, moi aussi ! Tu te crois plus vieux et plus sage et plus sensible ! Mais tu ne l'es pas ! Moi aussi, je ressens les choses ! Si je vous perds, toi ou elle, alors je me retrouve encore seul, et je ne le supporterai pas ! Sûrement pas !

Il pleure, maintenant, mais comme ils voient à quel point ça l'embarrasse, ils ne font rien pour le consoler.

– Tommy…, fait Régine.

– Je m'appelle Tomasz ! crache-t-il.

– Tu as toujours dit que je pouvais t'appeler Tommy…

– Seulement quand je t'aime, bredouille-t-il en s'essuyant les yeux, puis marmonne : Tu ne sais rien de Tomasz. Rien du tout.

– On sait que tu as été frappé par la foudre, dit Seth.

Tomasz lève un regard plein de choses que Seth ne peut déchiffrer. De l'incrédulité, d'abord, cherchant à deviner la moquerie dans les paroles de Seth, mais aussi de la peur. Comme s'il se souvenait avoir été frappé par la foudre, tout d'un coup.

– Je ne plaisante pas, poursuit Seth. Je comprends la solitude. Et même, si tu savais à quel point…

– Vraiment ? questionne Tomasz, comme pour le mettre au défi.

– Mais oui, évidemment. Si tu savais.

Seth tend la main pour lui serrer l'épaule, et comme

Tomasz penche la tête, les doigts de Seth effleurent un point à la base du crâne de Tomasz –

Qui s'allume à son contact –

Et le monde disparaît.

54

La pièce est bondée, sombre. Il y a d'autres gens, il ne peut pas dire combien, mais c'est bondé, les corps pressés contre les corps, si proches qu'il sent leur souffle rance et leur transpiration. Et leur peur.

Leurs voix chuchotent, frénétiquement. Il ne comprend pas ce qu'elles disent –

Mais si, il les comprend. Elles ne parlent pas anglais, mais il comprend chacun de leurs mots.

– Quelque chose ne tourne pas rond, dit une voix de femme tout près. Ils vont nous tuer.

– Ils auront leur argent, dit une autre femme, d'un ton sévère pour essayer de calmer la première, mais manifestement pas beaucoup plus rassurée. L'argent va arriver. C'est tout ce qu'ils veulent. L'argent va arriver…

– Et même s'il arrive, reprend la première femme, d'autres voix s'élevant, tout aussi angoissées. Ils vont nous tuer ! Ils vont…

– Ferme-la ! rugit une troisième voix, juste derrière sa tête, une femme dont les bras l'étreignent et le serrent étroitement. Ferme-la ou je vais te la fermer pour de bon !

La première femme s'arrête, pétrifiée par la fureur de cette voix. Elle s'abîme dans un long sanglot sonore, guère plus supportable que ses lamentations.

– Ne l'écoute pas, mon petit lapin, chuchote la voix derrière lui dans son oreille. Tout marche comme prévu, et il n'y a rien à craindre. Il y a juste eu un peu de retard. Rien de plus. On va démarrer bientôt notre nouvelle vie. Et tu verras comme on va s'amuser.

Il parle. Ce ne sont pas ses mots, ce n'est pas sa voix, mais ça sort de sa bouche.

– Je n'ai pas peur, maman, dit-il.

– Je sais bien, mon petit lapin.

Elle l'embrasse juste sous le crâne, et il comprend qu'elle se calme ainsi, également. Mais il n'a vraiment pas peur. Elle les a emmenés jusqu'ici. Elle les emmènera encore plus loin.

– Dis à maman quelques mots d'anglais, chuchote-t-elle. Dis-lui tes mots, et nous en ferons une nouvelle maison.

Et il se souvient. Il se souvient qu'ils étaient trop pauvres pour des cours d'anglais, et qu'il ne demandait jamais pourquoi elle rapportait des cassettes vidéo à la maison – pas téléchargées comme à l'école ni même sur CD, mais glissées dans un énorme et antique lecteur maintenu par du chatterton –, des films en noir et blanc ou aux couleurs fluorescentes, des films en anglais, une langue qui bondissait dans des espaces immenses puis se recroquevillait comme un escargot. Ils en avaient fait un jeu, lui et sa maman, essayant de faire correspondre les dialogues avec les sous-titres.

Il était intelligent, disaient toujours ses professeurs – certains ajoutant même « diablement » – et il s'y était mis contre toute attente, le pratiquant avec les rares touristes anglophones qui s'aventuraient aussi loin dans le pays. S'essayant même à lire les romans anglais moisis que quelqu'un avait légués à la bibliothèque locale.

Il en a appris assez, il espère. Ils sont là. Ils sont à l'intérieur des frontières. Ils sont presque arrivés. Vraiment, il espère qu'il en a appris assez.

– « Perdre un parent, monsieur Worthing, dit-il à sa maman, citant un film, avec un gros effort de mémoire, juste pour elle, c'est presque perdre votre fortune. Perdre les deux signifie que personne ne s'en préoccupe. »

– Bien, bien, mon petit lapin, dit sa maman, n'en comprenant pas la moitié. Continue.

– « Tu étais seulement supposée éventrer les portes, poursuit-il, et les faire exploser... »

– Oui, mon chéri.

– « De tous les juke-box de tous les tubes de l'univers... »

Les femmes autour de lui poussent un hurlement soudain – et il se souvient qu'il n'y a que des femmes et quelques enfants comme lui – quand un verrou saute avec fracas et l'énorme porte métallique s'ouvre en résonnant sous son propre poids. Les femmes poussent un soupir de soulagement en voyant qu'il s'agit seulement du plus amical des deux hommes qui les ont conduites jusqu'ici. Celui avec un gentil sourire et des yeux tristes et qui leur parle de ses propres enfants.

– Tu vois ? dit sa mère, en les soulevant tous les deux. Quelques mots, et le monde change.

Mais les femmes se mettent à hurler quand elles voient que l'homme gentil tient un fusil –

55

Une main heurte durement Seth à la poitrine. Régine le pousse de tout son poids. Il trébuche et tombe sur le trottoir couvert de boue. Elle se tient à côté de Tomasz, qui l'observe aussi.

– Qu'est-ce que tu as fait ? dit Tomasz, horrifié. Qu'est-ce que tu m'as fait ?

– *Co się stało ?* demande Seth.

En polonais.

– Quoi ? fait Régine.

– Quoi ? dit Tomasz, en s'approchant. Qu'est-ce que t'as dit ?

Seth se rassoit en secouant la tête. Il sent toujours la peur dans la salle bondée, la pression des femmes contre lui, l'horrible panique qui a balayé tout le groupe quand ils ont vu le fusil de l'homme –

– J'ai dit…, commence Seth, en anglais cette fois, mais il n'a pas le temps d'articuler un mot de plus que Tomasz le frappe en pleine figure, le tissu enroulé autour de sa main amortissant à peine le choc.

– T'as pas le droit ! lance Tomasz, avec un deuxième coup, puis un autre.

Seth, trop étourdi pour se défendre, sent déjà son nez saigner.

– C'est personnel ! Tu n'as pas le droit d'être là !

– Hé ! Hoo !... s'écrie Régine en attrapant les bras de Tomasz.

Elle l'emprisonne de son corps massif, comme une camisole, mais il jette toujours des regards furieux vers Seth.

– Tu n'avais pas à voir ça !

– Hé ! Quelqu'un pourrait m'expliquer ce qui se passe ? coupe Régine.

Puis son regard s'arrête sur la nuque de Tomasz.

– Et pourquoi la lumière de Tommy clignote ?

– J'en sais rien, marmonne Seth en se relevant péniblement. Je ne sais pas ce qui s'est passé. (Il essuie le sang qui coule sur ses lèvres.) Je l'ai juste touché et...

– Je suis là ! crie Tomasz. Ne parle pas de moi comme si je n'étais pas présent !

– Je suis désolé, Tomasz. Pour tout ça. Je ne sais pas ce qui s'est passé. Je ne voulais pas...

– Tu n'avais pas à voir ça ! répète-t-il.

– C'était quoi ? demande Régine en serrant toujours Tomasz contre elle.

– Je pense..., marmonne Seth, je pense que c'est peut-être trop personnel.

Là, le visage de Tomasz se défait et il se met vraiment à pleurer, pliant les genoux et juste retenu par le bras de Régine. Les yeux fermés, il débite de longues phrases en polonais.

– Bon, sans blague, quelqu'un va m'expliquer ? s'exclame Régine en plaquant Tomasz contre son ventre. Je n'ai pas besoin de savoir ce que tu as vu, mais tu as touché sa nuque et, là, vous êtes restés tous les deux pétrifiés. Comme si vous aviez quitté vos corps.

– J'en sais rien, dit Seth.

Régine pousse un soupir exaspéré.

– Ben voyons.

– Régine…

– Ce n'est pas à toi que j'en veux. J'en veux à ce lieu absurde. Tu dis que tu te souviens et tu ne peux pas imaginer à quel point j'ai envie de savoir, mais tout ce que ça semble signifier, c'est de la souffrance, et encore de la souffrance. Une horrible, une merdique surprise après l'autre…

– Tu n'as pas été une surprise si horrible, corrige Seth, doucement.

– … et cette météo qui n'a aucun sens et cette espèce de monstre immortel en combinaison noire qui nous poursuit et… Tu disais ?

– Je disais que tu n'avais rien d'une horrible surprise, reprend Seth. Ni Tomasz.

Tomasz renifle toujours dans la chemise de Régine, mais il glisse un regard vers Seth.

Celui-ci s'essuie le nez.

– Écoutez…

Il s'arrête. Passe une main dans ses cheveux courts, ses doigts trouvant la bosse à la base de son crâne, sachant qu'elle clignote, mais ignorant pourquoi, en dépit du maelström qui secoue son cerveau. Ignorant à peu près tout, d'ailleurs, sauf qu'il est là, à cette seconde même, avec Tomasz et Régine. Et il a l'impression de leur devoir plus qu'il ne pourra jamais leur rendre.

– Je me suis suicidé, dit-il.

Il attend pour être sûr qu'ils l'écoutent.

– Je suis entré dans l'océan. Je me suis cassé l'épaule sur un rocher, et puis ce même rocher m'a fracassé le crâne, juste à l'endroit où se trouve la lumière. (Il marque une pause.) Mais ce n'était pas un accident. Je l'ai fait volontairement.

Régine reste silencieuse. Tomasz renifle, puis dit :

– On l'avait un petit peu deviné.

– Je sais. Et ce jour où vous m'avez trouvé, ce jour où vous m'avez empêché de courir tout droit vers cette chose dans la camionnette, je… (Il hésite, puis se lance.) J'allais recommencer. Je connais Masons Hill. Je savais d'où je pouvais me jeter. Et c'est ce que j'allais faire.

Un goût de sang lui colle à la gorge, il le recrache.

– … Alors, quand je vous dis que vous n'aviez rien d'une horrible surprise, je le pense. Vous étiez une *bonne* surprise. Si bonne que c'est pourquoi je me demande si elle est réelle. Même encore maintenant. Et j'en suis désolé. Je suis désolé de vous avoir menti pour cette raison. Et d'avoir été à la prison. Et je suis vraiment désolé, Tomasz d'avoir vu ce que j'ai vu. Je ne l'ai pas fait exprès.

– Je sais, lâche-t-il en reniflant. Mais quand même… (Jamais Seth n'a vu visage aussi triste, avec sa lèvre inférieure boudeuse, son regard si vieux, bien trop vieux pour un si jeune garçon.) J'ai pas été frappé par la foudre.

– Nous n'avions rien, poursuit Tomasz. Vous vous souvenez, ces années quand le monde avait perdu son argent ? Et même en ligne, je suppose.

Seth et Régine hochent la tête, mais Tomasz ne les regarde pas, de toute façon.

– … Nous étions déjà pauvres avant ça. Mais après, c'était pire. Avant, on pouvait traverser les frontières, mais quand toutes les économies se sont écroulées, on ne pouvait plus. Plus personne ne voulait des autres. Nous étions piégés, ma maman et moi. Et puis, elle a trouvé une solution. Elle a trouvé un homme qui disait qu'il pouvait nous faire passer clandestinement sur un bateau. Nous donner des passeports, des papiers montrant qu'on était là-bas avant que les frontières ferment. (Il serre ses petits poings.) Ça nous a coûté tout ce qu'on avait. *Plus* que tout, même, mais maman a dit que c'était pour une vie meilleure. M'a fait apprendre l'anglais, a dit que tout sera mieux. (Ses yeux se plissent.) Mais c'était pas mieux. Le voyage a été très long, très dur, et les hommes qui nous aidaient, ils nous aidaient pas beaucoup. Il y en avait un gentil, mais l'autre était très mauvais. Il nous traitait très mal. Il... a fait des *choses*. À maman.

Tomasz retourne ses poings et les fixe.

– ... J'étais trop petit pour aider. Et maman a dit que tout allait bien, qu'on était presque arrivés, presque arrivés. Et un jour on est arrivés en Angleterre. On était tous très excités, le jour était presque arrivé, la route avait été longue et dure, mais on arrivait, on était arrivés. (Son visage s'est ouvert un peu, émerveillé, puis se referme.) Mais il y a eu un problème. L'argent, ils voulaient toujours plus d'argent, demandaient toujours plus à des gens qui n'avaient rien. (Il soupire.) Plus rien. Et l'homme gentil est venu où ils nous enfermaient. Dans un grand conteneur en métal pour les bateaux. Comme des cochons ou des ordures. L'homme gentil est venu une nuit.

Il regarde Seth. Dans le clair de lune, ses yeux à nouveau remplis de larmes. Et Seth comprend qu'il le supplie.

– Il t'a abattu, dit-il simplement, finissant l'histoire à sa place. Il t'a abattu et ta mère aussi et tous les autres.

Tomasz hoche la tête, de grosses larmes coulant sur ses joues.

– Oh, Tommy, chuchote Régine.

– Mais je sais pas pourquoi je suis *ici*, reprend-il d'une voix rauque. Je reçois une balle derrière la tête et je me réveille ici ! Et ça ne veut rien dire. Si on a dormi tous quelque part, pourquoi je me réveille pas en Pologne ? Pourquoi je retrouve pas ma mère ni personne d'autre ? (Il se tourne vers Seth.) Je reconnais pas cet endroit du tout. Je me réveille et je pense aux hommes qui me courent après et j'ai si peur que quand Régine me trouve je lui dis que j'ai toujours été ici, que maman et moi on est là depuis longtemps, mais… (Il hausse les épaules.)

– Peut-être que tu étais *vraiment* ici, intervient Seth. Peut-être que vous êtes arrivés jusqu'ici et qu'ils vous ont mis dans les cercueils et…

Mais ça n'a pas de sens.

Ou peut-être qu'ils n'ont plus eu le temps de déporter encore des gens. Peut-être que la mère de Tomasz est vraiment arrivée dans le monde réel juste avant la fin, quand Tomasz était encore bébé. Et peut-être qu'ils ont été arrêtés et que la seule chose à faire était de les endormir, de leur faire croire qu'ils n'avaient jamais quitté la Pologne. Qu'ils étaient revenus à leur point de départ sans même avoir fait le voyage.

Mais s'ils avaient eu la volonté et le courage de faire ce voyage une fois, ils auraient sans doute été capables de le refaire, non ? S'ils ne savaient pas qu'ils étaient en ligne, seulement qu'ils devaient partir, à n'importe quel prix ?

Sans savoir qu'ils avaient déjà réussi et se trouvaient déjà là.

Ce qui paraît presque trop cruel.

– Tommy, je suis tellement désolée pour toi, lâche Régine.

– Ne m'abandonne pas, dit-il. C'est tout ce que je demande.

Elle le serre un peu plus fort contre elle.

– Et toi ? demande Seth. Comment es-tu arrivée ici ?

– Je te l'ai déjà dit, répond-elle en détournant les yeux. Je suis tombée dans l'escalier.

– Tu en es bien sûre ?

Elle lui jette un regard noir. Mais Tomasz la fixe également, avec la même interrogation sur son visage.

– C'est bon, Régine, dit-il. On est tes amis.

Elle ne répond toujours pas, mais l'éclair d'un doute passe sur son front. Elle respire un grand coup, pour s'expliquer ou leur dire d'aller se faire voir – Seth ne le saura jamais parce que quelque part, au loin, ils entendent le moteur de la camionnette.

56

– Dépêchons, chuchote Régine tandis qu'ils se faufilent parmi les ombres.

– Encore loin ? lance Seth quand il la rattrape, blottie entre deux voitures en stationnement.

– Non, mais il y a un grand boulevard à traverser d'abord.

– Le bruit... toujours pareil, chuchote Tomasz derrière eux. Il sait pas où on est.

– Est-ce qu'il connaît votre maison ? demande Seth.

– On croit pas, dit Tomasz. On l'a toujours semé avant, mais...

– Mais quoi ?

– Mais le quartier n'est pas si grand, dit Régine. Et vos lumières continuent à clignoter. Dans un monde aussi sombre, elles vont se faire remarquer.

– Si elles envoyaient un signal, remarque Seth, il serait déjà là, non ? C'est quelque chose.

– Quelque chose, acquiesce Régine. Pas grand-chose.

Ils courent, pliés en deux derrière les voitures, traversent une petite rue et remontent jusqu'à un carrefour. C'est le boulevard dont Régine parlait, et en dehors des herbes habituelles et de la boue, un énorme espace dégagé qu'ils vont devoir franchir. Ils patientent, entre deux petits camions blancs garés au bord.

– Ça devrait aller, chuchote Tomasz. Le moteur, il est encore loin.

– Tu lui as tiré dessus à bout portant, dit Régine, et il s'est relevé. On ne sait *rien* de ce qu'il peut faire. Mais lui, tu crois qu'il ne sait pas qu'on se base sur le bruit du moteur pour le repérer ? Tu crois qu'il ne saurait pas s'en servir pour nous tromper ?

Tomasz écarquille les yeux, et glisse sa main emmaillotée dans celle de Seth.

– On n'est vraiment plus loin…, reprend Régine. Si on peut traverser…

Elle s'arrête, les yeux subitement aux aguets dans le clair de lune.

– Quoi ? chuchote Seth.

– Tu as entendu ?

– Non, je…

Mais il entend, maintenant.

Des pas.

Oui, des pas.

Bien plus proches que le ronflement éloigné du moteur.

Des pas lents, prudents, comme s'ils cherchaient à se faire silencieux. Mais ils se dirigent vers eux.

Tomasz serre la main de Seth plus fort et ses brûlures lui arrachent un « aïe » étouffé. Mais il ne lâche pas.

– Personne ne bouge, murmure Régine.

Les pas résonnent plus fort, plus près, ils viennent de quelque part sur la droite, peut-être du trottoir d'en face, masqués par les ténèbres et les voitures garées. Ils résonnent bizarrement, hésitant, s'arrêtant puis repartant, comme s'ils trouvaient difficilement leur rythme.

– Peut-être qu'on l'a blessé, chuchote Régine, et Seth voit sa posture changer un peu.

Elle en serait ravie, manifestement. Ravie de pouvoir lui faire face si elle avait une chance d'avoir le dessus.

– Régine…

Elle lui intime le silence, pointant le doigt. Seth et Tomasz se penchent en avant.

Un mouvement se détache des ombres, en face.

– Il faut sortir d'ici, lâche Seth.

– Pas encore.

– Il a toujours des armes…

– Pas *encore*.

Seth sent Tomasz s'écarter, prêt à courir. Il recule avec lui, mais Régine ne bouge pas –

– Régine…, siffle Seth entre ses dents.

– Regarde.

Furieux, crispé, il se penche à nouveau, et une silhouette émerge enfin de la pénombre, pour sortir en plein clair de lune.

Tomasz réprime un hoquet de stupeur.

Une biche. Une biche et son faon, qui s'avancent, méfiants, dans la rue, les oreilles en alerte, s'arrêtant tous les deux ou trois mètres pour s'assurer qu'il n'y a pas de danger. Le faon dépasse sa mère et cueille une bouchée d'herbes. Impossible de distinguer la couleur de leur robe, mais ils ne paraissent ni amaigris ni malades. Ils trouvent évidemment assez de végétation pour s'alimenter. Et s'il y a un faon, il doit bien y avoir un cerf quelque part.

Seth, Tomasz et Régine les regardent remonter la rue, leurs sabots cliquetant sur l'asphalte. Le bruit du moteur s'est stabilisé au loin, et les mouvements d'oreilles de la biche montrent qu'elle l'entend, mais elle surveille calmement son faon.

Puis elle s'immobilise, redressant la tête, humant l'air.

– Elle nous a sentis, chuchote Régine.

La biche ne s'affole pas, mais se détourne, pousse son faon devant elle, et ils s'enfoncent dans les ténèbres où même la lune ne peut plus les voir.

– Waouh, lâche Tomasz. Ben ça, alors, WAOUH !

– Ouais, fait Seth. Si je m'attendais…

Il s'arrête.

Parce que Régine essuie furtivement deux larmes sur ses joues.

– Régine ?

– Allons-y, maintenant, commande-t-elle, en se redressant.

Ils effectuent un long détour. Les arbres sont très denses entre les maisons, et la lune ne les éclaire que par intermittence, comme s'ils marchaient au fond d'un profond ravin. Le bourdonnement du moteur se maintient toujours aussi loin et, quand ils atteignent la rue, ils ne perçoivent aucun signe de quelqu'un qui les attend.

Le quartier est plus chic que celui de Seth ; il s'en rend compte même dans l'obscurité. Des maisons indépendantes, et non mitoyennes comme dans le sien, des jardins plus spacieux, des rues un peu plus larges. En dépit de la taille et de l'aspect corrects de sa propre maison, Seth se rappelle que ses parents n'avaient pu l'acheter qu'à cause de la proximité de la prison.

– C'est là que tu as vécu ? demande-t-il, regrettant aussitôt son ton surpris.

– Ouais, réplique Régine. Et même dans l'Utopicville d'Internet, on était les seuls Noirs du quartier. Mais ça te dérange, peut-être ?

Ils attendent à l'angle, tapis derrière un modèle de voiture manifestement haut de gamme.

– Je vois rien, chuchote Tomasz.

– Non, fait Régine. Et alors? Il peut sûrement patienter bien plus longtemps que nous.

– On pourrait se réfugier dans n'importe laquelle de ces maisons, dit Seth. Elles ont sûrement toutes des lits vides.

– Mmouais…, fait-elle, scrutant la rue. Mais j'y tiens, moi, à ma maison.

– Évidemment, mais enfin…

– Oh, pour l'amour du ciel, lâche Tomasz en se redressant. J'ai tellement mal aux mains. Je voudrais les laver. Il est là ou il est pas là, et s'il est là, alors il sait où nous trouver et il peut nous trouver n'importe où. Et puis, j'en peux plus, et j'en ai vraiment marre.

Il s'avance dans la rue.

– Tommy! chuchote Régine.

Mais il continue.

– Il n'a pas tout à fait tort, tu sais, dit Seth.

– Mais oui, comme toujours, grommelle Régine, qui se redresse pour le suivre.

Seth l'imite, et il réalise maintenant à quel point elle avait raison pour les lumières. Celle de Tomasz brille comme un phare.

« Que s'est-il passé? se demande-t-il. Pourquoi se sont-ils *connectés*? » Pourquoi cette soudaine immersion dans le pire événement de la vie de Tomasz? Cela n'a pas de sens mais, au moins, le torrent qui envahissait son cerveau s'est calmé, tout ce flux d'informations qui bouillonne encore, mais temporairement mis à l'écart.

Il jette un regard sur le cou de Régine. « Et que se passerait-il si je me connectais à elle? »

– Tommy, attends! lance Régine alors qu'ils approchent l'allée d'une sombre maison en brique, tapie derrière les mêmes ombres de bosquets et de boue.

l'arrière, calfeutrée par des couvertures pour empêcher la lumière de filtrer au-dehors.

– On dort à l'étage, explique Régine. Il y a trois chambres, mais une qui sert de remise, maintenant. Tu peux dormir avec Tommy, si tu veux.

– Après, de toute façon, je vais toujours me coucher par terre dans la sienne, souffle celui-ci, en aparté.

Régine allume une autre lampe. Elle appelle Tomasz pour qu'il se débarrasse de ses bandes devant l'évier. Une fois lavé le sang, ses plaies ont l'air moins terrifiantes. Plusieurs coupures profondes, et quelques brûlures – qui font siffler Tomasz chaque fois que Régine y fait couler le jet – mais il arrive à plier un peu ses doigts.

– Ça va aller, dit Régine, en prenant deux torchons dans un tiroir pour les enrouler autour de ses mains. Mais il faudrait trouver des antibiotiques quelque part, au cas où ça s'infecterait.

– Et puis surtout, lance Tomasz d'un ton amer, ne me remerciez pas de vous avoir sauvés.

Régine sort des boîtes de conserve du placard.

– Rien de très appétissant, j'en ai peur, dit-elle en allumant un réchaud à gaz semblable à celui de Seth.

Tomasz, les mains bandées, dispose des bols pendant qu'elle prépare le repas. Cherchant quelque chose à faire, Seth leur remplit des timbales avec l'eau d'une bouteille rapportée du supermarché. Personne ne dit grand-chose. Le cerveau de Seth menace toujours d'imploser, et il risque la paralysie, à essayer d'en tirer une signification. Un effort continuel, épuisant. Il étouffe un bâillement. Sans parvenir à en étouffer un deuxième.

– M'en parle pas, grommelle Régine en lui tendant un mélange de maïs à la crème et d'une sorte de chili aux nouilles.

– Merci, murmure Seth.

Régine et Tomasz se sont assis sur des chaises de cuisine pour manger, Seth sur le sol. Ils n'échangent aucun mot, et Seth, en levant les yeux, voit que Tomasz s'est endormi, la tête sur le plan de travail, son bol vide entre les cuisses.

– Je savais que ce n'était pas la foudre, dit Régine, assez doucement pour ne pas le réveiller. Mais rien de plus.

– Moi pareil…

– Évidemment, coupe-t-elle sèchement.

Seth pousse un soupir.

– C'est quoi, ton problème ? Je t'ai dit que j'étais désolé.

Elle pose son bol vide sur le plan de travail.

– Et je te crois. Alors, si on laissait tomber ?

– Je ne vois pas comment.

– Oui, et c'est bien le problème. Cette façon de considérer que tu as le droit de tout savoir. Que tout te concerne. Je veux dire, jusqu'à penser que moi et Tommy nous sommes là pour t'aider. Quel égocentrisme ! Et t'as jamais pensé que t'étais là pour *nous* aider ?

– Désolé, dit Seth en se grattant l'oreille. Mais j'ai eu moins de temps que vous pour m'habituer à cet endroit. (Il contemple la cuisine et leur dîner de conserves, éclairés par la lampe de camping.) Mon père disait qu'avec le temps on pouvait s'habituer à tout.

– Ma mère disait la même chose. Et elle avait raison.

Elle a employé un ton si amer que Seth la fixe, surpris.

– … Elle était prof. De sciences, surtout, mais elle et mon père étaient français, et elle l'enseignait aussi, parfois. Une femme formidable. Forte et bonne et drôle. Et puis, mon père est mort, et ça l'a pour ainsi dire… brisée. Elle a craqué, quoi. (Elle fronce les sourcils.) Et mon beau-père, cet enfoiré, il en a profité, et il s'est installé. Au début, ça allait à peu près, pas parfait, mais bon, tu t'y habitues. Puis ça empire, et tu t'y habitues aussi. Et puis, un jour, tu te réveilles, et t'as pas la moindre idée de comment c'en est arrivé là.

– Mon père a craqué aussi, dit Seth, doucement. Et je crois que ma mère également, à sa façon.

– Et toi.

– Et moi. Les gens craquent, je suppose. Tout le monde.

– Et *toi*, qu'est-ce qui t'a fait craquer, finalement ?

– Et maintenant, qui croit pouvoir se mêler de tout ?

Elle hésite, puis lui jette un regard presque amical.

Il bâille, et se demande quels genres de souvenirs vont débouler ce soir quand il va finalement s'endormir. Bons, il espère, et tant pis s'ils font mal. Peut-être que la nuit où il a compris, pour Gudmund, ressemblait à celle-ci. Ou peut-être le moment où ils avaient été camper, et comme les parents de Gudmund dormaient dans la tente à côté ils ne pouvaient pas faire grand-chose d'autre que parler. Mais c'était merveilleux, plus merveilleux que tout, ils avaient fait des plans sur leur avenir, l'université et après.

– Nous pourrons tout avoir, avait dit Gudmund. Nous pourrons tout faire une fois partis d'ici. Toi et moi ensemble ? *Qui* oserait seulement nous arrêter ?

Et Seth ne pouvait même pas dire combien ces paroles lui avaient semblé fabuleuses, effrayantes, vraies et impossibles à la fois.

Ils avaient parlé toute la nuit. Ils avaient prévu toute leur vie à venir.

Y penser lui déchire le cœur.

– Les gens craquent, répète-t-il. Mais nous avons une seconde chance, tous les trois.

Régine lâche un petit rire sec.

– Tu appelles ça une seconde chance ? Alors elle devait vraiment être merdique, ta vie. (Elle se lève, et se penche sur Tomasz.) Allez, viens plutôt m'aider.

Régine allume une bougie pour leur éclairer le chemin, et ils montent Tomasz toujours endormi jusqu'à son lit. Elle sort quelques couvertures moisies d'un placard.

– Tu vas devoir coucher par terre.

– Pas de problème, répond-il en empilant les couvertures sur la moquette.

– Tu pourras prendre son lit quand il se glissera dans ma chambre. Il le fait toujours.

Tomasz ronfle déjà. Régine l'observe avec son air mi-tendre, mi-grincheux habituel, puis s'apprête à quitter la chambre sans un bonsoir.

– Merci d'être venue me chercher, lance Seth. Et, s'il te plaît, essaye de ne pas te comporter comme une enfoirée chaque fois qu'on te dit merci, d'accord?

Régine émet un grognement.

– C'est dur, ici. Et il faut être dur pour survivre. (Elle tente un sourire.) J'étais une fille plutôt sympa, avant.

Seth lui retourne son sourire.

– Je n'en crois pas un mot.

– Et t'as raison. (Elle le dévisage un moment.) D'abord, on pourrait commencer par chercher ton frère. Si c'est tellement important.

– Ça l'est. Merci.

– Ne me remercie pas. À toi de faire tout le travail. Par exemple, on commence par quoi?

Seth secoue la tête.

– Quelque chose va sûrement me revenir. Tout est là, dans ma tête, je le sais. Il faut juste que je fasse le tri.

– Bon. Parce que j'aimerais bien avoir quelques réponses, moi aussi.

Elle le salue de la tête et quitte la pièce.

Allongé sur le sol, Seth s'enroule dans une couverture. Tout est tranquille. Même entre les petits ronflements de

Tomasz, il n'entend pas le bruit de la camionnette dehors, nulle part. Régine et Tomasz ont vraiment trouvé la cachette idéale. Et maintenant, ils le cachent avec eux.

Son cerveau déborde toujours de souvenirs chaotiques, mais pendant un moment fugitif, avant que l'épuisement de cette interminable journée le rattrape, il se sent presque en sécurité.

58

Il ne rêve pas.

59

– Réveille-toi, monsieur Seth, dit Tomasz en le secouant par l'épaule. On a survécu une nouvelle nuit.

Sonné, Seth ouvre les yeux dans la vague lueur qui peine à traverser les couvertures tendues devant les fenêtres.

– C'est encore maïs et chili pour le petit déjeuner, ajoute Tomasz. Désolé.

Seth ouvre la bouche pour répondre –

Mais s'arrête.

Quelque chose a changé.

Quelque chose –

Il se redresse bien droit.

– Oh, merde…, lâche-t-il.

– Quoi ? questionne Tomasz, inquiet.

– Oh, non…

– Mais *quoi* ?

– Tout est là, murmure Seth, levant un regard stupéfait sur Tomasz. Tout est clair, maintenant. Le sommeil a dû enclencher le processus ou…

Il s'arrête encore.

– Qu'est-ce qui se passe, *encore* ? s'impatiente Tomasz.

Mais que peut répondre Seth ? Quoi dire ? Tout ce chaos a maintenant un sens. Ce qu'il avait oublié –

Il se lève, marque à peine une pause pour enfiler ses chaussures, avant de se ruer hors de la chambre et de dévaler l'escalier.

– Attends ! crie Tomasz en lui emboîtant le pas. Où vas-tu ?

Seth empoigne la chaise bloquant contre la porte, mais sa première tentative ne fait que la coincer un peu plus.

– Qu'est-ce qui se passe ? lance Régine en sortant de la cuisine avec un bol de cet horrible petit déjeuner.

– Il s'est réveillé, et il est devenu dingo, explique Tomasz.

– Encore ?

– Je n'ai pas rêvé, balbutie Seth tout en luttant avec la chaise.

– Comment ça ? questionne Régine.

– Je n'ai pas *rêvé*. J'ai dormi et je n'ai pas rêvé, pas un seul souvenir, rien. (Il sent la panique menacer, maintenant.) Je me suis réveillé et tout était clair.

La chaise cède enfin sous ses mains, projetée en arrière avec fracas. Il ouvre la porte.

– Où vas-tu ? crie Régine.

Mais il est déjà dehors, il court déjà sur le trottoir, il descend déjà la rue en courant.

Parce qu'il sait.

Il se souvient.

Même s'il connaît mal le quartier, ses pieds le guident. L'avenue qu'ils ont traversée la nuit dernière lui donne un repère soudain très net. Il s'éloigne toujours en courant de la maison de Régine, sans même guetter le bruit de la camionnette. Il se trouve à environ cinq kilomètres au nord de sa propre maison, et son cerveau planifie un itinéraire pour lui.

Il sait où il va.

Il le sait.

Un cri résonne, à une centaine de mètres en arrière.

– ATTENDS !

– Peux pas ! lance-t-il, probablement pas assez fort pour qu'ils l'entendent. Peux pas !

Il continue à courir, tourne à un carrefour sans aucune hésitation. Les pâtés de maisons s'effacent derrière lui, et il court sans effort, sans dévier. Un autre croisement. Un autre. Et un autre. Les rues descendent maintenant, prenant une direction qui va le conduire derrière le supermarché et de l'autre côté du petit parc où il a vu les canards.

– Bon sang de…, halète Régine à bout de souffle.

Il tourne rapidement la tête et l'aperçoit sur un vélo qu'ils devaient garder chez eux, Tomasz collé contre elle, ses mains bandées croisées autour de sa taille.

– Tu nous abandonnes ! crie Tomasz avec une colère surprenante. Encore !

– Mais non ! fait Seth en secouant la tête mais sans ralentir. Bien sûr que non !

– Et tu fais quoi, alors ? crie Régine.

– Je me souviens, martèle-t-il. Je me *souviens* !

– Alors tu te souviens qu'on n'est pas exactement hors de danger, non ? râle-t-elle, incapable de suivre son rythme.

– Désolé ! lâche Seth en prenant le large. Il le faut, désolé !

Il court. Animé par un sentiment qu'il ne peut même pas nommer. Une sorte de compulsion, quelque chose qui le pousse –

Une chose qu'il ne peut croire –

Une chose qu'il ne croira *jamais* –

La route plonge, plus abrupte maintenant, et il atteint le bas d'une pente en chuchotant :

– non, non, non.

Il s'éloigne du bassin aux canards, gravit un monticule

puis le redescend. D'énormes haies, devenues très hautes, bordent des maisons luxueuses. La rue est en meilleur état aussi, les mauvaises herbes perçant difficilement un ciment de très bonne qualité, sans doute. Il passe devant une sorte de salle des fêtes, puis aperçoit une église à un angle, et il sait qu'il se rapproche. Il entend Régine et Tomasz au loin, alors qu'il vire à un dernier croisement.

Il ralentit, puis s'arrête au milieu de la rue.

Il y est. Il l'a trouvé. D'un coup, trop tôt. Comme la courte escapade vers la prison, le trajet lui a pris bien moins longtemps que prévu.

Mais il y est.

– Non, chuchote-t-il encore.

Régine et Tomasz freinent derrière lui. Elle, trop essoufflée pour parler, reste pliée sur le guidon, mais Tomasz est déjà descendu en hurlant :

– Tu peux pas faire ça ! Tu avais promis ! Tu peux pas...

Puis il s'arrête en voyant Seth pétrifié.

– Monsieur Seth ? articule-t-il, stupéfait.

Seth ne dit rien, mais il enjambe un muret en pierre. Il sait où aller. Il ne veut pas savoir, mais il sait. L'herbe du terrain a poussé aussi haut que lui, et il l'écarte par poignées. Tomasz le suit pas à pas, luttant contre cette jungle. Seth ne sait trop ce que fait Régine parce qu'il ne se retourne pas. Il garde ses yeux concentrés devant lui. Il cherche.

Il laisse ses pieds le guider.

Les herbes cachent des allées, qu'il emprunte sans hésitation, tournant où il le faut, s'orientant par rapport à un arbre puis tournant encore –

Et puis, il s'arrête.

Tomasz le rejoint.

– Il se passe quoi ? Hein, monsieur Seth ?

Seth entend Régine arriver, elle aussi.
– Régine ? demande Tomasz. Ça veut dire quoi ?
Mais Seth ne dit rien. Ses jambes se dérobent sous lui, et il s'agenouille. Il se penche, écarte les herbes, les arrache, découvre le sol.
Découvre ce qu'il y a dessous.
Et lit ce qu'il découvre.
Et il sait que c'est à la fois la vérité et un mensonge.
Mais ce n'est pas un mensonge. Mais non.
Parce qu'il se souvient, maintenant. Il se souvient de tout.
– Est-ce que c'est… ? chuchote Régine. Oh, mon Dieu.
– Quoi ? fait Tomasz. Quoi ?
Mais Seth ne se retourne pas, il reste juste agenouillé là, et il lit.
Les mots gravés dans le marbre.

Owen Richard Wearing.
Enlevé à ce monde, âgé de quatre ans.
Sa Voix était Musique et ses Paroles une Chanson
Et maintenant chaque Ange en l'Écoutant sourit.

Seth les a guidés à un cimetière.
À une tombe.
À l'endroit où son frère est enterré.

60

C'est le silence de ses parents devant la table, face à l'inspectrice Rashadi, qui l'avait le plus perturbé. Ils ne pleuraient pas, ne criaient pas, ne semblaient même pas vraiment bouleversés. Son père restait assis les yeux vides, fixant un point quelque part au-dessus de l'épaule de Rashadi. Sa mère, tête lourdement penchée, les cheveux dans la figure, n'émettait aucun son, ne paraissait consciente de rien ni de personne autour d'elle.

– Ce n'est évidemment pas une consolation, dit Rashadi d'une voix basse, posée, respectueuse. Mais nous avons de bonnes raisons de penser qu'Owen n'a pas souffert. Que c'est arrivé très peu de temps après l'enlèvement, et que cela s'est produit très rapidement. (Elle tendit les bras sur la table comme pour leur prendre la main. Ni son père, ni sa mère ne réagirent.) Il n'a pas souffert, insista-t-elle.

La voix de sa mère, rauque, très faible, articula quelque chose.

– Vous dites ? demanda Rashadi.

Sa mère s'éclaircit la gorge et leva légèrement la tête.

– Je disais, vous avez raison. Ce n'est pas une consolation.

Seth était assis sur la dernière marche, dans le couloir. Ni Rashadi, ni l'autre inspecteur qui était entré pour dire qu'ils avaient trouvé Valentin ne le surveillaient après lui avoir demandé de quitter le salon. Il était revenu silencieusement sur ses pas pour écouter.

– Nous allons vous emmener le voir, dit l'inspectrice. Dès qu'ils nous auront donné le feu vert, nous pourrons y aller.

Ses parents ne disaient toujours rien.

– Je suis sincèrement désolée, reprit Rashadi. Mais nous avons pris Valentin, et il va payer pour ce qu'il a fait, je vous le promets.

– Vous allez le remettre en prison? demanda sa mère. Pour qu'il puisse lire ses livres et jardiner et sortir encore une fois quand il en aura envie? C'est comme ça que vous allez lui faire payer ce qu'il a fait?

– Il y a d'autres façons, Mrs Wearing. Tous les prisonniers sont maintenant automatiquement placés en…

– Taisez-vous. Par pitié, taisez-vous. Quelle importance, maintenant?

Elle se tourna vers son père, qui conservait un regard vitreux, comme absent.

– J'allais te quitter. Tu m'écoutes? J'allais te quitter, ce jour-là. J'avais mis de l'argent de côté. C'est ce que je suis allée chercher, ce matin-là. Mais je me suis débrouillée pour le laisser sur le comptoir de cette horrible petite banque. (Se tournant vers Rashadi.) Oui, j'allais le quitter.

L'inspectrice promena son regard de l'un à l'autre, mais son père ne réagissait pas et sa mère demeurait plongée dans une sorte de colère silencieuse, terrifiante, comme une panthère prête à bondir.

– Je suis sûre que cette question peut attendre quelque temps, dit Rashadi.

Elle marqua une pause, puis son ton se modifia un peu.

– À moins que vous ne préfériez voir les choses autrement.

Là, l'autre inspecteur sursauta et prononça le prénom de Rashadi, sans doute:

– Asma…

– Je dis simplement qu'il existe peut-être une solution, reprit-elle. Une solution pour que tout cela ne soit jamais arrivé.

Pour la première fois, elle réussit à captiver l'attention de sa mère et de son père.

– Le monde était en plein changement, murmure doucement Seth, les yeux toujours fixés sur la tombe. Il avait changé. Il était devenu presque invivable.

– On s'en serait doutés, grogne Régine. Rien qu'à regarder cet endroit…

Seth hoche la tête et poursuit :

– Pendant longtemps, les gens avaient vécu deux existences. Et au début, je pense qu'ils en avaient vraiment deux. C'était possible. Ils pouvaient passer de l'une à l'autre, entre le monde en ligne et celui-ci. Et puis ils ont commencé à rester en ligne plus longtemps, et cela leur semblait moins bizarre que l'année précédente. Parce que le monde devenait de plus en plus tordu. (Il regarde Régine et Tomasz. Le soleil brille derrière eux et découpe leurs silhouettes.) En tout cas, c'est comme ça que j'interprète les choses.

– Je ne me rappelle rien du passé, répond Régine. Désolée.

– Je pense que nous nous en sommes tirés de cette manière. En oubliant qu'il y ait jamais eu quelque chose d'autre. Vos propres souvenirs réécrits pour que tout fonctionne, et votre vie là, devant vous. La vraie vie, puisqu'on n'en connaissait plus d'autre.

Seth se retourne vers la tombe. Il passe ses doigts sur les lettres gravées du nom d'Owen.

– Il est mort, dit-il simplement. L'homme qui l'a enlevé l'a assassiné. Il n'est jamais rentré à la maison.

Seth sent le chagrin remuer dans son estomac, dans sa poitrine, mais l'ancien savoir et le nouveau pèsent encore trop lourd, et il ne ressent pour l'instant qu'un vide anesthésié.

– Oh, monsieur Seth, je suis vraiment désolé, fait Tomasz.

– Moi aussi, ajoute Régine. Mais je ne comprends pas. Pourquoi cette tombe ? Tu as toujours dit que ton frère était…

– Vivant, oui. J'ai grandi avec lui. J'ai assisté à ses cours de clarinette. Et Tomasz me le rappelle tellement que j'ai de la peine à le regarder, parfois.

– Mais… (La voix de Régine cache mal son impatience.) Mais il est *ici*. Il est mort. Dans le monde réel.

– Si c'est vraiment le monde réel, coupe Tomasz.

– Il va bien falloir admettre *un jour* qu'il l'est, martèle Régine. Je sais que je suis réelle, et c'est tout ce que j'ai pour continuer. Il faut bien se raccrocher à quelque chose. (Elle répète :) Il faut bien se raccrocher à quelque chose.

– Mais alors, c'est arrivé comment ?

– Mes parents ont eu le choix, répond Seth, sans se détourner de la tombe.

– Non, pas Leuthé, corrigea son père d'une voix pâteuse. On prononce Léthé. C'est le fleuve de l'oubli, dans le royaume d'Hadès. Où les morts ne peuvent se rappeler leur ancienne vie et passent l'éternité à la regretter.

La dame de la mairie n'avait pas l'air ravie de s'être fait reprendre, mais elle préféra passer outre.

– Effectivement. C'est également le nom du processus que les gens entament quand ils entrent dans le Lien.

– Et n'en reviennent plus…, dit sa mère d'une voix égale, les yeux posés sur la table.

– Oui, approuva la dame.

– Alors, ils abandonnent tout simplement leur vie, poursuivit sa mère (et c'était aussi une question).

– Ils ne l'abandonnent pas. Ils l'échangent. Pour avoir l'opportunité de faire quelque chose d'eux et de leur futur dans un monde

qui n'aura pas été aussi abîmé. (La femme prit une posture moins formelle, comme si elle allait partager une information non officielle avec eux, presque un secret.) Vous connaissez la situation. Vous avez vu comme elle empire, et à quelle vitesse. L'économie. L'environnement. Les guerres. Les épidémies. Faut-il vraiment s'étonner de ce que les gens veuillent tout reprendre de zéro ? Dans un endroit où ils auront au moins une chance de réussir ?

– Certains disent que ce n'est pas mieux qu'ici…

– Il n'y a pas de comparaison possible. On ne peut empêcher les humains de se comporter en êtres humains, évidemment, mais par rapport à ce que nous vivons aujourd'hui, c'est le paradis. Le paradis de la seconde chance.

– On ne vieillit jamais et on ne meurt jamais, hein… ? dit son père comme s'il citait une phrase.

– Si, tout de même, corrigea la dame de la mairie. Nous ne réalisons pas ce genre de miracle. Pour l'instant. Le cerveau humain ne pourrait l'admettre. Mais tout le reste est totalement automatisé. Vous serez sous surveillance constante. Vous serez soignés selon vos besoins. Vos corps resteront physiquement viables, y compris vos muscles, et nous venons de mettre au point une hormone qui empêchera vos cheveux et vos ongles de pousser. Nous sommes même parvenus au seuil de la reproduction et de la naissance. C'est réellement notre meilleur espoir d'avenir.

– Et vous y gagnez quoi ? demanda sa mère.

– Nous y gagnons tous, répliqua aussitôt la femme. Cela consomme de l'énergie, bien sûr, mais beaucoup moins que les humains qui nous entourent. Nous scellons tout sauf les connexions aux chambres, et nous prenons le reste pour l'exploiter utilement. Au minimum, nous traversons le désastre en dormant pour ressortir de l'autre côté. (Elle se penche en avant.) Je vais être honnête avec vous. Un jour viendra où vous n'aurez peut-être plus le choix, où même moi je n'aurai plus le choix. Mieux vaut le faire maintenant, selon vos propres conditions.

Sa mère la regarda attentivement.

– Et vous dites qu'Owen nous sera rendu?

La femme ne put retenir un petit sourire, qu'elle voulait bienveillant, compréhensif, mais même Seth, assis à l'écart au bout de la table, y décela une note de triomphe. Elle avait gagné, et Seth ne s'était même pas rendu compte qu'il y avait eu lutte.

– Ce programme de simulation est un prototype, précisa-t-elle. J'insiste bien sur ce point.

– Pour l'instant, dit son père.

– Je vous demande pardon?

– Tout à l'heure, vous avez dit «pour l'instant», à propos des miracles. Alors, je dis «pour l'instant».

– Si vous voulez, répondit-elle d'un ton très légèrement agacé. Mais je peux vous dire deux choses. Premièrement, Léthé s'assurera que vous ne fassiez jamais, jamais la différence. Deuxièmement, les résultats obtenus jusqu'ici ont dépassé les rêves les plus fous des participants.

– Et nous allons simplement... oublier tout ce qui s'est passé? demanda sa mère.

La dame de la mairie pinça les lèvres.

– Pas tout à fait, non.

– Pas... tout à fait? répéta sa mère d'un ton soudain âpre. Je ne veux me souvenir de rien. Ça veut dire quoi, pas tout à fait?

– Léthé est un processus complexe, doté de propriétés stupéfiantes. Mais il doit composer avec ce qui existe déjà en vous. Il ne peut effacer des souvenirs aussi importants que ce qui vient de se passer...

– Alors quel intérêt, bon sang?

– ... mais ce qu'il peut faire, c'est vous offrir une issue alternative.

Il y eut un silence.

– Que voulez-vous dire? finit par demander son père.

– Tout détail que je pourrais vous donner maintenant ne serait

que pure spéculation jusqu'à l'implantation de vos nodules et l'actualisation complète, mais je pense que vous vous souviendriez probablement de l'enlèvement de votre fils…

Sa mère émit un soupir méprisant.

– … quoique avec un dénouement bien plus heureux. On le retrouverait, vivant, peut-être blessé, nécessitant sans doute des soins – c'est ce que Léthé vous ferait croire pendant que vous vous habitueriez au nouvel Owen –, mais il ne serait plus mort. Il serait créé à partir de vos souvenirs, et il grandirait et se développerait et réagirait exactement comme l'aurait fait votre fils. Rien, absolument rien ne le différencierait de votre fils, et vous ne remarqueriez jamais aucune différence.

Sa mère voulut parler, mais s'éclaircit d'abord la voix.

– Est-ce que je pourrai le toucher ? questionna-t-elle d'une voix rauque. Le sentir ?

Puis elle se couvrit la bouche d'une main, incapable de poursuivre.

– Oui, absolument. Le Lien n'est pas qu'une variation du monde. C'est le monde, relocalisé en lieu sûr. Vous feriez le même travail, vos maisons seraient identiques, tout comme votre famille, vos amis – ceux déjà présents là-bas, en tout cas, mais ils y seront tous très bientôt. Ce monde aura l'air complètement réel parce qu'il sera complètement réel.

– Mais comment pourra-t-on interagir avec des gens qui n'y sont pas ? demanda son père.

Sa mère soupira encore, comme si c'était la question la plus sotte qu'elle ait jamais entendue.

La dame de la mairie répliqua sans ciller :

– De la même façon que vous interagissez avec les gens qui s'y trouvent maintenant. C'est l'un des aspects les plus géniaux du processus. Nous l'avons retourné. Lorsque vous y êtes, c'est ce monde-ci qui vous paraît en ligne, et c'est ainsi que vous interagissez avec lui. Vous envoyez les mêmes e-mails, les mêmes

messages. Et si quelqu'un dans le monde réel essaye de vous convaincre que vous êtes en ligne, eh bien, Léthé vous fait tout oublier encore et encore. (Sa voix se fit plus grave.) Mais, et j'insiste là-dessus, nous approchons réellement d'un point de non-retour. Ces questions n'auront très bientôt plus de sens, parce qu'il n'existera plus de monde avec lequel interagir. Nous serons tous là-bas, à mener des existences plus heureuses, dans un monde qui ne sera pas encore épuisé.

– Je ne veux plus vivre ici, dit sa mère. Dans cette ville. Dans ce pays ridicule. Vous pouvez arranger ça?

– Là encore, nous ne pouvons vous transplanter comme ça dans une vie complètement nouvelle, coupée de tout souvenir. Mais vous vous déplacerez de la même façon là-bas qu'ici. Et si vous souhaitez partir, vous partirez.

– Je veux partir. (Sa mère jeta un coup d'œil sur le salon.) Je partirai.

– Les modalités sont simples, reprit la femme de la mairie. Nous implantons les nodules, réactualisons vos souvenirs, et nous vous plaçons dans les chambres de sommeil. Nous sommes presque complets dans nos équipements actuels, mais nous nous agrandissons continuellement. Au besoin, nous pouvons facilement en installer une dans votre propre maison et vous déplacer dès que nous aurons de la place.

– Aussi simple que cela? demanda son père.

– Je pourrais tout organiser dans la semaine, répondit-elle. Vous pourriez alors revoir votre fils et tout le chagrin que vous ressentez actuellement s'évanouirait.

Sa mère et son père demeurèrent silencieux un instant, puis ils se regardèrent. Son père prit la main de sa mère. Elle résista d'abord, mais il insista et finalement elle le laissa faire.

– Il ne serait pas réel, chuchota-t-il. Ce serait un programme.

– Vous n'en sauriez rien, dit la femme de la mairie. Vous n'en sauriez jamais rien.

– Je ne peux pas le supporter, Ted, dit sa mère. Je ne peux pas vivre dans un monde qu'il a quitté. (Elle se tourna vers la femme.) Quand pouvons-nous commencer?

La femme sourit.

– Dès maintenant. J'ai apporté les papiers. Vous serez stupéfaits de voir à quelle vitesse nous pouvons faire avancer les choses. (Elle sortit trois grands paquets de sa sacoche.) Un pour vous, Mrs Wearing. Un pour Mr Wearing. Et un pour le jeune Seth.

Ses parents se retournèrent, et il vit comme ils étaient surpris de le trouver assis là.

– La femme de la mairie avait sûrement raison, reprend Seth après avoir raconté cette histoire à Régine et Tomasz. Ils en étaient arrivés à une sorte de phase critique, dont les dernières étapes se sont enchaînées plus vite qu'ils ne l'avaient prévu. Personne n'est venu me déplacer de la maison à la prison. (Il regarde Régine.) Ni toi, d'ailleurs. Et aucun Conducteur n'est venu nous garder, ni toi ni moi. Les systèmes qu'ils avaient prévu de mettre en œuvre, ils n'ont manifestement pas eu le temps de les compléter. Le monde devait être au bord de l'effondrement. (Il respire un grand coup.) Et il s'est effondré.

– Mais on ne peut pas remplacer une personne comme ça, intervient Tomasz. Ton frère…

– Mmouais, s'interroge Régine avec une pointe de colère dans la voix, pourquoi ma mère aurait-elle épousé mon bâtard de beau-père si elle avait pu faire revenir mon père?

– Je n'en sais rien, réplique Seth. Comme tu l'as dit, chaque fois qu'on découvre une chose, il en surgit des centaines d'autres qu'on ne *comprend pas*. (Il se retourne vers la tombe.) Mais on peut imaginer ce qui s'est passé, peut-être. Au début, les gens ont trouvé ça amusant, d'y entrer et d'en ressortir. Et puis, ils se sont habitués, et sont restés là-bas, abandonnant le monde réel, et les gouvernements se sont dit: « Hé, attendez, voilà qui pourrait nous être utile. » Ils ont commencé à *encourager* les gens à rester, parce que, en fait, ils allaient peut-être économiser de l'argent et des ressources, en échange de quoi ils essaieraient de leur offrir des choses qui n'existaient plus en vrai. Et puis, peut-être que tout a empiré trop vite. On a *forcé* les gens à rester, comme le prédisait cette femme, parce que le monde était devenu invivable.

– Et maintenant, *tout le monde* est là-bas, dit Tomasz. Même ceux qui ont fait les programmes qui ont fait ton frère. Personne pour les réparer. Personne pour les améliorer.

– Non, acquiesce Seth. Il n'a jamais progressé.

– Mais personne n'en sait rien, là-bas, lâche Régine, d'un ton toujours furieux.

– En fait, je n'en suis pas sûr, corrige Seth. Je pense qu'ils savent, à un certain niveau. Ils savent que quelque chose ne colle pas, mais ils refusent d'y penser. N'avez-vous jamais éprouvé cette sensation qu'il devait y avoir *autre chose*? Autre chose *ailleurs,* hors de portée, mais que si vous pouviez l'atteindre...

– Tout le temps, coupe Tomasz d'une voix étouffée. Tout le temps je sens ça.

– Comme tout le monde, fait Régine. Surtout à ton âge.

– Je suis sûr que mes parents savaient, reprend Seth. D'une certaine manière. Que leur univers n'était pas réel, malgré les apparences. Comment peut-on jamais oublier avoir fait un choix aussi terrible? C'était là dans leur façon de me traiter. Comme un non-dit. Comme un fardeau, parfois. (Sa voix baisse d'un cran.) Moi qui croyais qu'ils m'en voulaient seulement d'avoir été là quand Owen a été enlevé.

– Ah, lâche Tomasz. Quand tu as dit que c'était un peu de ta faute...

Seth pose une main sur la tombe d'Owen.

– Je ne l'ai pratiquement jamais dit à personne. À la police, oui, qui l'a dit à mes parents, mais à personne d'autre. (Il lève les yeux vers le soleil et pense à Gudmund.) Même pas quand j'aurais pu.

– Quelle importance, maintenant ? questionne Régine. La vérité que tu connaissais n'est pas vraie.

Il se retourne vers elle, surpris.

– Comment, quelle importance ? Ça change tout.

Régine lui jette un regard incrédule.

– Mais… tout a *déjà* changé.

– Non, fait-il en secouant la tête. Non, non, tu ne comprends pas.

– Alors, aide-nous à comprendre, dit Tomasz. Après tout, tu as vu mon pire souvenir, monsieur Seth.

– Je ne peux pas.

– Tu ne *veux* pas, coupe Régine.

– Ah, non ? réplique-t-il, mécontent. Et comment es-tu morte, déjà ? Une chute dans l'escalier ?

– C'est différent…

– En quoi ? Je viens de découvrir que j'ai tué mon frère !

Des pigeons s'envolent des hautes herbes, surpris par le cri de Seth. Seth, Tomasz et Régine les regardent disparaître plus loin dans le cimetière, parmi les arbres touffus et les ombres, jusqu'à ne plus être qu'un souvenir.

Alors, Seth reprend la parole.

61

Il tenait encore Owen par la main. Leur mère avait dit « Ne bougez pas ! » et ils lui avaient obéi à la lettre, s'asseyant juste sur le sol à côté de la table de la salle à manger quand ils avaient été fatigués.

Puis quelqu'un avait frappé. Pas à la porte d'entrée, mais à la fenêtre de la cuisine, à l'arrière, dans ce jardin qui ne menait nulle part sauf à des clôtures et encore des clôtures.

Où un homme avec une chemise bleue au col bizarre les regardait.

– Salut, les garçons, dit-il d'une voix étouffée par la vitre. ... Pouvez-vous m'aider ?

– Seth ? souffla Owen, inquiet.

– Allez-vous-en, dit Seth en essayant de paraître plus courageux qu'il ne l'était en réalité.

Mais il avait huit ans et ne comprenait jamais trop bien pourquoi les adultes faisaient ce qu'ils faisaient, alors il ajouta :

– Qu'est-ce que vous voulez ?

– Je veux entrer. Je suis blessé. J'ai besoin d'aide.

– Allez-vous-en ! cria Owen, en écho aux mots de son frère.

– Je ne m'en irai pas, dit l'homme. Ne comptez pas là-dessus, mes garçons. Je ne m'en irai jamais.

Owen se serra plus fort contre Seth.

– J'ai très peur, chuchota-t-il. Où est maman ?

Seth eut une idée, brusquement.

– Vous allez avoir des ennuis ! cria-t-il. Ma maman va vous attraper ! Elle est ici, là-haut. Je vais aller la chercher, maintenant.

– Ta mère est sortie, répliqua l'homme tranquillement. Je l'ai regardée partir. Je croyais qu'elle allait revenir tout de suite, pas laisser tout seuls deux gamins comme vous, même pour quelques minutes. Mais non, elle a vraiment l'air partie. Alors, je vous le redemande, mes garçons. Ouvrez cette porte et laissez-moi entrer. J'ai besoin de votre aide.

– Si vous aviez vraiment besoin d'aide, répondit Seth, vous auriez demandé quand maman était là.

L'homme marqua une pause, presque comme s'il reconnaissait son erreur.

– Je ne veux pas de son aide. J'ai besoin de la vôtre.

– Non, chuchota Owen, paniqué. Ne le fais pas, Seth.

– Bien sûr que non, murmura-t-il. Jamais de la vie.

Le visage de l'homme se trouvait à contre-jour et Seth eut le temps de penser qu'il devait être bien petit, puisqu'on ne voyait que sa tête et ses épaules. Quand son père lui parlait, il devait presque se pencher.

– Je n'aimerais pas avoir à vous le demander une nouvelle fois, fit l'homme en haussant un peu le ton.

– Vous devez attendre que notre mère revienne, dit Seth.

– Bon, alors, je vous explique, dit l'homme calmement, que vous me compreniez bien, d'accord ? Si vous me laissez entrer, d'accord, si vous me laissez entrer, alors je ne vous tuerai pas.

Et là, l'homme sourit.

Les petites mains d'Owen serrèrent très fort celles de Seth.

L'homme inclina la tête.

– Comment tu t'appelles, mon garçon ?

Seth répondit « Seth », avant même de réaliser qu'il aurait pu refuser.

– Eh bien, Seth, je pourrais enfoncer cette porte. J'ai déjà fait pire, crois-moi. Je pourrais l'enfoncer et entrer et vous tuer. Mais au lieu de ça, je vous demande de me laisser entrer. Si je voulais vraiment vous faire du mal, vous croyez que je vous demanderais la permission ?

Seth ne répondit rien, mais avala nerveusement sa salive.

– Alors, je te le redemande, Seth. Laisse-moi entrer, s'il te plaît. Si tu fais ça, je te promets de ne pas te tuer. Tu as ma parole. (L'homme posa ses mains contre le carreau.) Mais si je dois te le demander encore une fois, alors je vais entrer de toute façon et je vais vous tuer tous les deux. Je préférerais l'éviter, mais si vous faites ce choix-là…

– Seth, murmura Owen, la figure crispée de terreur.

– T'en fais pas, lui murmura-t-il, pas parce qu'il savait quoi faire, mais parce que c'était ce que disait toujours sa mère. T'en fais pas.

– Je compte jusqu'à trois, fit l'homme. Un…

– Non, Seth, chuchota Owen.

– Vous promettez de pas nous tuer ? demanda Seth.

– Croix de bois, croix de fer…, répliqua l'homme en faisant le geste sur sa poitrine. Deux…

– Seth, maman a dit non…

– Il dit qu'il nous tuera pas, fit-il en se levant.

– Non…

– Attention, je vais bientôt dire « trois », Seth, dit l'homme.

Seth ne savait pas quoi faire. La menace crépitait partout dans l'air confiné de leur maison, cet endroit où le mal et le danger semblaient impossibles. Il sentait l'homme la diffuser comme une flamme.

Mais il ne comprenait pas la menace, pas complètement. Était-ce une menace s'il ne faisait pas ou s'il faisait ce que l'homme demandait ? Il était sûr que l'homme pouvait enfoncer la porte – les adultes pouvaient faire ce genre de chose – alors, peut-être que s'il lui obéissait, peut-être qu'il…

– Trois, dit l'homme.

Seth se précipita dans la cuisine, pris de panique, se débattit avec le verrou, pesant dessus pour s'il s'ouvre.

Il fit un pas en arrière. L'homme s'écarta de la fenêtre et rejoignit la porte. Seth vit que sa chemise au col bizarre était une combinaison. L'homme se caressait le menton, et Seth remarqua des cicatrices sur ses phalanges, d'étranges marques blanches comme s'il s'était brûlé.

– Eh bien, merci, Seth. Merci infiniment.

– Seth ? appela Owen, qui avait reculé jusqu'au seuil de la salle à manger.

– Vous avez dit que vous ne nous tueriez pas si on vous ouvrait, dit Seth.

– Absolument.

– Nous avons des pansements, si vous êtes blessé.

– Oh, ce n'est pas ce genre de blessure. C'est plus un dilemme qu'une blessure, je dirais.

L'homme sourit. Mais son sourire n'avait rien d'amical. Pas du tout.

– J'ai besoin que l'un de vous m'accompagne pour un petit voyage.

Il se pencha, les mains sur les genoux, pour se mettre au niveau de Seth.

– Lequel de vous deux, je m'en moque. Vraiment. Mais il en faut un. Pas les deux. Et pas aucun. (Il leva l'index.) Un.

– On ne peut aller nulle part, dit Seth. Notre maman va revenir et…

– L'un de vous va quitter cette maison avec moi, coupa l'homme. Point final.

Il avança dans la cuisine. Seth recula contre le four, sans quit-

ter l'homme des yeux. Owen se tenait toujours contre le jambage de la porte, le visage brouillé, livide de peur et de stupéfaction devant cet étranger dans leur cuisine.

– Et voici ce que je vais faire, Seth, dit-il comme s'il venait d'avoir une idée géniale. Je vais te laisser choisir. Je m'en vais te laisser choisir lequel de vous deux vient avec moi.

62

– Oh, monsieur Seth, souffle Tomasz? C'est trop, trop horrible.

– Je pensais, poursuit Seth sans pouvoir croiser son regard, je pensais que si je lui disais de prendre Owen, je saurais mieux donner l'alerte. Je pourrais expliquer plus vite ce qui était arrivé et qu'on pourrait poursuivre le type et l'attraper. Owen n'avait que quatre ans. Il ne parlait pas très bien, et je pensais... (Il se tourne vers la tombe.) En fait, je ne sais pas à quoi j'ai pensé. Je ne sais même pas si c'est vrai ou juste une histoire que je me raconte.

– Mais c'était impossible, dit Tomasz. Tu n'étais qu'un garçon. Un petit garçon. Comment tu pouvais choisir ?

– J'étais assez âgé pour savoir ce que je faisais, réplique Seth. Et la vérité, c'est que... (Il s'arrête, pour avaler sa salive.) La vérité, c'est que j'avais peur. Peur de ce qui m'arriverait si j'allais avec lui, alors j'ai dit...

Il s'arrête.

Tomasz fait un pas en avant.

– Et s'il te demandait maintenant, cet homme ?

– Comment ça ?

– Si l'homme il entrait dans ta cuisine maintenant, et te demandait la même chose. Il te dit, hein, je t'emmène, toi ou ton frère, et tu choisis. Tu dirais quoi ?

Seth secoue la tête, perturbé.

– Qu'est-ce que tu... ?

– On te pose la question maintenant, insiste Tomasz. On te pose la question là, tout de suite, qui prendre, toi ou ton frère. Tu dis quoi ?

Seth fronce les sourcils.

– Ce n'est pas la même...

– Tu dis *quoi* ?

– Je dis « prenez-moi », évidemment !

Tomasz se penche en arrière, satisfait.

– Évidemment. Parce que tu es un homme, maintenant. Parce que c'est ce que ferait un adulte. Mais tu n'étais pas un homme. Tu étais un petit garçon.

– Tu n'étais qu'un petit garçon dans ce conteneur avec ta mère. Et tu allais essayer de la protéger. Je l'ai senti.

– J'étais plus vieux. J'avais pas huit ans. J'étais pas petit.

– Tu n'étais pas un homme. Et t'en es toujours pas un.

Tomasz hausse les épaules.

– Entre les deux, il y a de la place, non ?

– Tu n'as pas l'air de comprendre, dit Seth en élevant la voix. Je l'ai tué. Et je découvre ça seulement maintenant ! J'ai toujours pensé qu'ils l'avaient retrouvé vivant. Abîmé et nécessitant des soins, ce qui était déjà suffisamment grave. Mais maintenant. Maintenant...

Il fixe la tombe. Sa poitrine se resserre, sa gorge se ferme, et il a l'impression d'étouffer, comme s'il était pris dans un étau.

– Arrête ça, dit Régine, doucement d'abord, puis plus fort. Arrête, Seth.

Il secoue la tête, l'entend à peine.

– Tu ne fais que t'apitoyer sur toi-même, ajoute-t-elle avec assez de colère dans la voix pour qu'il comprenne.

Il se tourne vers elle.

– Quoi ?

– Tu ne *peux* pas penser que c'est de ta faute.

Seth la regarde, les yeux rougis.

– Et la faute à qui, alors ?

Régine écarquille ses propres yeux, abasourdie.

– Et *l'assassin*, pauvre demeuré ? Et ta mère, qui vous a laissés seuls dans une maison où vous étiez bien trop jeunes pour faire face à une situation pareille ?

– Elle ne savait pas...

– Peu importe ce qu'elle savait ou ne savait pas. Son boulot, c'était de vous protéger. De faire en sorte que jamais vous n'ayez à faire face à une merde pareille. C'était son *boulot* !

– Régine ? fait Tomasz, inquiet de l'entendre crier aussi fort.

– Écoute, poursuit-elle, je comprends que tu penses que c'est de ta faute, et je vois bien comment tes parents ont pu te le faire croire, mais as-tu jamais imaginé que ce n'était pas *toi* le problème ? Que ta mère avait simplement foiré, d'accord ? Et que ce genre de chose arrive parfois, même aux gens bien ? Peut-être que c'était *eux* le problème. Et que tout ça est arrivé parce qu'ils avaient oublié que tu étais là et qu'ils étaient trop préoccupés par leurs propres affaires.

– Et tu ne penses pas que j'ai mal agi ?

– Évidemment que si ! T'inquiète pas, je ne vais pas t'enlever tout ce qui te permet de t'apitoyer sur ta personne, puisque tu as l'air d'aimer tellement ça !

– Régine, intervient Tomasz. Il vient juste de découvrir que son frère...

– Parce que peut-être, continue-t-elle à crier sans l'entendre, *peut-être* que leur monde ne tournait pas autour de toi, Seth. Peut-être qu'ils pensaient à eux-mêmes, autant que tu pensais à *toi-même*.

– Hé…, lâche Seth.

– ON FAIT TOUS PAREIL ! Tout le monde ! On ne pense qu'à soi !

– Pas toujours, articule doucement Tomasz.

– Suffisamment souvent ! Alors, toute cette tragédie, comment tu as fait le mauvais choix et comment tes parents t'ont puni pour le restant de tes jours, peut-être que tu préfères te raconter cette histoire-là parce que c'est la plus facile.

– La plus *facile* ? Et en quoi est-elle plus facile, au juste ?

– Parce qu'alors tu n'as plus rien à faire ! Si c'est de ta faute, ça simplifie tout. Tu as fait cette chose horrible, et c'est facile. Tu n'as plus jamais à prendre le risque d'être heureux.

Seth s'immobilise, comme s'il avait pris une gifle.

– J'ai pris le risque d'être heureux. Je l'ai pris.

– Pas assez pour t'empêcher de te suicider. Oh, le pauvre petit Seth, et ses pauvres petits parents qui ne l'aimaient pas. Tu as dit que nous voulions tous autre chose. Eh bien, il y a *toujours* autre chose. Il y a toujours autre chose que nous ne connaissons pas. Peut-être que tes parents ne t'aimaient pas assez, et ça craint, oui, mais peut-être que tu n'y étais pour rien. Peut-être que c'était juste parce que la pire chose au monde leur était arrivée et qu'ils n'étaient pas capables d'y faire face.

– Pourquoi tu me dis tout ça ? marmonne Seth en secouant la tête.

Régine lâche un grognement exaspéré.

– Parce que si ça n'est pas ta faute, Seth, si c'est juste une merde qui t'est arrivée, eh bien, des merdes, il en arrive tout le temps. Tommy a reçu une balle dans la tête ! J'ai…

Elle se mord la lèvre.

– Alors, vas-y!… Qu'est-ce qui t'est arrivé, hein?

Elle lui jette un regard au lance-flammes.

Il ne détourne pas les yeux.

– Mon beau-père m'a balancée dans l'escalier, lâche-t-elle enfin.

Tomasz en reste le souffle coupé.

– … Il buvait de plus en plus, poursuit-elle sans quitter les yeux de Seth. Et il avait décidé qu'une gifle de temps en temps ne faisait pas de mal. Puis un coup de poing. Ma mère essayait chaque fois de l'expliquer, de rendre ça normal et supportable, mais je ne me laissais pas faire. Je me battais chaque fois que ce bâtard levait la main sur moi. Mais un jour, Dieu sait pourquoi, il a franchi ce dernier pas. Peut-être qu'il ne le voulait même pas vraiment, ce fils de bâtard, mais il l'a fait. Il essayait de me frapper, et je disais non et il m'a envoyé bouler dans l'escalier, et je me suis cogné la tête et je suis *morte*. (Elle essuie rageusement les larmes qui roulent sur ses joues.) Et ma mère, que j'aimais plus que tout au monde, elle ne l'a pas arrêté. C'était son *boulot*, et elle ne l'a jamais arrêté.

Elle regarde autour d'eux, le soleil, les herbes tellement bizarres qui les dépassent presque.

– … Et ce monde? Ce monde absurde et vide? Je m'en fiche que ce soit l'enfer. Je m'en fiche même *complètement*. Qu'il soit réel ou pas réel, que nous nous soyons tous réveillés dans une espèce de machin en ligne ou que ce soit le produit de notre stupide imagination, Seth, je m'en fiche. Tout ce que je sais, c'est que je suis bien réelle. Que *Tommy* est bien réel. Et même si c'est l'enfer… (Elle parle soudain plus doucement, comme si son énergie l'avait abandonnée.) Même si cet endroit est horrible, j'y suis quand même mieux que là-bas.

63

– Je savais pas, souffle Tomasz, prenant sa main dans la sienne, toujours bandée.

– Comment t'aurais pu ? lâche Régine en s'essuyant le nez avec sa manche. Je ne t'ai jamais rien dit.

Le soleil cogne, à nouveau brûlant, et Seth remarque encore l'absence de bruits d'insectes. Pas un souffle de vent, même. Juste tous les trois, dans le silence immobile d'un cimetière envahi par la végétation.

– On fait un drôle de groupe, hein ? commente Tomasz. Maltraitance, meurtre et suicide.

– Et sans aucune raison valable, ajoute Régine.

– Et c'est ce qui te rend tout le temps si agressive avec moi ? questionne Seth. Tu penses que je l'ai fait parce que je m'apitoyais sur mon sort ? Alors que vous deux viviez une existence *vraiment* épouvantable ?

Régine lui jette un regard qui se passe de tout commentaire.

– Je ne me suis pas suicidé à cause de ce qui est arrivé à mon frère, reprend Seth. C'était l'horreur et ça n'a fait qu'empirer, mais ce n'était pas la raison.

– Mais alors pourquoi ? demande Tomasz.

– Tu parles de ce bonheur que tu as risqué ? interroge Régine. Avec le type au nom bizarre ?

Seth ne répond rien pendant un instant, puis acquiesce.

– Alors, dit Tomasz en regardant la tombe, s'il y a autre chose, plus que tu croyais dans la première histoire, peut-être qu'il y a autre chose dans celle-ci. Peut-être qu'il y a toujours autre chose.

Le soleil monte plus haut. Seth vacille encore de tout ce que cette matinée lui a apporté, cette blessure nouvelle mais étrangement familière qui attendait de s'ouvrir. Il se sent de nouveau épuisé, malgré le sommeil de cette nuit. Ses sentiments font des nœuds, si serrés qu'il ne peut les débrouiller. Douleur et colère et humiliation et manque et attente.

Mais peut-être autre chose aussi.

Il contemple le nom d'Owen et se demande si Tomasz a raison. S'il y a *autre chose* dans cette histoire.

Autre chose que Gudmund ?

– Sans blague, lâche soudain Régine au bout d'un moment, on va rester plantés là toute la journée ? Il y en a qui n'ont même pas pu prendre leur petit déjeuner, et il y en a qui voudraient bien y retourner, si *certains* n'y voient pas d'objection.

– Oui, acquiesce Seth. Très bien.

Personne ne dit rien tandis qu'ils rebroussent chemin à travers les herbes, butant ici et là contre des pierres tombales. Ils atteignent le muret, et Tomasz l'escalade.

– Tu n'as jamais pensé revenir en arrière ? demande Seth alors que Régine s'apprête à grimper sur le muret, elle aussi.

Elle s'arrête.

– En arrière ?

– Pas dans ton ancienne vie, peut-être. Mais si tout n'est

64

Seth ne pense à rien. Il ne l'appelle pas, il ne hurle pas son nom, il ne fait aucun bruit.

Mais il bouge.

Le Conducteur se tient au-dessus de Régine, et Seth ne se préoccupe même pas du bâton qui crépite et lance des éclairs entre ses mains. Il passe en courant devant Tomasz qui crie le nom de Régine, et se jette de tout son poids contre la silhouette noire sans visage.

Le Conducteur l'aperçoit au dernier moment et tente de lever son arme, mais Seth le frappe violemment, et quand tous deux roulent au sol, le bâton lui échappe et part rouler sur la chaussée.

Ils heurtent le ciment avec un gros bruit sourd. Seth tombe sur le Conducteur, souffle coupé. Il a l'impression de s'être jeté contre un pylône en acier. La douleur lui traverse les côtes, mais il l'ignore et tente d'utiliser son poids pour maintenir le Conducteur au sol.

Il ne sait pas ce qu'il va faire ensuite –

Seulement qu'une rage comme il n'en a jamais ressenti monte en lui à la vitesse d'un incendie.

Il balance un coup de poing dans la gorge du Conducteur, à l'endroit exposé sous la visière. C'est comme s'il avait frappé le ciment de la route. Il pousse un cri, et le Conducteur se cabre, le rejetant sans effort pour se remettre sur pied.

Levant la tête, Seth peut observer sa poitrine, où Tomasz lui a tiré dessus aufusil. Une sorte de cicatrisation semble s'être opérée, mais il reste une cavité plus profonde qu'elle ne devrait.

« Trop profonde pour qu'on y survive », commente Seth.

Tomasz, à quelques mètres, s'est accroupi contre Régine, gémissant à son oreille, la suppliant, « réveille-toi, réveille-toi », les traits si marqués par le choc et l'incrédulité que Seth peut à peine le regarder.

Le Conducteur repère le bâton et fonce dans sa direction. Seth saute sur ses pieds et se jette encore contre lui, sans espoir mais bien obligé d'essayer, au moins d'essayer –

Cette fois, le Conducteur l'attend. Il pivote sur ses talons, poings levés, et, cueillant Seth en plein vol, le frappe durement à la tempe – assez durement pour le projeter à terre.

La vision de Seth s'efface à coups d'éclairs. Il sent vaguement le ciment sous son corps, son front appuyé dessus, ses membres soudain distants, tordus dans sa chute.

Il est incapable de bouger correctement, incapable de faire obéir ses bras et ses jambes, mais il parvient à rouler suffisamment sur lui-même pour voir le Conducteur avancer vers le bâton, enchaînant ses horribles, silencieuses enjambées.

Il voit Tomasz hurler et se jeter sur le Conducteur.

Il voit le Conducteur frapper le crâne de Tomasz comme pour se débarrasser d'une simple guêpe, voit Tomasz s'effondrer sur le sol.

Il voit le Conducteur récupérer son bâton et se retourner vers Seth, impuissant.

« La voilà, a-t-il le temps de penser. Voici ma mort. »

Le Conducteur s'approche rapidement.

« Je suis désolé », pense Seth, sans savoir pourquoi ni pour qui –

Mais le Conducteur s'arrête devant Régine. Il fait un geste compliqué avec son bras, et le bâton disparaît dans une manche invisible. Seth essaye encore de se relever, mais une nouvelle douleur lui ravage le crâne et il croit s'évanouir. Il se laisse retomber par terre.

Il ne peut que regarder le Conducteur s'agenouiller et placer ses bras sous Régine. Puis se redresser, soulevant son grand corps lourd avec une aisance à la fois grotesque et horrible.

Le Conducteur se tourne une dernière fois vers lui, Régine dans ses bras, le visage toujours aussi impénétrable, puis il lui tourne le dos et l'emporte, juste avant que Seth sombre dans l'inconscience.

65

– Réveille-toi, entend Seth, comme si quelqu'un l'appelait d'une rue plus loin. Oh, s'il te plaît, par pitié, par pitié, réveille-toi, monsieur Seth.

Il sent des tapes sur ses joues, amorties par les bandages qui tiennent encore aux mains de Tomasz, des tapes trop faibles pour faire mal, mais assez fortes pour qu'il les sente.

– Tomasz ?

Sa bouche et sa gorge lui semblent enduites de duvet et de caramel collant.

– Il l'a emmenée, monsieur Seth ! s'exclame Tomasz d'un ton presque hystérique. Elle est partie ! Il faut la trouver ! Il faut...

– Elle est..., marmonne Seth, incapable de soulever la tête.

– S'il te plaît..., l'implore Tomasz en le tirant par le bras. Je sais que tu es blessé, mais il faut arrêter le Conducteur ! Il va la tuer !

Seth le fixe, et la douleur de son crâne le fait grimacer.

– *Va* la tuer ? Il ne l'a pas... ? Elle n'est pas... ?

– Elle était dans les poires, mais elle respirait. Je jure qu'elle respirait...

– Tu le *jures* ? Tomasz, tu es sûr que tu ne te trompes pas… ?

– Sa lumière clignotait ! (Tomasz scande frénétiquement avec ses doigts.) *Blink, blink, blink, blink, blink*. Elle a jamais fait ça avant, monsieur Seth. Elle s'est jamais allumée, pas une fois. Et elle était *rouge*. Pas comme la nôtre !

– Pourquoi l'a-t-il emmenée ? demande Seth, s'obligeant à s'asseoir, malgré sa tête qui tourne. Que va-t-il lui faire ?

– Peut-être la reconnecter, lâche Tomasz d'une voix étranglée.

Seth lève les yeux.

– La reconnecter ?

Tomasz se prend la tête à deux mains.

– Je sais pas, monsieur Seth ! Mais on n'est pas supposés être ici ! Tu l'as dit toi-même. On est des erreurs. On est des *accidents*.

– Et il essaye de réparer ces accidents, ajoute Seth en serrant les dents pour ne pas vomir. C'est une sorte de gardien. Il nous ramène d'où on vient.

– Il va la ramener à son ancienne vie ! s'écrie Tomasz. Où elle est supposée être morte !

– Mais alors, pourquoi ne l'a-t-il pas tuée ici ? Elle dit qu'il a tué la femme qu'elle avait rencontrée.

– Peut-être qu'elle l'a cru quand le Conducteur a emporté son amie ?

– Oh, bon sang. Alors il va la remettre…

Il pense à Régine, la grosse, brave, furieuse Régine, jetée dans l'escalier par cet homme qu'elle essayait de combattre, cet homme qu'elle n'aurait pas dû avoir à combattre.

Et on allait l'y ramener tout droit. Dans ce monde où elle était morte.

Tomasz l'aide à se remettre debout. Seth le dévisage, sachant qu'il irait jusqu'en enfer pour sauver Régine. Et pour sauver Seth aussi, probablement.

« Ce n'est pas Owen, pense-t-il. Mais c'est Tomasz. Et c'est Régine. Et nous sommes tout ce que nous avons. »

– Allons la chercher, gronde-t-il. Et débarrassons-nous de cet enfoiré une fois pour toutes.

– Je crois qu'il est allé à la prison, dit Tomasz en grimaçant quand il soulève le vélo avec ses mains. J'ai entendu le véhicule redémarrer et s'éloigner.

– Et pourquoi pas chez Régine ? suggère Seth, en essayant de tenir debout. Son cercueil est là-bas.

– Je ne sais pas. Peut-être qu'il ne surveille que ceux de la prison. Peut-être qu'il pense que c'est leur place.

– Il nous attendait ici. Il nous attendait pour nous ramener.

– Oui. Peut-être qu'il savait que tu viendrais ici. Peut-être qu'il a découvert tes souvenirs quand tu as zappé.

– Oh, bon sang, pourvu que non.

– Va falloir vraiment qu'on se dépêche, maintenant.

– J'arrive, dit Seth, qui fait quelques pas, perd l'équilibre mais se rattrape.

Tomasz l'observe d'un air inquiet.

– Il faut que tu ailles bien, monsieur Seth. Il le faut. Même si tu te sens mal, on doit la retrouver. On n'a pas le choix.

Seth s'arrête un instant, ferme les yeux, puis les rouvre.

– Je sais, Tomasz. Elle ne repartira pas mourir. Je te le promets.

Il inspire une grande bouffée d'air et s'oblige à retrouver sa stabilité. Il avance de mieux en mieux, et finit par atteindre le vélo. Il balance sa jambe par-dessus la selle, sent sa tête tourner, mais ça passe.

– Tout va bien ? demande Tomasz en grimpant derrière lui.

– Suffisamment bien.

– Tu sais ce que tu fais ?

– Je sais faire du *vélo*, Tomasz…

– Non, coupe-t-il, la tête pressée contre le dos de Seth avant qu'il démarre. Tu sais ce que tu es en train de faire, là, maintenant ?

– Comment ça ? Qu'est-ce que je fais, là maintenant ?

– Tu t'es jeté sur le Conducteur quand il l'a attaquée. Je t'ai vu. Tu l'as fait en sachant que tu te ferais sûrement tuer. Et maintenant, tu vas la sauver, en sachant comme il est fort, en sachant tout ce qu'il peut faire. Mais tu vas essayer de la sauver quand même.

– Bien sûr que oui, réplique Seth d'un ton irrité, en essayant de poser le pied sur la pédale sans les faire basculer.

– Tu es comme ça, tu comprends ? continue Tomasz. Tu n'es pas le garçon qui livre son frère à un assassin. Tu es l'homme qui va sauver ses amis. Tu es l'homme qui *n'hésite* même pas à sauver ses amis.

– Mes amis, répète machinalement Seth, un peu comme une question.

Tomasz le serre plus fort.

– Oui, monsieur Seth.

– Mes amis, répète-t-il encore.

Il se met à pédaler, luttant pour maintenir le vélo en équilibre malgré leur poids combiné, mais pédalant plus vite, puis plus vite encore.

66

– Elle sera là-bas, lance Tomasz par-dessus l'épaule de Seth, comme une prière. On arrivera à temps.

– On va la sauver, répond Seth. T'en fais pas.

Il pédale, évitant les plus hautes herbes, rebondissant sur les plus grosses fissures. Ils traversent le quartier qui précède la maison de Seth et la prison.

– Attention ! s'écrie Tomasz quand un faisan effarouché jaillit comme une pierre d'un bosquet d'arbustes.

Seth fait un écart qui manque les renverser, mais il se sent plus fort maintenant, concentré sur son but. Il veut atteindre la gare. Ils vont rouler sur le chemin qui longe les voies et pénétrer aussi loin que possible dans la prison –

Et puis quoi ?

Bon, il n'a pas encore la réponse, mais tout ce qu'ils ont à faire pour l'instant, c'est d'y arriver. Il accélère en tournant dans sa rue.

Quelle que soit la vérité, que cet endroit existe ou non, que tout cela soit dans sa tête ou le monde tel qu'il est devenu, il pense à ce qu'a dit Tomasz.

Ses amis.

Oui, ça sonne juste. Ça sonne vrai. Des amis qu'il n'a pas

pu construire de toutes pièces, avec des vies qu'il n'aurait jamais pu imaginer.

Peu importe l'explication, Tomasz et Régine semblent bien réels.

Et puis, il se rappelle ce qu'a dit Régine, et il se le répète avec force. Comme un vœu. « Connais-toi toi-même », pense-t-il en filant devant sa maison.

« Et vas-y, fonce. »

Ils portent le vélo dans la gare, jusqu'au quai et sur le chemin en brique qui longe les voies. Tomasz se cramponne à la taille de Seth, et ils roulent jusqu'à la brèche ouverte dans le mur.

– On y est presque, souffle nerveusement Tomasz quand ils redescendent pour hisser le vélo au-dessus des ruines.

– Je suppose que tu n'as pas de plan ? questionne Seth.

– Ah ! fait Tomasz avec un ricanement désespéré. *Maintenant*, tu me demandes ! Après avoir vu Tomasz te tirer si souvent du danger et avoir autant d'idées géniales. Maintenant tu lui fais confiance, hein !

– Oui, bon, alors ? insiste Seth en poussant le vélo par un dédale de clôtures enfoncées.

– Euh... ben, j'en ai pas, avoue Tomasz, embarrassé.

Seth ne lui a jamais trouvé un air aussi enfantin.

– Dis, quel âge as-tu, en vérité ?

Tomasz contemple les friches désolées qui recouvrent le terrain de la prison.

– J'allais avoir douze ans avant de me réveiller. Je sais pas quel âge ça me fait ici.

Seth le prend par les deux épaules, l'obligeant à le regarder droit dans les yeux.

– Ça fait de toi un homme, ici. D'après ce que j'ai vu, en tout cas.

Tomasz lui retourne son regard un moment, puis acquiesce gravement.

– On va la sauver.

– Bien sûr qu'on va la sauver.

Ils remontent à vélo et dévalent la pente. En plein soleil, les bâtiments paraissent plus petits. Aucune ombre cachée qui puisse contenir des espaces sans fin.

« Non, pense Seth. Les espaces sans fin se cachent en sous-sol. »

– Mais pourquoi les construire sous une prison ? se demande-t-il à voix haute. Pourquoi une prison ?

– Une prison, c'est forcément sûr, non ? suggère Tomasz. Et cet endroit devait être sûr, pour que tous ces gens dorment tranquilles. C'est peut-être horrible, mais c'est logique.

– Parce que tu crois qu'on trouvera un jour quelque chose de logique, ici ?

– J'en sais rien, monsieur Seth. Mais j'ai l'espoir pour bientôt.

Ils atteignent le bout de l'allée, butant sur un terrain broussailleux en approchant du bâtiment principal.

– Je n'entends plus le moteur, dit Seth.

Ils descendent de vélo et glissent un coup d'œil au coin de la cour, mais il n'y a rien à voir, ou en tout cas rien de surprenant. Les bâtiments ont l'air encore plus sinistres dans la lumière du jour, plus impénétrables.

– Tu crois qu'elle est en bas ? demande Tomasz.

– Et où donc, sinon ?

Il hoche la tête.

– Alors je vais te demander d'entrer et de la trouver pendant que j'essayerai de situer le véhicule.

– Quoi ? réplique Seth après une seconde de stupéfaction. Tu es fou ?

– Il est forcément dans le coin. C'est là qu'il se gare, manifestement.

– Et tu feras *quoi* ?

– Je sais pas ! Mais pour l'instant, nous n'avons rien. Ça pourrait être *quelque chose*.

Seth tente de répondre mais ne trouve rien à dire.

– … Juste pour l'éloigner d'elle, ajoute Tomasz. J'essayerai de trouver quelque chose pour aider. Et si je peux pas… (Il hausse les épaules.) Alors, je reviendrai et nous tomberons tous les deux en combattant.

– On ne va *pas* tomber, rétorque Seth en fronçant les sourcils.

– Je sais que tu veux faire le brave pour moi, mais ça se pourrait quand même, qu'on tombe. C'est le risque, quand on se bat contre la mort. On gagne pas toujours.

– Pourtant, c'est ce qu'on va faire aujourd'hui, déclare Seth avec force. Il n'est absolument pas question qu'on laisse cette chose emporter Régine. Sous aucun prétexte.

Tomasz sourit.

– Elle aimerait beaucoup t'entendre parler comme ça. Oui, elle aimerait beaucoup ça, vraiment.

– Tomasz, je ne peux pas te laisser…

Mais il recule déjà, toujours souriant.

– C'est bizarre comme tu continues à croire que j'ai besoin de ta permission.

– Tomasz…

– Va la chercher, monsieur Seth. Je ne serai pas loin.

Seth pousse un soupir exaspéré.

– Bon, mais ne prends aucun risque inutile.

– Je crois que nous sommes dans un endroit où les risques sont nécessaires, réplique Tomasz, avant de se mettre à courir.

Seth le regarde s'éloigner, ses petites jambes traversant la cour et disparaissant derrière l'angle du bâtiment en face, d'où la camionnette a surgi la dernière fois.

– Fais attention à toi, murmure Seth. Oh, s'il te plaît, fais attention à toi.

Il respire un bon coup pour se donner du courage, puis encore, et traverse lui aussi l'esplanade au pas de course. Il s'attend plus ou moins à ce que le Conducteur surgisse de nulle part, mais le soleil éclaire le moindre recoin et il ne voit rien. Il atteint la porte et tend l'oreille. Aucun bourdonnement de moteur, aucun bruit de pas.

Aucun écho de Régine criant, luttant ou se débattant.

Il ouvre la porte. La porte intérieure et l'escalier en verre laiteux toujours identiques, nimbés de lumière. Il franchit le premier seuil et s'avance prudemment jusqu'au second.

Toujours rien, sauf le murmure électrique venu d'en bas.

Il se plie en deux pour descendre les premières marches. Puis les suivantes. Il atteint le palier intermédiaire. Son cœur cogne dans sa poitrine, si fort qu'il se demande pendant un instant d'égarement si le Conducteur ne va pas l'entendre.

Et puis retentit un hurlement.

Régine.

Il dévale les dernières marches sans même penser à faire une pause.

67

Il enfile le couloir souterrain, se jette dans le tournant et fait irruption dans la grande salle, le sang en ébullition, les poings déjà levés, prêts à combattre.

« Vas-y, fonce. »

Mais il ne la voit pas. De la plate-forme, il ne distingue que rangées après rangées de cercueils. Il voit celui qu'il a ouvert, maintenant refermé et scellé comme si rien ne s'était jamais passé. L'immense salle se déploie sous ses yeux, et il se rappelle les caméras qui affichaient sur l'écran une infinie perspective d'autres salles, toujours plus lointaines.

Elle pourrait être n'importe où.

– Régine ? appelle-t-il, sa voix aussitôt avalée par l'immensité de cet espace.

Rien. Aucune réponse. Plus aucun cri.

Il se tourne vers le panneau laiteux pour voir s'il peut le remettre en marche. L'écran s'allume à son contact, puis des écrans plus petits qui déroulent des informations incompréhensibles et souvent trop vite pour pouvoir les lire de toute façon, en plus des images projetées par les caméras, prises à travers tout le complexe.

Mais au centre même de l'écran, une image demeure stable. Un cercueil ouvert, quelque part.

Régine couchée à l'intérieur.

Le Conducteur penché au-dessus d'elle, qui l'enveloppe de bandages.

– Non! crie Seth en tapant au hasard sur l'écran, essayant de trouver la moindre information qui lui indique où elle se trouve. À côté d'elle, un plan quadrillé comme ceux qu'il a déjà vus, mais rien qui l'oriente, encore moins les coordonnées inscrites: 2.03.881. Salle 2, rangée 3, cercueil 881? Mais que peut-il en faire?

Il balaye la salle du regard. Il va devoir tenter sa chance, et courir jusqu'à ce qu'il la trouve, et faire ce qu'il peut pour arrêter –

Elle hurle à nouveau.

Il pivote vers l'écran d'affichage. Régine ne semble pas résister au Conducteur, ni même avoir conscience de sa présence. Seth la regarde hurler une fois encore, le son atteignant ses oreilles indépendamment de l'image, issu des plus lointaines profondeurs du bâtiment.

– Espèce d'enfoiré! crie-t-il à l'image, au Conducteur qui poursuit son travail, sans tenir compte de l'angoisse de Régine, qui ignore ce qui peut bien lui arriver. Je vais te tuer. Tu m'entends? Je vais te *tuer*!

Il projette son poing contre l'écran. Et tout change.

Un nom surgit dans une case. RÉGINE FRANÇOISE ÉMERIC. Puis une liste: taille, poids, date de naissance, puis une autre date, peut-être celle de sa mise en ligne.

Et encore une autre date, siglée DÉCONNEXION.

Le jour où elle a été jetée dans l'escalier. Très certainement. Le jour où une erreur s'est produite et où, au lieu de mourir, elle s'est réveillée ici.

CHAMBRE ORIGINELLE EXTÉRIEURE PLAN PROTÉGÉ, lit-il. La raison, probablement, pour laquelle le Conducteur l'a amenée ici et non dans sa maison. Plusieurs années trop tard, il l'a ramenée à l'intérieur, avec tous les autres.

Une autre ligne surgit, rouge clignotant: CONNEXION LÉTHÉ EN ATTENTE.

« Léthé, se demande Seth. Mais pourquoi... ? »

Il balaye l'écran. Celui de Régine noyé dans un tel fouillis de données qu'il a du mal à s'y repérer. Il appuie sur CONNEXION LÉTHÉ EN ATTENTE et un autre écran apparaît.

Avec la date de déconnexion et, en dessous, ENCODAGE RECONNEXION.

Seth lit. Puis relit.

– Impossible, murmure-t-il.

La date de reconnexion, celle où elle est remise en ligne –

Précède sa déconnexion.

Le Conducteur la resitue en arrière dans le temps. Il la replace avant sa mort. Seulement quelques minutes, mais avant.

– Comment ? s'interroge Seth en appuyant sur d'autres boutons, puis d'autres encore, essayant de trouver une réponse, n'importe laquelle. Comment est-ce possible ?

« Ce n'est qu'un programme. Rien d'autre. Un programme qu'ils ont tous accepté, un programme auquel ils participent tous – »

Mais un simple programme.

Si Owen était une simulation, alors qui sait ce qui peut se passer ici ? Qui sait si le présent et le passé étaient les mêmes en ligne ? Après tout, il avait revécu son propre passé, et jusqu'à plus soif dans ses rêves. Et il avait même plongé dans celui de Tomasz.

Et si la mort de Régine avait été une erreur dans le système –

Peut-être que le système avait besoin de réparer ses erreurs.

Peut-être qu'il pouvait la replacer dans un temps juste avant sa mort, pour qu'elle le revive, mais correctement cette fois.

Pour qu'elle se fasse *correctement* tuer.

Un brusque éclair bleu illumine l'écran. LÉTHÉE INITIALISÉ, inscrivent les clignotants. À l'image, le Conducteur a placé un tuyau dans la bouche de Régine. « Probablement comme ça qu'ils font pénétrer Léthé dans votre corps », pense Seth.

Pour qu'elle oublie. Qu'elle les oublie, Tomasz et lui. Pour effacer tout ça de son esprit.

Avant de la tuer. Juste pour que ce monde fonctionne.

– Ah oui ? Alors attends un peu ! dit Seth en appuyant sur LÉTHÉ INITIALISÉ. Un écran surgit. PAUSE INITIALISATION ? OUI/NON.

Seth enfonce le OUI, furieusement.

– Alors, t'en dis quoi, hein, enfoiré ?

À l'image, le Conducteur se retourne.

Et regarde droit vers la caméra.

Comme s'il regardait droit dans les yeux de Seth.

Et se met à courir.

Seth tend l'oreille.

Les pas s'approchent, très vite, d'un angle à droite, à une certaine distance.

Là où Régine devrait se trouver.

La respiration de Seth s'accélère, son cœur se remet à cogner. Il n'a aucune arme. Rien pour se battre. Si l'autre le rejoint, jamais il ne pourra l'emporter.

Mais peut-être qu'il peut courir plus vite. Après tout, il était plutôt bon à la course.

Il saute au bas de la plate-forme, et file à travers les rangées de cercueils. Tout ce qui compte durant les secondes à venir, c'est de garder le Conducteur loin de Régine, loin du processus qui va la tuer. Il prend un virage au bout de la salle, se dirigeant plus ou moins vers les pas du Conducteur. Il plonge la tête en avant quand il le voit tourner à l'angle. Il s'arrête près d'un cercueil, prêt à reprendre sa course.

Mais le Conducteur ne le cherche pas. Il remonte l'allée centrale, passe devant lui sans même le voir –

Droit vers l'écran d'affichage.

– HÉ ! HO ! crie Seth en se redressant. PAR ICI !

Mais le Conducteur continue. Il atteint la plate-forme et se met à pianoter sur le tableau, sûrement pour redémarrer le processus.

Seth regarde autour de lui, cherchant quelque chose, *n'importe quoi,* à lancer au Conducteur, pourvu que ça le ralentisse, même un petit peu. Mais il n'y a là que des cercueils, alignés, occupant chaque mètre carré –

Une idée lui vient. Ce cercueil qu'il avait ouvert, maintenant retourné à son état normal, comme si de rien n'était –

« Il est gardien. C'est son boulot. Il doit réparer les erreurs. »

Il se penche sur le cercueil contre lequel il s'appuyait, cherche le joint, s'escrime comme la dernière fois pour forcer ses doigts sous le couvercle, tirant de tout son poids, luttant de toutes ses forces –

Et il tombe presque à la renverse quand le couvercle s'ouvre d'un coup.

Un petit homme loge à l'intérieur, enveloppé de bandages, encerclé de lumières en mouvement, affectées à leur mystérieux processus. Seth lève les yeux vers le Conducteur.

Qui le fixe.

Puis se retourne vers l'écran, pianotant follement sur l'affichage.

Le cercueil commence à se refermer.

– Non ! s'écrie Seth.

Mais il a beau s'y opposer de toutes ses forces, le couvercle descend avec une force implacable. Et le Conducteur retourne à la programmation de Régine.

– Merde ! jure Seth.

Quand une nouvelle idée lui vient. Il glisse une main à l'intérieur et attrape le bras de l'homme. Il le tire sur le rebord du cercueil et recule. Le couvercle continue à descendre, descendre, menaçant d'écraser le bras –

Mais à peine effleure-t-il la peau de l'homme qu'il se rouvre brutalement en grand.

– Ha ! lance Seth, triomphant, avant de relever les yeux.

Le Conducteur le regarde.

Puis, lentement, se dirige vers lui.

– Tu dois tout réparer, hein ? crie Seth qui se déplace courbé en deux.

Il s'arrête devant un autre cercueil. Il comprend mieux le fonctionnement des couvercles, maintenant, ouvrant celui-ci plus facilement et plus vite. Une vieille femme, et il lui extrait le bras, à elle aussi.

Il voit le Conducteur s'arrêter devant le cercueil de l'homme, le remettre en place, puis presser un point du couvercle qui éclaire un petit écran sur sa surface métallique. Le cercueil se referme immédiatement.

Seth examine le cercueil près de lui et appuie au même endroit. L'écran s'affiche sur le couvercle. « Alors, voilà comment ça marche. » Une icône : OUVRIR POUR DIAGNOSTIC ? Il appuie dessus. Le couvercle se lève, révélant le corps endormi d'un homme noir d'âge moyen. Seth prend son bras, le replie sur le bord, et fuit à l'approche du Conducteur.

Seth se déplace rapidement dans les allées de cercueils, s'arrêtant au hasard pour en ouvrir un, puis un deuxième, déplaçant un bras après l'autre, et ainsi de suite. Le Conducteur le suit de près, remettant chaque cercueil en place tour à tour.

Mais il va plus vite que Seth. Il le rattrape peu à peu.

Seth se rue sur le suivant et l'ouvre. Une toute petite femme, très pâle.

– Excusez-moi, lui souffle-t-il, puis, glissant ses bras sous elle, l'extirpe de son cercueil et la dépose doucement sur le sol.

Le cercueil se met à bipper et à envoyer des flashes d'alerte, certains courant le long des tuyaux qui la relient encore. Seth en agrippe une poignée, puis hésite un instant.

– C'est pour sauver mon amie, chuchote-t-il à la forme inconsciente. Vous ne vous souviendrez de rien, de toute façon.

Et il tire sur les tuyaux, côté cercueil, qui s'arrachent sans difficulté, curieusement. Des jets plus ou moins gélatineux en jaillissent, tandis que d'autres tuyaux produisent des étincelles, l'un d'eux brûlant sa main. Il siffle de surprise et lâche le tuyau –

Évitant de justesse le Conducteur qui se précipite sur lui, bâton brandi et crépitant, prêt à frapper –

Seth trébuche hors de portée, le bâton heurte le sol, où il laisse une marque carbonisée. Le Conducteur se tient au-dessus de lui, relevant son arme tandis que Seth recule –

Mais il se tourne vers la femme qui baigne maintenant dans une mare de plus en plus large, alimentée par les tuyaux déconnectés qui pendent sur le sol.

Seth saisit sa chance, saute sur ses pieds, et se met à courir.

– Désolé ! lance-t-il à la femme que le Conducteur ramasse, replace dans son cercueil, reconnectant les tuyaux puis appuyant sur l'écran à la vitesse de l'éclair –

Seth continue à courir. Il vire à l'angle pris par le Conducteur, puis ralentit, stupéfié par le spectacle.

Alignés devant lui, il y a plus de cercueils qu'il ne pourrait en compter, même pendant des heures. Les larges couloirs voûtés qui relient les salles s'étendent à perte de vue, puis tournent pour plonger vers il ne sait quelles profondeurs encore plus lointaines. Il reprend sa course, jetant des coups d'œil à droite et à gauche, cherchant à repérer un cercueil ouvert, mais il n'aperçoit qu'une multitude de boîtes closes, polies et propres et bourdonnant de leurs propres vies individuelles emprisonnées. Manifestement, le Conducteur exécute son travail avec une efficacité redoutable.

Seth risque un regard en arrière. Le Conducteur ne le suit pas encore, mais c'est l'affaire de quelques secondes. Seth a traversé une seconde salle et s'apprête à passer dans une troisième. Il s'arrête et ouvre un nouveau cercueil en appuyant sur la tablette sans hésiter maintenant, ouvrant le couvercle sans effort.

Il y a une femme à l'intérieur.

Elle tient un bébé.

La femme est bandée comme les autres, mais une sorte de couverture en gel bleuté enveloppe son bébé. Des tuyaux le relient à la mère, qui presse le petit contre elle.

Comme n'importe quelle mère et son bébé.

« Nous sommes au seuil de la reproduction et de la naissance », avait dit la femme de la mairie.

Ils avaient donc manifestement franchi ce seuil crucial, avant que tout tourne mal. La conception réalisée par des tuyaux, les mères accouchant en dormant, mais qui savait comment tout cela fonctionnait exactement ?

Des enfants venaient au monde.

« Ayez foi en l'avenir », avait dit la femme de la mairie. Et l'avenir était là.

Ils avaient fini par croire en un avenir.

À nouveau, le bruit des pas.

Le Conducteur court, quelque part derrière lui.

Seth jette un dernier regard à la femme et à son bébé, puis referme leur cercueil. Il ouvre le suivant. Un adolescent rondouillard repose à l'intérieur. Seth arrache trois ou quatre poignées de tuyaux, puis passe ses bras sous les épaules du garçon pour le tirer hors du cercueil.

Le bruit de pas pénètre dans la salle, et il voit le Conducteur se précipiter sous les voûtes du couloir.

Une poussée d'adrénaline permet à Seth d'extraire complètement le garçon et de l'asseoir contre le cercueil, arrachant encore plusieurs tubes au passage.

– Désolé, dit-il au garçon avant de reprendre sa course.

En sortant de cette seconde salle, il se retourne –

Et voit le Conducteur s'arrêter devant l'adolescent.

Fixer Seth, manifestement troublé.

Pendant un instant terrifiant, il semble vouloir se précipiter dans sa direction –

Puis il se retourne vers le garçon pour le remettre en place. Seth continue à courir, pensant que le Conducteur doit commencer à s'habituer, d'une manière ou d'une autre, et que la prochaine fois cette astuce pourrait ne plus marcher, qu'il doit trouver Régine, et vite, qu'il doit –

Alors il l'entend à nouveau hurler.

– Régine ! crie-t-il.

La voix provient de la salle voisine, il en est sûr, de l'autre côté du large couloir, tout au bout. Elle s'y trouve forcément. Elle *doit* s'y trouver.

Le cri résonne à nouveau.

– Non, lance-t-il en accélérant maintenant. Non, non, non, non –

Il file comme une flèche à travers le couloir. Il n'a aucune idée du point où il se trouve par rapport à la surface. Cette suite de salles paraît incroyablement vaste, incroyablement profonde. Son cerveau lui répète sans cesse que cela n'a aucun sens. Quand ont-elles été construites ? Et pourquoi *ici* ?

Elle hurle, encore une fois.

Alors il l'aperçoit.

Sur sa droite, au bout d'une rangée, presque contre le mur du fond. Son cercueil est ouvert, et il la voit allongée là.

Il la voit lutter.

Elle ne luttait pas à sur l'écran.

– Régine !

Contrairement à tous les autres, dans leurs cercueils, elle est encore à moitié habillée, le visage et le haut du corps enveloppés de bandages, mais elle porte toujours son jean et ses chaussures, comme s'il s'agissait de lui gommer sa mémoire, d'abord et avant tout.

« Oui, car c'est bien ce qui rend tout cela possible », pense Seth.

Mais elle semble lutter, lutter contre les bandages collés sur ses yeux, lutter contre le tuyau glissé dans sa bouche, tuyau qui ne peut rien pour étouffer ses hurlements –

– J'arrive ! crie Seth.

Il l'atteint et arrache le tuyau. Ce qui la plonge dans une terrible quinte de toux.

– Régine ? Tu m'entends, Régine ?

Elle hurle, avec une force assourdissante. Frénétiquement, ses mains s'agitent, le frappent sans coordination, battant follement le vide.

– Tu *m'entends* ? répète Seth.

Elle s'écarte avec un sursaut de terreur, et hurle toujours aussi fort.

– Oh, Régine, merde…, lâche Seth, déboussolé.

Il jette un coup d'œil à travers les rangées de cercueils, et le large couloir qui relie cette salle à celle qu'il vient de quitter et se prolonge qui sait vers combien d'autres salles encore. Aucun signe du Conducteur, mais il ne peut plus tarder maintenant.

– Excuse-moi, Régine, dit-il, en agrippant d'une main ses deux poignets pour les rabattre.

Elle est forte, et il parvient tout juste à les maintenir, cette pression augmentant encore sa panique. ...

– Excuse-moi, excuse-moi, répète-t-il, et il glisse sa main libre derrière son cou, cherchant l'extrémité des bandelettes.

– Tu vas me voir ! Tout va s'éclaircir. Je te promets que...

Sa main effleure la lumière rouge clignotante de son cou –

Et, en une fraction de seconde, il disparaît du monde.

68

– T'es moins que rien, dit l'homme. T'es grosse. T'es laide. Et tellement monstrueuse que pas un garçon te regarde.

– Des tas de garçons me regardent, réplique-t-elle, mais avec la peur au ventre.

Elle voit ses poings fermés le long de ses cuisses. Elle est forte, mais il est plus fort qu'elle, et elle sait qu'il n'hésitera pas à utiliser ses poings, comme il vient juste de le faire avec sa mère, la frappant par-dessus la table de la cuisine parce que le thé était froid, et Régine avait couru vers l'escalier, et il l'avait poursuivie en rugissant.

Il est normalement lent quand il a bu, mais elle a pris trop de temps pour attraper son téléphone et son argent, et quand elle est sortie de sa chambre, il était là, barrant le haut de l'escalier.

– Aucun garçon ne te regarde jamais, crache-t-il. Espèce de putain.

– Laisse-moi passer, répond-elle en serrant les poings. Laisse-moi passer ou je te jure que…

Il ricane. Son visage rose illuminé par une affreuse euphorie d'ivrogne, cette tignasse blonde et grasse qui paraît toujours sale, en dépit de douches régulières –

– Laisse-moi passer ou je te jure que quoi ?…

Elle reste silencieuse, sans bouger.

Il recule d'un pas, saluant théâtralement d'une main et se courbant de manière sarcastique, pour lui céder le passage.

– Allez, vas-y. Je t'en prie…

Elle prend une inspiration, tous ses nerfs tendus. Il lui suffit de passer. Elle prendra une gifle, ou esquivera un coup de poing, ou peut-être rien, peut-être qu'il est tellement saoul –

Elle se jette soudain en avant, le prenant par surprise. Il s'écarte d'un bond, exactement comme elle l'espérait, et elle longe la balustrade, posant un pied sur la première marche –

– Sale chienne ! s'écrie-t-il –

Elle sent venir le coup avant même qu'il la percute, sent l'air déplacé derrière elle –

Elle essaye de l'éviter, mais trop mal placée –

Son poing s'abat –

Elle bascule –

Elle tombe –

Les marches venant à sa rencontre trop vite, trop vite, trop vite –

Et elle hurle –

– T'es moins que rien, dit l'homme. T'es grosse. T'es laide. Et tellement monstrueuse que pas un garçon te regarde.

– Des tas de garçons me regardent, réplique-t-elle, mais avec la peur au ventre.

Elle voit ses poings fermés le long de ses cuisses. Elle est forte, mais il est plus fort qu'elle, et elle sait qu'il n'hésitera pas à utiliser ses poings, comme il vient juste de le faire avec sa mère, la frappant par-dessus la table de la cuisine parce que le thé était froid, et Régine avait couru vers l'escalier, et il l'avait poursuivie en rugissant.

Il est normalement lent quand il a bu, mais elle a pris trop de temps pour attraper son téléphone et son argent, et quand elle est sortie de sa chambre, il était là, barrant le haut de l'escalier.

– Aucun garçon ne te regarde jamais, crache-t-il. Espèce de putain.

– Laisse-moi passer, répond-elle en serrant les poings. Laisse-moi passer ou je te jure que…

Il ricane. Son visage rose illuminé par une affreuse euphorie d'ivrogne, cette tignasse blonde et grasse qui paraît toujours sale, en dépit de douches régulières.

– Laisse-moi passer ou je te jure que quoi?…

Elle reste silencieuse, sans bouger.

Il fait un pas en arrière, saluant théâtralement d'une main et se courbant de manière sarcastique, pour lui céder le passage.

– Allez, vas-y. Je t'en prie…

Elle prend une inspiration, tous ses nerfs tendus. Il lui suffit de passer. Elle prendra une gifle, ou esquivera un coup de poing, ou peut-être rien, peut-être qu'il est tellement saoul –

Elle se jette soudain en avant, le prenant par surprise. Il s'écarte d'un bond, exactement comme elle l'espérait, et elle longe la balustrade, posant un pied sur la première marche –

– Sale chienne! s'écrie-t-il –

Elle sent venir le coup avant même qu'il la percute, sent l'air déplacé derrière elle –

Elle essaye de l'éviter, mais trop mal placée –

Son poing s'abat –

Elle bascule –

Elle tombe –

Les marches venant à sa rencontre trop vite, trop vite, trop vite –

Et elle hurle –

– T'es moins que rien, dit l'homme. T'es grosse. T'es laide. Et tellement monstrueuse que pas un garçon te regarde.

– Des tas de garçons me regardent, réplique-t-elle, mais avec la peur au ventre.

Elle voit ses poings fermés le long de ses cuisses. Elle est forte, mais il est plus fort qu'elle, et elle sait qu'il n'hésitera pas à utiliser ses poings, comme il vient juste de le faire avec sa mère, la frappant par-dessus la table de la cuisine parce que le thé était froid, et Régine avait couru vers l'escalier, et il l'avait poursuivie en rugissant.

Il est normalement lent quand il a bu, mais elle a pris trop de temps pour attraper son téléphone et son argent, et quand elle est sortie de sa chambre, il était là, barrant le haut de l'escalier.

– Aucun garçon te regarde jamais, crache-t-il. Espèce de putain.

– Laisse-moi passer, répond-elle en serrant les poings. Laisse-moi passer ou je te jure que…

69

Seth se retrouve brusquement dans la salle aux cercueils, le souffle coupé. Les soubresauts de Régine ont interrompu la connexion entre son crâne et sa propre main.

Elle hurle à nouveau.

« Pas étonnant, se dit Seth, horrifié. Elle est prise dans une sorte de boucle, où elle revit ce moment, son *pire* moment. »

Elle meurt, encore, encore et encore.

Il garde la sensation de sa frayeur, il garde la douleur du coup de poing, la terreur de la perte d'équilibre, l'incrédulité dans la chute –

Il lui faut absolument trouver un moyen de la sortir de là –

– Seth ?

Il se fige.

La voix est faible, désespérée, apeurée. Elle a cessé de se débattre.

– Seth, c'est toi ?

– Je suis là, souffle-t-il, en lui prenant les mains pour qu'elle le sente. Je suis là, Régine. Il faut qu'on te sorte d'ici. Maintenant.

– Où sommes-nous ? Je vois rien. Il y a quelque chose sur mes yeux...

– Des bandages. Attends.

Il lui tourne la tête pour atteindre leur extrémité et commence à la libérer.

– … Nous sommes en sous-sol. Sous la prison.

– Seth…, dit-elle alors qu'il découvre sa peau et commence à lentement décoller les bandelettes de ses paupières. Seth, j'étais…

– Je sais. J'ai tout vu. Mais il faut…

Alors il entend le bruit de pas. Il se retourne. Le Conducteur traverse le couloir d'accès en courant.

Il les voit.

Puis il s'arrête.

En plein milieu du couloir, il s'arrête et dirige sur eux son visage sans regard.

– Oh, non, chuchote Régine.

Elle a décollé le reste du bandage et voit ce que Seth voit.

Seth jette un rapide coup d'œil autour de lui. Il n'y a nulle part où courir. Ils sont acculés dans un angle, et Seth voit au visage de Régine qu'elle le sait comme lui.

– Vas-y, toi, lâche-t-elle d'un ton brusque, les yeux remplis de larmes, plus vulnérable qu'il ne l'a jamais vue. Je crois pas que je peux. Je me sens si faible. Toi, sors d'ici.

– Pas question. Il n'en est pas question une seconde.

– Tu es venu me sauver, bredouille-t-elle en secouant la tête. C'est bien assez. Vraiment. Tu sais même pas à quel point. Que toi tu aies *choisi* de faire ça…

– Régine…

– Tu as brisé ce cercle, d'une manière ou d'une autre. Tu m'as déjà sauvée…

– Je ne t'abandonnerai pas ici, dit-il en haussant le ton.

Les pas ont repris. Le Conducteur marche vers eux, lentement. Il a sorti son bâton, qui crépite.

– Il sait, dit Régine. Il sait qu'il a gagné.

– Il n'a pas gagné. Pas encore.

Mais même lui n'y croit pas vraiment.

Il sent quelque chose sur sa main. Baisse les yeux. Régine l'a prise dans la sienne. Elle la serre, fort.

Il la serre aussi.

Le Conducteur a atteint le milieu de la grande allée centrale, l'écran noir de son casque imperturbablement fixé sur eux. Seth sait, plus ou moins, qu'il ne va pas le laisser s'en tirer. Pas cette fois. Il ne s'arrêtera plus, quoi que Seth fasse avec les cercueils. Il va d'abord se diriger vers lui et il courra plus vite et il sera plus fort et il n'y aura rien à faire pour l'arrêter.

Mais Seth va tenter sa chance. Il va essayer, en tout cas.

– Tomasz, il est en sécurité ? demande doucement Régine.

– Il a disparu. Il a dit qu'il aurait peut-être une idée.

– Alors, il va encore surgir à la dernière minute pour nous sauver, hein ?

Bêtement, Seth ne peut s'empêcher de lui retourner son sourire.

– Si mon cerveau avait fabriqué toute cette histoire, oui. C'est exactement ce qui se passerait.

– Pour une fois, je prie pour que tu aies raison.

Le Conducteur a atteint l'extrémité de leur rangée. Il s'arrête une fois de plus, comme pour savourer le piège où ils se sont mis.

Seth serre la main de Régine encore plus fort.

– On va lutter, dit-il. Et jusqu'au bout.

Elle le regarde en hochant la tête.

– Jusqu'au bout.

Le Conducteur donne un coup de poignet. Le bâton double de longueur, et les étincelles crépitent, plus menaçantes.

Seth se campe fermement sur ses jambes, prêt à combattre.

– Seth ? lance Régine.

Il la regarde.

– Quoi ?

Mais il ne connaîtra jamais sa réponse –

Parce qu'un ronflement remplit la salle, d'abord discret, puis de plus en plus fort –

Le Conducteur l'entend, lui aussi, et se tourne vers le passage qui s'étend plus loin vers d'autres salles –

D'où provient le son –

Qui monte rapidement en puissance –

Ils voient le Conducteur se mettre à courir –

Mais pas assez vite –

Tandis que la camionnette noire débouche du couloir et percute le Conducteur à une vitesse stupéfiante, au point qu'avec le choc une jambe se sépare de son corps. La camionnette le repousse dans l'allée centrale, et va s'écraser contre le mur le plus éloigné, coinçant le Conducteur en sandwich.

Il se débat pendant un court instant. Les roues de la camionnette patinent furieusement sur le sol en béton, le broyant contre le mur.

Alors, il s'effondre sur le capot, lâche son bâton qui roule en grésillant sur le sol.

Il ne bouge plus.

Lentement, les roues de la camionnette s'immobilisent.

Seth et Régine observent, médusés, la petite silhouette qui s'extrait par la porte toujours cassée.

– Tout le monde va bien ? demande Tomasz.

QUATRIÈME PARTIE

70

Tomasz jette ses mains toujours bandées autour de la taille de Régine et l'embrasse comme s'il n'allait jamais la lâcher.

– Je suis content, dit-il. Oh, ce que je suis content.

– Moi, aussi, je suis contente, dit-elle, pressant sa joue contre ses cheveux en bataille.

Seth les regarde, encore sonné, puis Tomasz se dégage tant bien que mal et vient le serrer si fort qu'il lui coupe la respiration.

– Et toi ! Tu as dit qu'on la sauverait, et on l'a fait !

– Toi, surtout, réplique Seth en jetant un coup d'œil à la camionnette encastrée dans le mur, au Conducteur recroquevillé sur son capot. Et juste à temps ! (Il les regarde tous les deux.) Une fois de plus.

Tomasz jette un coup d'œil à Régine.

– Et voilà, il recommence à croire qu'on a été fabriqués.

– Il n'a peut-être pas tout à fait tort, dit-elle. Comment diable as-tu fait pour trouver la camionnette et la conduire dans les souterrains ?

– C'était pas si diablement dur... On savait qu'elle était garée quelque part près de la prison. Il n'y avait qu'à chercher.

– Et la démarrer, ajoute Seth. Et la conduire...

– Oui, bon, il se passe deux ou trois choses bizarres quand je la trouve, d'accord. La portière est toujours arrachée et je m'assois et elle démarre automatiquement. Je ne fais rien et elle démarre. Et puis des écrans s'allument, ils me posent des questions que je ne comprends pas – et pas à cause de la barrière du langage mais parce que ça ne veut rien dire. Des chiffres qui ne veulent rien dire, des images de caméra sur des immenses salles avec tous ces cercueils...

– Oui, coupe Seth, je les ai vues moi aussi.

– Et puis il y a cette case clignotante qui dit NAVIGUER VERS PROBLÈME ? Comme ça, comme une question, alors j'imagine que PROBLÈME, c'est forcément toi, et alors je dis oui en appuyant sur la case NAVIGUER et le véhicule démarre, hop, comme ça ! J'ai même failli tomber, à cause de la vitesse ! (Il mime les virages avec son corps, d'un côté puis de l'autre.) Et zoum, on file à travers le quartier brûlé jusqu'à l'entrée du grand parking souterrain, on descend, plus bas, et encore plus bas. (Il écarte les mains pour indiquer que le reste va de soi.) ... Et me voilà dans ces grandes salles. Et voilà le Conducteur, en plein milieu du passage, et j'attrape le volant pour que le véhicule s'écarte pas, et je dois me pencher en avant pour appuyer sur la pédale de vitesse et *bang* ! je lui rentre dedans. Et puis on cogne le mur. (Il se frotte le haut du crâne.) Et ça fait mal.

– T'as été génial, dit Régine.

– Ouais, approuve Seth. Et mieux que ça, encore.

« Incroyablement génial, se dit-il. Bizarrement génial. »

Mais, une fois de plus, « improbable » ne signifiait pas toujours « impossible ».

– Je suppose que personne n'a vu ma chemise, coupe Régine.

– Là, fait Tomasz, accroupi derrière le cercueil et tendant une poignée d'habits. C'est très déchiré. Je suis désolé.

– Je les ai jamais trop aimés, de toute façon, dit-elle en se couvrant avec ce qu'il en reste.

– Et tu vas bien ? demande Tomasz.

Elle reste un instant silencieuse et Seth imagine qu'elle ne va pas en parler, et puis elle articule :

– Seth a tout vu. Il a vu ma mort.

Tomasz se tourne vers lui en ouvrant des yeux ronds.

– Juste comme tu as vu la mienne !

– Oui, j'en ai, de la chance, hein…, marmonne-t-il.

– Je te sentais présent, dit Régine.

– Vraiment ? fait Seth, surpris.

– Oui ! approuve Tomasz. Moi aussi, je savais que tu étais là. Je te sentais près de moi pendant que je vivais ma mort.

– Et juste te savoir là suffisait, d'une certaine manière, poursuit Régine. (Elle se frotte les yeux d'un air las, avec la paume des mains). Je ne sais pas comment l'expliquer. C'était horrible. Revoir ce bâtard. Devoir *revivre* ça. (Elle regarde Seth.) Et puis, j'ai su que tu étais là. Et j'ai su… Je crois que je savais que quelqu'un se rappelait qui j'étais.

– Et ça, c'est le plus important, acquiesce Tomasz.

– Pourtant, c'était si dur, reprend Régine. Aussi terrifiant que la première fois. Mais, enfin, si ça devait arriver, au moins savoir que tu avais essayé de l'arrêter, savoir que tu avais fait cet énorme effort…

Elle plisse le front. Il voit ses yeux se remplir à nouveau de larmes, et sa réaction irritée.

– Je comprends, dit-il.

Elle le fixe, d'un air presque accusateur.

– Vraiment ?

Il hoche la tête.

– Je crois que oui, finalement.

Ils marchent entre les cercueils, vers l'allée centrale. Seth devant, suivi par Tomasz, puis par Régine qui serre ses lambeaux de chemise autour de sa poitrine.

Du côté de la camionnette et du Conducteur, rien ne bouge.

– Jambe..., signale Tomasz en montrant le membre arraché en haut de la cuisse, un sinistre liquide noir inondant le sol. Sûrement pas du sang.

– Mécanique, dit Régine. Bien plus évolué que tout ce que nous avions dans l'autre monde.

– Mouais..., opine Seth pensivement.

– Je déteste quand tu réagis comme ça, réplique-t-elle. Le genre soupçonneux.

Ils s'approchent lentement de la camionnette. Des étincelles et de la fumée jaillissent de l'endroit où le Conducteur reste plié. L'un de ses bras a l'air disloqué, et sa tête forme un angle qui pourrait, *devrait,* indiquer que sa nuque est brisée.

– Sainte Vierge, s'exclame Tomasz en ramassant le bâton sous un cercueil voisin.

– Fais gaffe, lance Régine.

Tomasz roule des yeux ronds.

– Alors, comme ça, tu continues à te prendre pour ma mère ? Combien de fois je vous ai sauvé la vie ? Hein ? Combien de... AÏE !

Il lâche le bâton quand un éclair en jaillit et le frappe en pleine figure. Au sol, un mécanisme se déclenche, et l'arme se rétracte.

– Ça va ? demande Régine en essayant de ne pas rire.

– Saleté..., fait Tomasz en se tenant la joue.

Puis, comme la version rétractée du bâton semble maintenant inoffensive, il le ramasse et le glisse dans sa poche. Seth et Régine le laissent faire. Après tout, si quelqu'un a gagné le droit de le garder, c'est bien Tomasz.

Ils regardent la camionnette brûler, toussant un peu dans la fumée. Le fluide visqueux se répand et s'écoule du capot, formant des flaques sur le ciment. Le Conducteur semble bel et bien mort, mais ils se déplacent tous très prudemment, comme s'il pouvait à tout instant ressusciter et les attaquer.

« C'est ce qui se passerait si c'était une histoire inventée, se dit Seth. Le méchant ne resterait pas mort. Il faudrait l'arrêter encore et encore. C'est ce qui se passerait si mon cerveau essayait juste de me dire quelque chose. »

Sauf si.

Sauf, sauf, sauf.

– J'ai besoin de savoir, dit-il.

– Savoir quoi ? questionne Régine.

– Ce qu'il y a sous sa visière. Je veux voir le visage de cette chose qui nous poursuit depuis le début. (Il s'avance vers le Conducteur.) Je veux savoir exactement ce que c'est.

Alors la camionnette explose.

71

Les étincelles s'illuminent subitement, montent en arc et rejoignent une flaque de liquide près de la camionnette. Un *woumff*... curieusement doux se fait entendre –

Et tout disparaît dans une boule de feu.

L'explosion les souffle en arrière, les flammes passant par-dessus eux dans leur chute –

Mais le feu se dissipe rapidement, et alors qu'ils s'écroulent sur le sol, il recule déjà, ses fumées les plus toxiques brûlées dans le premier éclair. À l'avant de la camionnette, le combustible répandu brûle avec une lumière et une chaleur étrangement vives.

Une barrière de flammes leur cache le Conducteur.

– Non mais c'est quoi cette blague..., crache Seth en toussant.

Mais Tomasz s'est déjà remis sur pied, et jette un regard paniqué sur les cercueils.

– Les gens ! Ils vont brûler ! Ils...

Avec un grondement de cataracte, une pluie soudaine se déverse des bouches ouvertes au plafond. Ils se retrouvent trempés en quelques secondes, le déluge rebondissant sur le métal luisant des cercueils. L'incendie s'éteint presque immédiatement, mais l'aspersion d'eau continue. Des volutes de fumée et de vapeur sortent de la camionnette et remplissent la salle.

– On dirait du poison, dit Tomasz en grimaçant et en se pinçant le nez.

– Et c'en est probablement, dit Régine. Rien de tout cela ne semble fait d'un simple métal.

Seth fixe toujours l'endroit où se trouvait le Conducteur, maintenant invisible derrière la fumée.

– Je voulais voir à quoi il ressemblait. Là-dessous.

– On l'a eu, fait Régine en frissonnant sous l'eau. Que veux-tu de plus ?

Les vapeurs toxiques emplissent le couloir jusqu'à la première salle.

– Il va falloir sortir par le chemin que j'ai pris, annonce Tomasz.

Régine lui tend la main. Il la prend. Ils regardent Seth.

– D'accord, lâche-t-il en observant les tourbillons de fumée. J'arrive.

Ils remontent l'allée centrale. La pluie s'arrête dans la salle suivante, mais quand Seth jette un regard en arrière, il ne voit toujours rien. Ils marchent et s'enfoncent toujours plus loin, longeant rangées après rangées de cercueils. Seth continue à vérifier régulièrement, mais bien des salles plus loin, lorsqu'ils atteignent enfin la rampe qui se dirige vers la surface, les signes de leur victoire sur le Conducteur ont depuis longtemps disparu.

Ils ne parlent pas beaucoup en remontant, Seth en particulier garde ses pensées pour lui. La rampe s'élève en spirale, et il voit la poussière et la boue du monde réapparaître progressivement, par petites couches.

– Tu te souvenais de qui tu étais ? demande Seth à Régine pendant cette lente ascension. Je sais, tu as dit que tu me sentais présent, mais te souvenais-tu de ce monde-ci ?

– En fait, oui. Je veux dire, me retrouver ramenée là-bas semblait si *injuste*. Je me répétais, non, je ne peux pas mourir ici. Si je meurs ici, je meurs là-bas. Alors je me suis rappelé cet endroit.

– Je crois que le temps fonctionne différemment, là-bas. Le passé peut paraître plus proche que dans la vie réelle. Et peut-être que *tout* se reproduit, tout le temps, indéfiniment.

– Hmm, je vois où tu veux en venir, fait Régine en le regardant.

– Comment ça ? questionne Tomasz.

Seth continue à marcher.

– L'écran disait qu'il commençait le processus de Léthé sur toi. Le processus qui fait oublier.

– Mais il ne l'a pas fait, répond prudemment Régine. Ou il n'a pas eu le temps. Je me souvenais de tout. Ce qui signifie…

– Ce qui signifie…, coupe Seth mais sans achever.

– Ce qui signifie *quoi* ? s'impatiente Tomasz. Je ne suis pas content qu'on me dise pas ce que ça signifie.

– Chut…, fait Régine. Plus tard.

Elle continue à fixer Seth d'un regard interrogateur. Mais il reste silencieux tandis qu'ils grimpent toujours, cette extrémité des souterrains manifestement bien plus profonde que le chemin qu'il a pris.

Il pense à tout ce qui s'est passé, à *comment* ça s'est passé. Tout ce qui les a conduits à cet endroit, tous les trois remontant cette rampe vers la lumière du jour – et la voici, à la sortie, qui les réchauffe, Régine poussant un long soupir de plaisir – ,il revit chacun des événements qui les ont conduits, eux, *lui*, ici, maintenant.

Et comme il tourne les yeux vers le soleil, au-dessus des cendres et des ruines du quartier incendié, une idée lui vient, surprenante, mais pas tant que cela.

Parce que cet endroit pourrait être une chose.

Ou une autre. Ou même quelque chose de totalement inattendu.

Et il croit savoir ce qu'il doit faire maintenant.

– Tu es prêt à rentrer à la maison ? demande Régine.

Elle s'adressait à Tomasz, mais Seth a failli répondre à sa place.

72

Tomasz passe presque tout le chemin du retour à répéter comment il les a sauvés, se présentant chaque fois sous un jour un peu plus héroïque, jusqu'à ce que Régine craque.

– Oh, s'il te plaît, tu as trouvé une voiture garée quelque part et tu t'es assis à l'intérieur ? C'est bien cela ?

Tomasz ouvre des yeux horrifiés.

– *Jamais* tu n'apprécies...

– Merci, Tommy, reprend Régine avec un brusque sourire. Merci d'avoir trouvé cette voiture garée et de t'être assis dedans et d'être arrivé à notre secours à la dernière minute. Oui, merci, et encore merci de m'avoir sauvé la vie.

Tomasz rougit, embarrassé.

– De rien, Régine.

– Et je te remercie bien sincèrement, moi aussi, ajoute Seth.

– Bon, mais tu ne t'en es pas mal tiré non plus, fait Tomasz d'un ton légèrement supérieur. En gardant occupée cette chose pas humaine jusqu'à ce que je prenne le volant comme un héros.

– Avec tes petites jambes, je me demande quand même comment tu as fait pour atteindre l'accélérateur, remarque Régine.

– Pas facile, admet Tomasz. Fallu les tendre un maximum.

Ils rejoignent la voie ferrée, puis prennent la direction du nord. Régine ne cesse de tapoter distraitement sur ses poches, sans trouver ce qu'elle y cherche. Voyant Seth l'observer, elle lui lance un regard furieux.

– Et tu ne crois pas qu'après être morte une centaine de fois d'affilée je mérite au moins une clope ?

– Je n'ai rien dit.

– Et *moi* je ne crois pas, intervient Tomasz. Je crois que tu as trompé la mort tellement de fois aujourd'hui, alors pourquoi pas une fois de plus ?

– Personne ne t'a rien demandé, réplique-t-elle, mais d'un ton moins dur que d'habitude.

Après une bonne heure de marche, sous le pont de chemin de fer en partie effondré, puis vers le supermarché – Seth propose qu'ils s'arrêtent à sa maison, mais Régine tremble toujours malgré le soleil, et elle veut se débarrasser de ses bandelettes dès que possible –, ils traversent l'avenue où ils ont vu la biche et bifurquent vers la maison de Régine.

– J'imagine toujours qu'il va surgir de nulle part, chuchote-t-elle en approchant de l'allée. Comme si c'était trop facile.

– Parce que tu crois vraiment que c'était si *facile* ? dit Tomasz.

– C'est ce qui arriverait si c'était une histoire inventée, commente Seth. Une attaque de la dernière minute. Par le méchant qui ne meurt jamais vraiment.

– Tu ne pourrais pas arrêter de raconter ce genre de foutaises, une fois pour toutes, lance Régine.

– Tu y penses, toi aussi, rétorque-t-il.

Elle lui jette un regard de défi.

– Absolument pas. Je sais que je suis réelle. Ce voyage en ligne dans le passé me l'a plus que prouvé.

Ils continuent et, effectivement, rien de spécial ne les attend devant la porte. À l'intérieur, ils retrouvent le même salon, le cercueil de Régine toujours au milieu, fauteuils et canapés serrés autour. Elle monte se changer, et Tomasz pénètre dans la cuisine pour préparer quelque chose à manger.

Seth s'assied dans un canapé, face au cercueil. Il écoute Tomasz s'activer dans la cuisine, entrechoquer de la vaisselle, et jurer en polonais quand le petit réchaud refuse de s'allumer au bout de deux essais. À l'étage, Régine fait couler de l'eau dans la salle de bains. Elle prend son temps, elle récupère.

Ces deux êtres si curieux, si difficiles.

Il les écoute et son cœur lui fait un peu mal.

Mais il sonde cette douleur, et réalise qu'elle n'a rien de mauvais. Absolument rien de mauvais.

Il sourit brièvement. Puis, au bout d'un moment, tape de l'index sur le cercueil, comme il l'a fait à la prison.

Après quelques tentatives, un écran s'allume, fendillé mais lisible.

Quelques instants plus tard, Tomasz revient de la cuisine avec deux bols fumants entre les mains. Il en tend un à Seth.

– C'est la fête, dit-il. Hot dogs, maïs à la crème et chili con carne.

– Tu rigoles, mais c'est presque un barbecue, pour un Américain.

– Ah, oui, j'oubliais que tu es américain.

– Enfin, je ne suis pas vraim...

– RÉGINE ! glapit Tomasz d'une voix à lui percer les tympans. Le dîner est servi !

– Mais oui, je suis là, réplique-t-elle à mi-chemin dans l'escalier.

Elle porte des vêtements propres et presse une serviette autour de ses cheveux.

– Dans la cuisine, fait Tomasz. Au chaud près du gaz allumé.

– Parfait pour mettre le feu à toute la maison.

– De rien, merci, persifle Tomasz dans son dos.

Ils mangent en silence pendant quelques minutes. Tomasz termine le premier, lâche un rot satisfait et repose son bol sur la table.

– Bon, dit-il, on fait quoi, maintenant ?

– J'aimerais dormir une semaine, soupire Régine. Ou un mois.

– Je pensais qu'on pourrait aller au supermarché, propose Tomasz. On n'y est jamais retournés. Avec toutes ces provisions qui nous attendent.

– Ouais, j'aimerais bien prendre quelques...

– Ne prononce pas le mot « cigarettes » ! Tu es vivante, maintenant. On t'a sauvée. Alors fêtons la fin du tabac.

– En fait, tu sais quoi ? dit Régine. Je crois que peut-être on *devrait* bien faire la fête.

Tomasz la fixe, surpris.

– Tu veux dire... ?

– Mais oui, acquiesce-t-elle en hochant vigoureusement la tête.

– Tu veux dire quoi ? demande Seth tandis qu'elle emmène son bol à la cuisine.

– Eh bien, pour une fois que quelque chose ne vire pas au cauchemar, après toutes ces années...

Seth se tourne vers Tomasz qui affiche un immense sourire.

– De quoi parle-t-elle ?

– De fête ! réplique-t-il, avant de reprendre son sérieux. Et puis, on n'a pas eu grand-chose à fêter, jusqu'à maintenant.

Régine réapparaît sur le seuil de la cuisine, une bouteille de vin dans une main, et trois tasses à café dans l'autre.

– Pas de réfrigérateur, alors j'espère que vous aimez le rouge.

Elle ouvre la bouteille avec un tire-bouchon affreusement rouillé, puis en verse une tasse pleine pour elle et Seth, et une moitié pour Tomasz, qui proteste aussitôt:

– Hé!

– Donne-lui-en un peu plus, dit Seth. Il l'a mérité.

Régine ne semble pas convaincue, mais elle s'exécute, et ils lèvent maladroitement leurs tasses.

– Au fait d'être vivants, dit Régine.

– *Na zdrowie*, fait Tomasz.

Ils boivent. Tomasz recrache la première gorgée dans sa tasse.

– Beurk! Et les gens aiment ça?

– Tu n'as jamais bu du vin de messe? demande Régine. Je croyais que les Polonais étaient catholiques.

– Oui, mais moi je croyais que le mauvais goût du vin de communion, c'était fait exprès. Alors que le vrai vin...

– ... aurait dû avoir un goût de raisin?

– Ben oui, acquiesce-t-il en reniflant sa tasse.

Il en reprend une gorgée, toute petite cette fois.

– Brr..., horrible.

Puis il en reprend une encore.

Seth boit lentement. Il a déjà bu du vin à table avec sa mère et son père, sous le regard scandalisé des parents de ses amis, décidément très américains. Il n'a jamais beaucoup aimé le goût, trop âpre, mais là, c'est moins une boisson qu'un rituel, et il apprécie.

Régine ne boit pas grand-chose. Elle tient la tasse devant elle un moment, puis la pose sur la table.

– Tu n'aimes pas? demande Seth. Ce n'est pas si mauvais. Un peu épais, mais...

– *Il* buvait, murmure-t-elle. Son haleine, elle puait toujours le... Même en souvenir, il pue. Je ne pensais pas que ça me gênerait, j'en ai déjà bu avant, mais...

– Mais, acquiesce Seth.

Il repose sa propre tasse, et Tomasz l'imite.

Régine gratte une tache invisible sur son pantalon.

– Il est vraiment là-bas, tu penses? Je suppose que je n'y croyais pas vraiment jusqu'à maintenant, mais... Il y est forcément, non?

– Mes parents y sont, répond Seth. Je les ai vus sur l'écran. Ils sont là-bas, quelque part. Ils vivent leur vie.

– Et ma mère, aussi, dit Régine. Avec sa fille morte et son enfoiré de mari.

Elle tousse un peu, étranglée par l'émotion, puis une idée noire lui traverse le visage et elle n'ajoute plus rien.

– Ma mère est morte, fait Tomasz d'un ton presque léger. Mais j'ai trouvé une nouvelle famille! Un frère et une sœur.

– Pas tout à fait, dit Régine, souriant quand Tomasz veut protester. Bon, d'accord, demi-frère. D'adoption.

– Oh, mais moi je pense que nous sommes tous *adoptés*, réplique Tomasz.

– J'ai vu un bébé, là-bas, intervient Seth. Dans un des cercueils. Avec sa mère.

Ils le dévisagent.

– Mais comment c'est possible? s'étonne Tomasz.

– Il doit y avoir un moyen, quand on y réfléchit. Et en tout cas, s'ils l'ont fait, c'est qu'ils croyaient en l'avenir. (Il se penche en avant et pose ses mains sur le cercueil devant lui.) Écoutez...

Tomasz le fixe simplement, mais Régine se crispe, comme si elle se préparait au pire.

– Bon, continue-t-il. D'accord, j'ai vu vos deux morts. Je ne le voulais pas, mais c'est comme ça. (Il tapote le cercueil, sans les regarder.) Et je pense que vous avez le droit de savoir pour la mienne.

Il commence à parler.

Il leur raconte tout.

Y compris la fin.

73

– Tu as de la visite, annonça laconiquement sa mère à travers la porte de sa chambre, un samedi matin.

« Gudmund », se dit-il, et son cœur bondit dans sa poitrine à lui donner le vertige. Il ne l'avait pas vu depuis cette nuit, il y avait quelques semaines, où Gudmund lui avait promis qu'ils avaient un avenir, s'ils savaient l'attendre.

Mais depuis, soit Gudmund s'était fait confisquer son portable, soit le numéro avait changé, et il ne répondait plus sur aucune de ses adresses e-mail. Mais il aurait quand même pu emprunter le téléphone de quelqu'un à sa nouvelle école, ou créer un faux compte e-mail. On ne pouvait empêcher les gens de communiquer aujourd'hui, pas s'ils le voulaient.

Mais il n'y avait rien eu.

Jusqu'à maintenant.

Il sauta pratiquement de son lit à la porte, l'ouvrit –

Et trouva Owen qui lui barrait le passage.

– Salut, Seth.

Seth posa doucement une main sur la poitrine de son frère pour le repousser.

– Écarte-toi. Il faut…

– J'ai composé un air à la clarinette.

– Plus tard, Owen.

Seth dévala lourdement les marches, s'engagea dans le salon, les yeux brillants, et commença d'une voix trop forte :

– Bon sang, Gudmund, je ne croyais plus…

Puis s'arrêta net. Ce n'était pas Gudmund.

– H, marmonna Seth.

Il sentit sa peau chauffer et une rougeur embarrassée lui monter à la figure.

Mais c'était une rougeur de colère, aussi.

H ne lui avait pas parlé, ne lui avait même pas jeté un regard depuis que les photos étaient sorties. Au lycée, le gros de la tourmente était plus ou moins passé, mais il restait ce champ de mines autour de lui, comme si personne ne pouvait l'approcher, même si on l'avait voulu. Seth savait que H avait toujours été le plus faible d'entre eux, celui qui avait le plus souffert quand la vérité avait éclaté sur les véritables rapports de ses deux amis les plus proches.

Mais il avait toujours eu bon cœur, non ? Derrière ses blagues stupides et ses idioties, Seth avait toujours pensé que H était un type fondamentalement correct. Son attitude lui avait fait d'autant plus de peine.

– Non, c'est pas Gudmund…, fit H, assis, dos courbé, dans le canapé, sous cette horrible peinture de l'oncle, qui lui faisait si peur quand il était petit.

H n'avait pas ôté son manteau.

– … Je l'ai pas vu.

Le silence se prolongeait, quand H finit par articuler :

– Je peux y aller, si tu préfères.

– Pourquoi es-tu venu ?

– Je dois te dire quelque chose, murmura-t-il. Je me sens obligé de te dire quelque chose, et je ne sais même pas si t'as besoin de le savoir. Mais bon.

– Mais bon, quoi ?

– Mais bon, peut-être que si.

Seth attendit un moment, puis gagna la chaise face au canapé et s'assit.

– Ça a été la merde, H.

– Je sais.

– Je croyais que tu étais mon ami.

– Je sais…

– Je ne t'avais rien fait. Nous n'avions rien fait à…

– Et alors ? Vous avez menti.

– On n'a pas menti.

– Vous avez menti en ne disant rien. Même s'il suffisait d'avoir des yeux pour voir.

– Voir quoi ? demanda Seth d'un ton méfiant.

H le regarda droit dans les yeux.

– Que tu l'aimais.

Seth sentit son visage s'empourprer à nouveau, mais ne répondit pas.

H se mit à tourner et retourner ses gants dans ses mains.

– … Je veux dire, ça m'a échappé. Parce que je suis un vrai crétin. Mais en y repensant, je veux dire… En y repensant, c'était évident.

– Et comment j'étais supposé te confier une chose pareille ? Si c'était comme ça que tu allais réagir ?

– Ce n'est pas…, répliqua H, haussant la voix, puis regardant autour de lui et la baissant à nouveau. Ce n'est pas pour cette raison. Pas pour cette raison que je me suis conduit comme ça.

– Ah, vraiment.

H poussa un soupir.

– Bon, d'accord, un peu. Mais pas pour ces idioties de coming out *ou de je ne sais quoi. Et puis, c'est pas facile pour moi non plus, tu sais ? Tout le monde me prend pour un pédé aussi, maintenant, tu comprends.*

– Mais non. Tu sors avec Monica depuis une éternité…

H prit un air bizarre.
– Ouais, ben justement…
– Justement quoi ?
– Je ne la vois plus.
– Bon, eh bien, tant mieux, fit Seth, surpris. C'est elle qui est à l'origine de toute cette horreur. Sans elle…
H l'interrompit :
– Seth…
Seth s'arrêta. Une vague nausée lui pinça l'estomac en entendant son nom prononcé de cette façon.
– Quoi encore ?
– Tu ne t'es jamais demandé comment elle avait eu ces photos ?
– Qu'est-ce que tu veux dire ?
H dépliait, repliait ses gants, dans un sens puis dans l'autre.
– Tu crois que Gudmund a simplement laissé traîner son téléphone pour qu'elle le trouve ? Qu'il était assez stupide pour ça ? Notre petit génie ?
– Tu veux dire qu'il le…, commença Seth, mais il dut s'y reprendre. Tu veux dire qu'il le lui a donné ?
Mais H secouait déjà la tête.
– Non, Seth, ce n'est pas ce que je veux dire.
– Bon, eh bien quoi, alors ?
H respira un grand coup.
– Tu sais comment elle flirtait tout le temps avec Gudmund, hein ? Et comment il marchait ?
– Bien sûr, elle était folle de lui. (Puis, voyant H grimacer.) Je m'excuse, mon vieux, je ne voulais pas te blesser, elle était avec toi, bien sûr, mais tu sais aussi…
– Oui, acquiesça tristement H. Je sais.
– C'est pour cela qu'elle l'a fait. Elle me l'a dit. Elle a découvert, pour moi et Gudmund, et elle était jalouse et…
– Elle l'a découvert parce qu'elle couchait aussi avec lui.

Les mots restent en suspens dans l'air, presque tangibles, comme si Seth les voyait.

Les voyait, mais refusait de les lire.

– Quoi ? finit-il par murmurer.

– Elle me l'a dit. Finalement. Hier soir. Quand elle a rompu avec moi, ajouta H en plissant le front. Elle a attrapé son téléphone une nuit, pour prendre une photo d'eux. C'est là qu'elle les a vues. (Il tordait furieusement ses gants, au risque de les déchirer.) Et ils se sont disputés, je suppose. Et j'imagine qu'il lui a dit qu'il couchait avec elle juste pour lui faire plaisir. Qu'il l'aimait comme une amie et ne savait pas comment gérer ça, alors qu'il lui donnait simplement ce qu'elle voulait parce que, bon... (H haussa les épaules.) C'est ce qu'elle voulait.

Tout semblait gelé, autour de Seth. Comme si rien n'allait jamais plus bouger. Comme si tout allait toujours rester froid.

Et vide. « Je ne peux pas être tout pour tout le monde, avait dit Gudmund cette dernière nuit. Même pour toi, Seth. »

C'était la plus grosse erreur de Gudmund. Ne pas être tout pour tout le monde.

Mais essayer quand même.

– Pourquoi est-ce que tu me dis tout ça ? demanda Seth.

– Parce que c'est la vérité. Parce que je pensais... Je ne sais pas. (Il soupire.) J'ai pensé que cela faciliterait les choses pour toi, maintenant qu'il est parti.

– Pas franchement. Pas du tout, même.

H se passa la main dans les cheveux, perturbé.

– Merde, Seth, je te le dis parce que pourquoi on devrait tous se perdre ? On était amis. Et il y en a qui ont foiré, d'accord ? Ils ont rien dit, ils auraient dû et ils ont foiré, et ils auraient pas dû, mais les gens ils ont des besoins, tu sais, ils ont juste des besoins et ils savent pas pourquoi, ils ont juste besoin. Ça m'est égal finalement qu'elle ait couché avec lui. Mais ça m'est pas égal qu'elle ait rompu parce que maintenant il me reste qui ?...

Il leva les yeux vers Seth, et Seth vit comme il était perdu.

– J'avais trois bons amis, mes trois meilleurs amis, et maintenant j'ai quoi ? Plus personne. Juste une bande d'idiots sans cervelle qui pensent que je suis à moitié pédé et vont surtout pas garder ça pour eux.

Seth se ratatinait sur sa chaise, aspiré par un lent vertige.

– Qu'est-ce que tu fais ici, H ?

H émit un grognement de dépit.

– J'en sais rien. Je pensais que tu avais le droit de savoir. La vérité. Comme je disais, je pensais que ça pourrait te faciliter les choses.

Seth ne répondit rien, incapable de regarder H, et au bout d'un instant, H se leva. Il attendit encore, au cas où Seth ajouterait quelque chose et, comme rien ne venait, il renfila ses gants.

– Mais je crois qu'il t'aimait vraiment. En tout cas, c'est l'impression qu'elle a eue.

Alors il sortit. Seth entendit la porte extérieure s'ouvrir, puis se refermer.

Il était seul.

Au bout d'un moment, combien de temps il ne savait pas, il s'est levé pour gravir les marches de l'escalier, mais sans en avoir très clairement conscience. Owen attendait toujours devant la porte de sa chambre, avec sa clarinette.

– Est-ce que je peux te jouer mon air, maintenant ? demanda-t-il avec un grand sourire, sa chevelure plus en bataille que jamais.

Seth passa devant lui pour entrer dans sa chambre.

– Je l'ai composé pour toi parce que tu étais si triste, dit Owen, en levant sa clarinette pour commencer à jouer.

Seth lui ferma la porte au nez. Owen se lança pourtant dans une série de notes étrangement mélodieuses, qu'il répéta plusieurs fois, beaucoup trop vite, mais Seth de toute façon les entendait à peine, assis au bord de son lit.

Il se sentait vide.

Mais aussi étrangement calme. Il entendit sa mère emmener Owen à sa thérapie, mais il était resté assis, tellement silencieux qu'elle le croyait sans doute sorti.

Il se mit à ranger sa chambre, machinalement –

Sans y penser.

Sans y penser enfila son manteau.

Sans y penser se dirigea vers l'océan.

74

Tomasz est livide.

– Oh, monsieur Seth. Tu as appris que tu ne pouvais faire confiance à personne. Une leçon très lugubre.

– Non, réplique Seth. Ce n'est pas tout à fait...

– Excuse-moi, intervient Régine, essayant manifestement de masquer son émotion. Mais je ne vois pas en quoi...

– Bien sûr que si ! s'exclame Tomasz. Tout simplement parce que le gentil n'était pas celui que Seth croyait !

– Bon, je ne veux pas avoir l'air de *minimiser* quoi que ce soit, mais...

– Mais Tomasz a été assassiné, continue Seth à sa place, et tu t'es fait pousser dans l'escalier. Moi, je n'ai eu que le cœur brisé.

– Oh, il ne faut jamais sous-estimer un cœur brisé, s'insurge Tomasz, d'un ton solennel. Mon cœur s'est brisé, quand je me suis réveillé ici, sans ma maman. Très douloureux.

– Je ne dis pas que tu n'as pas eu mal, concède Régine, mais tout cela semble un peu...

– Extrême, je sais, dit Seth.

Il tapote sur le cercueil, histoire de rassembler ses idées.

– Vous vous souvenez, quand on se disait qu'il devait y avoir autre chose ? Une autre vie que celle que nous vivions ?

– Mmouais, lâche Régine, d'un ton hésitant.

– Eh bien, je pensais que *j'avais* autre chose. Que Gudmund était cette autre chose. Peu importe que le reste pèse cent tonnes. Owen, mes parents, et même plus tard, le lycée. Je pouvais *vivre* avec tout ça, parce que je l'avais, lui. Il était à moi et à personne d'autre. Nous vivions dans un monde à nous, dont personne ne savait rien et où personne n'avait jamais vécu. C'était mon autre chose, mon plus, vous comprenez ? La chose qui rendait tout le reste supportable.

– Mais elle n'était pas qu'à toi, dit Régine, comme en écho.

– Je croyais que le départ de Gudmund était la pire chose qui pouvait m'arriver, mais non. La pire chose fut de découvrir qu'il n'avait jamais été tout à fait à moi. Alors, pendant un moment, pendant un terrible, incroyablement merdique après-midi dans cette petite ville merdique de cette côte glacée merdique de l'État de Washington, je me suis retrouvé sans rien. Il n'y avait plus rien d'autre, car la seule bonne chose qui était à moi n'était finalement pas à moi.

Il tend le pouce pour essuyer ses larmes. Il se râcle la gorge, gêné.

– Il te manque, dit Tomasz.

– Et plus que ça encore, crache Seth d'une voix rauque.

– Et je comprends, approuve Tomasz en se tournant vers Régine. Pourquoi c'est si dur de perdre quelqu'un de si important. Pourquoi ça paraît si dur qu'on veut marcher dans l'océan. Pas toi ?

– Je comprends la souffrance, réplique-t-elle. Et l'envie d'en finir. Crois-moi, je sais ce que c'est. Moi aussi, j'ai plongé mes yeux dans les ténèbres. Tu n'es pas le seul.

– Je n'ai jamais dit cela, lâche Seth en secouant la tête.

– Mais la différence, c'est que je n'imagine pas le faire. Même si on est tenté, même si on est vraiment au bord, parce que, qui sait ? Il *pourrait* y avoir autre chose.

– Mais…, commence Tomasz.

– Non, elle a raison, intervient Seth. Il y avait autre chose, même pour moi. Plus que je ne pensais, plus que je n'imaginais pour moi-même. Je veux dire, voyez Owen. Même si ce monde était un mensonge, une partie reste vraie, pour mes parents. Quelque chose de terrible était arrivé à leur fils. Comment n'auraient-ils pas été perturbés ? Et sans que j'y sois pour quelque chose ?

– Mais, et ton gentil ? questionne Tomasz. Où est l'autre chose ?

– L'autre chose est dans ce qui le rendait si sécurisant, ce qui le rendait justement si gentil. Les mêmes choses exactement qui l'avaient poussé à accepter Monica, non ? (Il sourit tristement, comme en lui-même.) Gudmund ne pouvait supporter de voir souffrir les gens qu'il aimait. Et, ne sachant pas comment arrêter leur souffrance, il s'offrait lui-même.

– Et tu te demandes si ce n'est pas tout ce qu'il a fait pour toi, commente Régine.

– C'est un peu la vraie question, non ? Et ma plus grosse erreur. Quand j'y pense, quand j'essaye d'y voir clair, comme maintenant, je sais que ce n'était pas vrai. H l'a dit, *Monica* l'a dit, mais je ne pouvais pas l'entendre. Gudmund m'aimait. (Il s'essuie rapidement la joue.) C'était partout, dans tout ce qu'il disait et faisait, dans le moindre souvenir que je garde de lui quand j'étais là-bas.

– Ce qui ne rend pas les choses plus faciles, remarque Tomasz.

– Et pourtant si, d'une certaine façon. Pendant un instant, j'ai cessé d'y croire, et c'était suffisant pour que tout semble impossible. Mais rien n'était *impossible*. Et ce n'est pas tout, en plus. Je veux dire, durant ces derniers jours, mon père s'est excusé auprès de moi, il m'a dit combien il était désolé de ne pas avoir été là pour moi. Une chose que j'ai choisi d'oublier parce qu'elle ne collait pas avec ce cauchemar. Et même H, le matin de cette dernière journée.

– Il t'offrait son amitié, dit Régine.

Seth acquiesce.

– Il se sentait si seul. Je lui manquais, ses amis lui manquaient, me parler de Monica, c'était sans doute, pour H, le plus grand témoignage d'amitié qu'il pouvait offrir. (Seth s'éclaircit la voix.) Je voulais tellement qu'il y ait autre chose. J'en avais *mal* d'attendre autre chose que cette horrible petite vie de merde. (Il secoue la tête.) Et il y *avait* autre chose. Mais je ne voulais, ne pouvais pas le voir.

Régine recule dans son siège.

– Et c'est pour ça que tu as autre chose à nous dire, hein ?

Seth reste silencieux.

– Nous dire quoi ? lance Tomasz. (Personne ne répond.) Nous dire *quoi* ?

Régine continue à fixer Seth.

– C'est pour ça qu'il veut y retourner.

– Il veut QUOI ? s'exclame Tomasz en se relevant.

Régine garde son regard de défi posé sur Seth.

– Elle a raison ? continue Tomasz. Non, dis-moi qu'elle n'a pas raison.

– Ouais, Seth. Dis à Tommy que je n'ai pas raison.

Seth soupire.

– Elle a raison, mais…

– NON ! vocifère Tomasz. Tu veux y retourner ? Tu veux nous *quitter* ? Mais pourquoi ?

– Je ne veux pas vous quitter, corrige Seth d'un ton ferme. C'est même toute la question…

– Mais tu veux y retourner ! (Le visage de Tomasz se ratatine.) Tu l'as toujours voulu ! Depuis que tu es arrivé. D'une façon ou d'une autre, tu as toujours voulu nous quitter. (Il fronce les sourcils, d'un air si désespéré que Seth a du mal à le regarder en face.) Je ne veux pas que tu nous quittes.

– Tomasz, quand Régine y est retournée, elle s'est *souvenue*. Elle s'est souvenue de qui elle était et de comment elle était arrivée ici. (Il se tourne vers elle.) Pas vrai ?

Elle s'agite, embarrassée.

– Oui, mais vaguement. Pas assez pour changer quoi que ce soit. Pas assez pour empêcher les choses d'arriver.

– Tu en es sûre ?

Elle ouvre la bouche pour répliquer, puis s'arrête.

– Je n'y ai jamais réfléchi. Je savais juste ce qui allait arriver, et que je devais en passer par là.

– Je pense que tu as reçu *un peu* de Léthé. Il a commencé à agir, mais juste un peu. Mais si tu devais retourner là-bas sans Léthé…

– C'est trop tard, intervient Tomasz. Tu es déjà mort, là-bas.

– Mais qu'est-ce qui est mort, là-bas ? Il y a eu dysfonctionnement. Une *simulation* de moi est morte. Une simulation qui en savait infiniment moins que je n'en sais maintenant.

Tomasz secoue la tête.

– Je vois pas comment ça peut marcher. Comment tu peux y retourner et ne pas mourir là-bas et puis mourir ici et disparaître pour nous.

– Je n'en suis pas sûr non plus. Mais je ne vois pas pourquoi ça ne marcherait pas. Régine y est retournée et elle s'est souvenue de qui elle était. Et, Tomasz, on l'a récupérée.

Tomasz veut discuter, et puis il hausse les sourcils, à la fois surpris et presque ravi.

– Tu veux dire vraiment que… tu reviendrais ?

Seth le regarde, puis regarde Régine, qui le fixe toujours, hostile manifestement, mais peut-être avec un peu d'espoir, aussi.

– Évidemment, que je reviendrai.

75

Tomasz se lèche les lèvres, et Seth le *voit* presque penser.

– Mais comment tu ferais, au juste?

– Eh bien, réplique Seth en actionnant l'écran sur le cercueil de Régine. J'y ai un peu réfléchi. Celui-ci est cassé. Régine a dû l'endommager quand elle est sortie.

– J'ai cru que je me battais contre quelqu'un, dit-elle. À coups de pied et de poing.

– Oui, c'est bien toi, ça, commente Tomasz.

– Mais j'ai lu ceci, poursuit Seth en pianotant sur l'écran. Une bonne moitié ne veut rien dire, mais on dirait que remettre quelqu'un là-dedans n'est pas si compliqué.

Il appuie sur une icône, et le cercueil s'ouvre en grinçant, contrairement à ceux de la prison. Régine et Tomasz s'approchent. Seth soulève un tuyau.

– Celui de Léthé, je pense.

– Tu... penses? coupe Régine.

– Tu l'avais dans la bouche. Sans doute que tu respirais dedans. Et quand j'ai interrompu le processus, tu ne recevais plus le débit nécessaire. Juste assez pour te rendre consciente sans pouvoir le combattre.

– Mais si tu y retournais sans respirer par le tuyau…, s'inquiète Tomasz.

– Peut-être que je me souviendrais de tout. Peut-être que je me souviendrais de qui vous êtes et d'où vous êtes, et peut-être, *peut-être*, que je pourrais faire ce que je faisais quand le monde en ligne a démarré. Aller et venir à ma guise.

Régine secoue vigoureusement la tête.

– Et comment tu peux en être sûr ? Tu vas sans doute juste y retourner et mourir encore et encore comme je l'ai fait, et même sans cela, comment sais-tu que tu n'y resteras pas pour toujours ? Je ne me rappelle pas de portes marquées SORTIE.

– Je vous aurais tous les deux ici, insiste Seth.

– Oui, on pourrait te sortir de là si quelque chose tournait mal, approuve Tomasz.

– Tu n'en sais absolument rien, poursuit Régine. Surtout pas une fois replongé là-bas. On a dû *mourir* pour arriver ici.

– Je t'ai ramenée. Et avant, les gens y allaient et revenaient tout le temps. On pourrait juste essayer quelques brefs voyages pour commencer…

– Mais supposons que ça marche. Pour quoi faire ? Pourquoi y retourner ? Ce monde n'est pas réel.

Seth respire profondément. C'est la vraie question. Il se sent même un peu moins sûr de lui.

– Parce que j'en sais plus, maintenant. Le monde m'avait semblé se refermer totalement, mais j'avais tort, non ? Je veux dire, il n'est pas parfait, mais j'avais tort de perdre complètement espoir. Le hasard nous a offert une seconde chance à tous. Et je veux la saisir.

– Et tu veux revoir ton gentil, ajoute Tomasz.

– Oui, je l'avoue. Mon corps est ici, mais lui est de l'autre côté d'un monde et d'un océan, alors, si je veux le revoir, je dois y retourner. Et je veux le retrouver, d'une certaine façon. Pour lui dire que je comprends. Et retrouver H et même Monica.

– Mais tu es *mort*, là-bas, insiste Régine. Tu es mort la semaine dernière, ou je ne sais quand. Et j'y suis morte depuis des mois…

– Mais c'est aussi l'hiver, là-bas. Et bon sang, sûrement pas l'hiver ici. Alors, peut-être que le temps ne fonctionne pas de la même façon. Tu y es retournée avant ta mort. Et si tu pouvais y retourner en sachant ce que tu sais, suffisamment pour changer les choses…

– Et tous ces gens qui sont allés à ton enterrement ? Ils diraient quoi ? « Oups, on a fait une boulette ! »

– Ils ont modifié les souvenirs de tous ceux qui ont connu mon frère pour leur faire croire qu'il n'était pas mort. Tu ne crois pas que leurs souvenirs pourraient se réajuster encore plus facilement pour une personne réelle ? Je veux dire, il y a forcément des bugs tout le temps, des gens qui se souviennent de trucs qu'ils ne devraient pas…

– Et on pourrait choisir le moment du retour ? coupe Tomasz. Je pourrais revenir au moment où maman a parlé aux méchants. Je pourrais la sauver… (Sa voix se casse.) Mais bien sûr, elle est vraiment morte. Elle doit même être morte depuis très longtemps.

– Je suis désolé, Tomasz, dit Seth. Je ne crois pas que ça marcherait, de toute façon. Sur l'écran, il y avait une date spécifique à laquelle le Conducteur a replacé Régine dans le cercueil, et c'est la même ici. (Il rallume l'écran et pointe le doigt sur une date.) Je ne vois pas comment la changer. Je crois que nous avons un créneau seulement parce qu'il devait réparer une erreur. C'était son boulot, après tout.

– Ça fait quand même beaucoup d'hypothèses, remarque Régine.

– Si tu as une meilleure explication, je t'écoute.

Elle soupire.

– Si seulement tout cela n'existait que dans ta cervelle.

– Écoute, je me goure peut-être complètement, mais tu ne crois pas que ça vaut la peine d'essayer ? Tu imagines un peu, si nous pouvions aller et venir entre ici et là-bas ? On pourrait parler aux gens. On pourrait leur rappeler qui ils étaient.

– Ils ne voudraient pas l'entendre.

– Certains, peut-être, mais les autres ? Et si nous trouvions un moyen de les réveiller…

– Ils ne voudraient pas venir. Pourquoi quitter un monde où tout fonctionne pour un autre où tout est mort ?

– Ta mère le voudrait peut-être. Si nous trouvions le moyen d'entrer et de sortir, peut-être…

Il s'arrête parce qu'elle semble prête à le frapper.

– Ne parle pas de ma mère. Ne promets pas des choses pour elle qui ne pourront jamais se réaliser.

– Je ne voulais pas…

Mais elle se tasse sur sa chaise, clignant des yeux pour chasser les larmes.

– Les gens sont plus difficiles à sauver que tu ne crois. Et tu oublies toujours qu'ils sont allés là-bas pour une bonne raison. Ce monde est fini.

– Non, il n'est pas fini, intervient Tomasz. Il est en convalescence. Il y a des biches. Et des faisans. Et nous.

– Ce monde est à moitié fait d'un quartier incendié et d'un autre recouvert de boue, tranche Régine. Non, voilà ce qui va se passer : Seth va retourner là-bas, tout le monde sera tellement content qu'il ne soit pas mort qu'il va récupérer tous ses *vrais* amis, sa *vraie* famille, et qu'il va juste…

Elle s'arrête net, sourcils froncés.

– Je vais quoi ? demande Seth. Vous oublier ? C'est ce que tu penses ?

– Et pourquoi pas ? Qui ferait autrement ?

– Parce que, abrutie, rétorque Seth, si je me suis suicidé, c'est parce que je croyais qu'il n'y avait rien d'autre. Qu'il n'y aurait *jamais* plus rien d'autre. Que je resterais seul et malheureux pour toujours.

– Mais oui, bien sûr, fait Régine, d'une voix faussement lasse. Et maintenant tu as fini par apprendre que les gens ne passent pas leur vie à penser à ce pauvre Seth et à tous ses horribles, horribles petits problèmes.

– Non, réplique fermement Seth. Ce que j'ai appris, c'est qu'il existe *vraiment* autre chose. Vous. Et vous, vous êtes ce plus, cette autre chose.

– Oh, tu vois, dit Tomasz à Régine. C'est vraiment super ce qu'il vient de dire.

– Le dire, c'est très bien, insiste Régine, mais il se passe quoi si tu y retournes et que tu meurs ? On est supposés te faire un bel enterrement parce que tu nous aimes *bien* ?

– Écoute, je sais qu'il y a un risque...

– Un risque pour ta vie.

– Un risque qui vaut la peine. Écoute, je veux les deux. Je les veux *eux*, et je vous veux *vous*. Maintenant que je sais qu'il existe autre chose, je veux *avoir* autre chose. Si vraiment la vie me réserve autre chose, je veux le vivre complètement. Et pourquoi pas nous tous ? On ne le mérite pas ?

Un long silence suit, pendant lequel Régine et Tomasz échangent un regard.

– Ça ne marchera peut-être même pas, reprend Seth.

– Mais ça peut marcher, lâche Régine.

Seth soupire.

– Décide-toi, Régine.

– Et ça changerait tout, n'est-ce pas ?

– Et alors ? Tu ne crois pas que les choses devraient changer ? Tu ne crois pas que les gens devraient se réveiller ? Littéralement ? Si nous pouvions trouver un moyen d'entrer et de sortir, peut-être qu'on pourrait trouver un moyen de changer les choses, aussi. (Il la regarde.) Les rendre meilleures.

Régine semble sceptique.

– Te voilà devenu bien héroïque, d'un coup.

– C'est toi qui as toujours voulu que je regarde la réalité en face. C'est toi qui me reproches tout le temps de penser que tout est dans ma tête…

– Alors, tu as fini par admettre que c'est réel, hein ?

Seth écarte les mains, comme pour montrer une distance.

– Bon. Disons, à soixante pour cent.

– Et si moi je te disais que tout est vraiment dans ta tête ? lance Régine. Et si on essayait juste de te faire plus facilement accepter ta mort.

– Eh bien, j'ouvrirais l'œil, je me souviendrais de qui je suis, et je foncerais.

Régine reste silencieuse, surprise de l'entendre lui renvoyer ses propres mots à elle.

– Il y a autre chose, dit Seth. Alors allons le chercher.

– Bon, fait Tomasz au bout d'un moment. Je ne sais pas pour vous deux, mais moi, je me sens *vraiment* tout remué !

76

Ils décident de faire une première tentative l'après-midi même. Seth est impatient d'y aller, mais il doit bien reconnaître la nécessité d'un petit somme après la matinée qu'ils ont vécue.

Mais aucun d'eux n'arrive à dormir.

– Laissez tomber, lâche finalement Régine, tirant Tomasz et Seth de leur chambre. Allons-y, que tu puisses te planter une bonne fois, et comme ça on pourra vraiment se reposer.

– T'as tout compris, ironise Seth.

Ils rassemblent les affaires à emporter dans la maison de Seth, qui semble l'endroit le mieux adapté à un premier essai. Ils verront si son cercueil est moins abîmé que celui de Régine.

– J'ai bien aimé quand tu as parlé de modifier le programme, dit Tomasz. Je pourrais apprendre à le faire, moi aussi.

– C'est assez compliqué, répond Seth.

– Mais je suis *très* intelligent. Je suis sûr que je pourrais le maîtriser et bingo ! Tomasz sauve le monde une fois de plus !

– Tu pourrais sans doute sauver le monde rien qu'en coiffant cette tignasse, persifle Régine en lui tendant une bouteille d'eau. Tu avais le crâne rasé quand je t'ai trouvé. Et maintenant on dirait un roncier.

– Hormones mâles, réplique-t-il doctement. Ma croissance aborde sa phase exponentielle. Je vais devenir plus grand que vous deux.

– C'est cela, ricane Régine. Fais-toi plaisir.

Comme ils ont perdu ou cassé tous leurs vélos, ils se mettent en route à pied.

– Cette maison, tu la vois peut-être pour la dernière fois, dit Tomasz à Seth. Si tu meurs.

– C'est bien pour cette raison que vous venez avec moi. Pour essayer d'empêcher cela.

– Oh, nous ferons de notre mieux, monsieur Seth. Mais qui sait si ça suffira.

– Et qu'est-il arrivé au Tomasz qui « sauve le monde une fois de plus » ?

Tomasz hausse les épaules.

– Je finirai bien par cafouiller, un de ces jours.

– Et tu as un plan de rechange ? demande Régine en traversant la rue principale. Et si en ouvrant les yeux là-bas tu réalises que tu as une épaule bousillée et que tu ne peux pas t'en sortir ?

– Tu as redémarré là-bas en haut de l'escalier, un petit moment avant le dysfonctionnement. Peut-être que je démarrerai avant d'avoir trop froid pour nager. Peut-être même sur la plage, et que je ne voudrai pas entrer dans l'eau.

– Ce ne sera peut-être pas aussi facile. Je me suis trouvée dépassée. C'est dur de changer quelque chose que tu as déjà fait.

– Tu voudrais vraiment que je n'y aille pas ? Que je n'essaye même pas ?

Elle pince les lèvres.

– Je voudrais juste être sûre que tu as bien pesé le pour et le contre.

– Je suis arrivé bien tard aux soldes des anges gardiens, hein ? dit Seth avec un sourire. Pour me retrouver avec vous deux.

– On ne s'en est pas si mal sortis, mais merci quand même, commente Tomasz en grimaçant.

– Je ne crois pas aux anges gardiens, reprend Régine plus sérieusement. Juste aux gens qui sont là pour toi, et aux gens qui n'y sont pas.

– Oui, approuve Tomasz. Je suis bien d'accord.

– *Juste aux gens*..., répète Seth, pensif, réalisant qu'il est d'accord, lui aussi.

Ils descendent la grand-rue où Seth a découvert ce monde pour la première fois, passent devant le supermarché où il a trouvé de quoi ne pas mourir de faim, et le magasin de sport où il a pu s'habiller.

Et cette idée revient, qui ne disparaît jamais totalement. Comment tout ce dont il avait besoin pour survivre, nourriture, vêtements, abri, temps chaud, lui a été fourni sur un plateau ? Comment ces deux « non-anges gardiens », chaque fois, l'ont sauvé à la dernière minute, encore et encore ? Comment a-t-il récupéré des informations vitales juste au moment nécessaire, pour prendre les bonnes décisions, vers... ?

Vers quoi ? L'acceptation ? Le retour ? La mort ?

– Eh bien, se dit-il à voix haute, on le saura dans très peu de temps.

– On saura quoi, dans très peu de temps ? demande Tomasz alors qu'ils approchent du cratère, et des mauvaises herbes qui s'en échappent comme des vagues au ralenti.

– Si c'est mon *cerveau* qui me raconte une histoire...

– Ah non, pas encore..., grommelle Régine.

– Parce que si c'était un film, ou un livre..., poursuit Seth, si c'était une sorte d'histoire que je me racontais à moi-même, alors *il* nous attendrait.

Tomasz et Régine s'arrêtent quand ils comprennent ce que Seth veut dire par « il ».

– Ce n'est pas une chose très amusante à dire, monsieur Seth, gronde Tomasz.

– Il est mort et bien mort, fait Régine. Impossible qu'il soit là-bas.

– Je dis simplement : que se passerait-il si c'était seulement mon cerveau qui essayait d'organiser les choses ? Le Conducteur nous attendrait, à moitié carbonisé, fou de rage, préparant une dernière attaque surprise avant que nous fassions ce que nous sommes supposés faire.

– Mais tout va bien, alors ! s'exclame Tomasz, rayonnant. Parce que dans cette histoire, il y a toujours un dernier combat et le héros gagne toujours !

– Hmm, ouais, pas mal, réplique Seth. J'aime bien cette version.

– Le combat est terminé, vous m'entendez ? tranche Régine. Il n'y en aura plus d'autre.

– Je dis juste que...

– Bon, alors arrête de dire. Tu en dis toujours trop.

Seth lève les mains en signe de reddition.

– C'était juste une idée. Il ne va rien arriver. On l'a tué. Il est mort. Point final.

Mais ils ne pipent plus un mot quand ils tournent dans la rue de Seth.

Vide. Pas de camionnette. Pas de silhouette. Juste les mêmes vieilles voitures et les mêmes mauvaises herbes et la même boue. Régine pousse un long soupir de soulagement, puis regarde Seth en fronçant les sourcils.

– Tu nous as fichu la trouille à tous les trois, idiot.

Tomasz éclate de rire.

– Pendant un instant, j'ai vraiment cru...

Et le Conducteur surgit de l'endroit où il se tenait accroupi entre deux voitures. Son casque fondu a pris une forme méconnaissable, sa jambe sectionnée remplacée par une lame métallique toute neuve, scintillante.

Il agrippe Tomasz de ses deux poings fondus, grésillant d'étincelles, le soulève de terre, et le projette de l'autre côté de la rue, où son corps percute le flanc d'une voiture, retombe au sol et ne se relève pas.

77

« Là, je n'y crois pas, se dit Seth alors que Régine hurle le nom de Tomasz, alors que le Conducteur lui saisit le bras et l'aplatit au sol. Je n'y crois vraiment pas. »

Mais il se jette dans la mêlée.

Il se jette contre le Conducteur –

Pourtant, même dans ce bond éphémère, il le devine considérablement affaibli, il le voit peiner face à la résistance opposée par Régine –

Il le prend à mi-poitrine, et ils tombent sur le trottoir. Le Conducteur s'écroule lourdement sous lui et, cette fois, c'est comme s'il atterrissait sur un sac d'échardes métalliques. Mais il ne lâche pas prise.

« Ce n'est pas croyable, continue à lui répéter une partie de son cerveau. Ça ne pourrait arriver que si rien de tout cela n'était – »

– Tais-toi ! rugit-il comme si c'était le Conducteur qui lui parlait.

Il frappe son casque, mais son poing dérape sur la surface fondue, récoltant un goudron collant sur ses phalanges. Il recule pour frapper encore –

Le Conducteur brandit un bras et l'attrape par le cou. Il le repousse, envoyant son crâne cogner contre la portière de la voiture à côté –

Mais Seth a anticipé, et le Conducteur n'est *vraiment* plus aussi fort. Il a eu le temps de voir arriver le geste avant que son crâne ne heurte la portière de plein fouet.

Mais le Conducteur a gardé la main autour de son cou, et il se met à serrer –

Seth entend un appel sur sa droite, et une silhouette floue masque le soleil. Régine hisse une énorme pierre au-dessus de la tête du Conducteur –

Le Conducteur la voit venir («Comment? se demande stupidement Seth, pendant une fraction de seconde. Avec quels yeux?») et déplace sa tête sur le côté. La pierre le touche partiellement, mais il utilise sa main libre pour attraper Régine par le pied. Elle trébuche et tombe en arrière dans les herbes. Poussant un cri, Seth se dégage et libère son cou de l'emprisedu Conducteur, et le frappe à nouveau –

Son poing s'écrase sur des parties métalliques dures, couvertes d'une substance noire et gluante. Le Conducteur réplique, Seth se protège avec l'avant-bras –

Et même si le Conducteur est manifestement affaibli, il n'est pas précisément faible. Seth a l'impression que son poignet s'est brisé sous le choc, et son sursaut de douleur suffit pour permettre au Conducteur de lui envoyer un nouveau coup, qui le touche à la tempe et l'envoie rouler sur le trottoir –

Où le Conducteur se redresse lentement –

Mais Régine est à nouveau sur lui. Elle le frappe avec une autre pierre à l'arrière du crâne. Il pivote et lui agrippe le bras, serrant si fort qu'elle hurle et lâche sa pierre. Il la cogne en pleine figure, et la projette par-dessus le muret d'un jardin attenant.

Elle reste au sol.

Le Conducteur se retourne vers Seth. Il ne reste plus qu'eux, maintenant.

Seth se remet sur pied.

Et une idée terrifiante, une espèce de *vérité* lui traverse l'esprit.

«Je vais gagner, se dit-il, esquissant un pas en arrière à l'approche du Conducteur. Parce que c'est bien comme ça que se déroule l'histoire, pas vrai ? L'ennemi fait une réapparition surprise juste avant la fin, face au héros, une dernière fois –»

Et le héros gagne.

Le Conducteur fait un pas en avant. Puis un autre.

– Espèce de merde ! hurle Seth. T'es que dalle ! Juste un morceau de plastique qui se croit malin !

Le Conducteur balance son poing, mais Seth l'esquive d'un bond. Son adversaire vacille un peu sur sa jambe de rechange, le métal grinçant et couinant au niveau du genou, surtout quand il s'avance. En le mettant à terre, Seth a dû briser quelque chose.

Mais oui.

– Pas vraiment réparé, hein ? lance Seth en esquivant un nouveau coup. Et je suppose que ton *délai de garantie* a expiré ?

Il évite un autre coup, vif sur ses jambes à lui.

Regarde à droite et à gauche, cherche des munitions, quelque chose avec quoi combattre, mais ne voit pas où Régine a pu trouver ces pierres.

Enfin, il y a peut-être moyen de l'arrêter. Et s'il peut l'arrêter, alors –

«Je le vaincrai, se dit Seth. C'est ce qui doit arriver. Et ce sera la fin de cette histoire.»

Le Conducteur balance encore son poing, et Seth l'esquive une fois de plus.

Mais il voit la solution, maintenant.

– Toi, dit-il (esquivant un nouveau coup, calculant son prochain mouvement), tu n'es rien d'autre (esquive, pas en avant) qu'un pauvre GEÔLIER ringard (esquive, pas de côté) déréglé (esquive, pas en avant) !

Il fait un bond entre les poings du Conducteur –

Met tout son poids dans son pied droit –

Visant le genou grinçant –

Le frappe de toute sa force.

La jambe se casse en deux.

Le Conducteur tombe sur la voiture, explosant sa vitre, et ne réagit pas assez vite pour se rattraper dans sa chute. Seth bondit, le contourne. Il ramasse la première pierre de Régine, la plus grosse, titubant sous le poids. « Bon sang, cette fille est vraiment costaude. »

Il se retourne vers le Conducteur, qui tente de se redresser, la moitié brisée de sa jambe gisant par terre, inutile. Seth pousse un grognement et hisse la pierre au-dessus de sa tête. Il hurle, de plus en plus fort en courant vers le Conducteur –

Qui lève son visage vers Seth, son casque fondu plus opaque et impénétrable que jamais –

– Victoire ! crie Seth. L'histoire se termine *ici* !

Il se précipite en avant –

Donne de l'élan à la pierre pour la lancer –

Le Conducteur arme son bras, plus rapide que l'éclair –

Et Seth sent un acier froid plonger dans son torse –

La pierre retombe devant lui, rebondit sur le trottoir –

Parce que la jambe brisée du Conducteur sort maintenant du ventre de Seth.

78

Seth s'effondre sur le trottoir. Sur le flanc. Cherche sa respiration, l'acier glacial lui brûlant en même temps tout le corps. Il l'agrippe instinctivement et ses mains en ressortent trempées de sang, son sang qui s'écoule parmi la boue et les herbes. Il se tord le cou, et réalise que la pièce de métal l'a traversé de part en part. Son extrémité lui ressort par le dos.

Il lève les yeux vers le trottoir.

Le Conducteur s'est relevé sur sa jambe unique.

Il s'équilibre d'une main sur les voitures en stationnement.

Il sautille, se traîne en avant.

Dans sa direction.

Tout paraissait si évident. Le Conducteur se trouvait là où il devait être, là où Seth l'attendait plus ou moins.

Et si c'était vrai, tout le reste devait être vrai, aussi.

Il vaincrait le Conducteur après qu'il eut ressuscité une dernière fois. Il le vaincrait, et puis il irait triomphalement vers…

Quoi ?

Il ne sait pas. Il a perdu toute certitude.

Parce que le voici, la jambe métallique du Conducteur

enfoncée sous sa cage thoracique et ressortant de son dos dans un cauchemar de douleur et d'incompréhension, et qu'il saigne de partout.

Et qu'il est en train de mourir.

Et que cela, au moins, il le refuse, désespérément.

– Pitié, s'entend-il chuchoter, tout en essayant de se traîner en arrière sur le trottoir. Pitié.

L'horrible intrusion du métal à travers son corps est trop insupportable pour être envisagée. Parce qu'elle signifie qu'il n'y a pas d'issue cette fois. Pas d'héroïsme de dernière minute. Pas de Tomasz ni de Régine bondissant à la rescousse. Ils peuvent bien arrêter le Conducteur, ils ne pourront rien faire pour l'empêcher de saigner à mort.

C'est trop tard.

Il tousse, et du sang lui remplit la bouche.

Et le Conducteur s'approche en rampant.

Pitié, répète-t-il, mais sa force le quitte rapidement.

Et cette *douleur*. Impossible de bouger pour l'atténuer, et, pendant un instant, un horrible instant, il pense s'évanouir.

Le monde vire à l'encre noire –

– et voilà Gudmund, il prend la main de Seth, dans un monde qui les contient juste tous les deux, et ils regardent la télé, rien d'intéressant, mais Gudmund a tendu la main et pris celle de Seth sans raison particulière, et ils sont assis, côte à côte –

Mais la douleur revient.

Et des secondes précieuses ont passé.

Il est toujours sur le trottoir.

Toujours avec cette lame métallique enfoncée de part en part en part dans son corps.

Toujours saignant.

Toujours mourant.

Et le Conducteur n'a plus qu'un ou deux mètres à ramper pour l'atteindre.

Il se dresse au-dessus de lui, maintenant.

Et Seth n'entend rien, aucun son venant de Régine ou de Tomasz, aucun rugissement de moteur à la dernière minute, aucun appel à son nom, aucun cri de victoire.

Juste lui et le Conducteur.

– Qui es-tu? souffle-t-il.

Mais le Conducteur, bien sûr, ne répond rien. Il se contente de lever une main fissurée et fondue pour mettre fin une bonne fois pour toutes à l'histoire de Seth.

Il ne le frappe pas, pourtant. Il fait quelque chose de bien pire. Il agrippe l'extrémité de la jambe qui sort du ventre de Seth.

Seth crie, submergé par une souffrance si effroyable qu'il se demande s'il ne va pas s'évanouir pour de bon, le souhaite, croit s'entendre prier pour que cela vienne –

Le Conducteur tord la jambe et, incroyablement, la douleur augmente. Seth sent son torse comme immergé dans un acide, comme si chaque muscle s'arrachait de son os comme des cordes métalliques.

– ARRÊTE! hurle-t-il. PITIÉ! ARRÊTE!

Mais le Conducteur continue. Il tord la jambe dans l'autre sens, comme s'il cherchait le meilleur moyen d'infliger à Seth un maximum de souffrance –

Et comme la première fois que Seth l'a aperçu, quand il se cachait dans le quartier incendié avec Régine et Tomasz, il n'y distingue rien d'humain, aucune pitié qui se demande ou se donne –

Le Conducteur modifie sa prise sur la jambe, l'empoigne plus solidement –

– Non, crache Seth, pressentant ce qui va venir. NON, PITIÉ!

Le Conducteur arrache la jambe avec une terrible torsion

finale, et Seth perd la tête pendant un instant, dans l'horreur d'imaginer ce passage de son dos à son estomac, l'horreur d'imaginer ses entrailles se déverser sur le trottoir (même si, tournant la tête, il ne voit que du sang, du sang, et encore du sang), l'absolue certitude que sa mort est vraiment là, que c'est vraiment la fin, qu'il n'y aura jamais plus rien –

Alors, le Conducteur le repousse sur le dos. Il ne peut plus vraiment respirer, le sang qu'il expulse l'étouffe exactement comme l'eau de mer l'a fait.

Il se noie dedans –

(Et peut-être que c'est la seule réalité –)

(Peut-être que tout se résume à cela –)

(Peut-être qu'il n'a jamais cessé de se noyer –)

Le Conducteur écarte sans effort les mains de Seth de sa blessure, et même si son cerveau lui commande de résister, de lutter, Seth n'a plus la force de tenter quelque chose –

Il est à la merci du Conducteur –

Et le Conducteur ne lui réserve aucune pitié –

Il se penche au-dessus de lui, lève son bras, poing serré –

Seth aurait tant voulu que ça se passe autrement, tant voulu savoir que Régine et Tomasz allaient bien, tant voulu arrêter le Conducteur, au moins *pour eux* –

Une haie de pointes surgit des phalanges du Conducteur, aiguisées comme des aiguilles –

Seth voit des étincelles crépiter entre elles, se rejoindre, les connecter en petits arcs électriques –

« C'est la fin », trouve-t-il la force de penser –

« La fin » –

« Non » –

Des décharges jaillissent du poing du Conducteur –

Pendant une fraction de seconde, la douleur se fait pire qu'insupportable –

Puis il n'y a plus rien que le néant.

79

– Mange, dit sa mère en posant l'assiette devant lui. Ce n'est pas ton plat préféré, mais c'est tout ce que nous avons.

La table devant laquelle il se tient assis est étrangement longue, trop longue pour loger dans une pièce normale, et le bruit de l'assiette résonne dans la blancheur laiteuse environnante. Ce n'est pas un endroit. Pas un endroit qu'il connaît. Pas un endroit qui ait existé.

– Et moi, c'est mon préféré ! s'exclame Owen en tendant une cuillère au-dessus de la table pour verser la nourriture brûlante dans sa propre assiette.

– Ragoût de thon aux nouilles ? s'interroge Tomasz, assis à côté d'Owen. Jamais entendu parler.

– C'est super, affirme Owen en servant Tomasz.

– Ce ne serait pas le plat que tu détestes le plus, Seth ? demande H, assis sur la chaise à côté de lui.

– Si, j'en ai peur, confirme Gudmund, penché à la droite de Seth. Je veux dire, il déteste vraiment ça. Personnellement, je ne connais rien de pire que le thon chaud. Et quand tu mélanges ça à des *oignons*...

– Il a raison, acquiesce Monica pendant qu'Owen lui en verse dans son assiette également. C'est répugnant.

– Et voilà ce que l'ère Internet nous a apporté, dit sa mère en s'asseyant. Tout ce que vous n'aimez pas devient automatiquement répugnant et quiconque aurait le malheur de l'apprécier est un imbécile. C'est beau, l'ouverture d'esprit… (Elle goûte.) Moi, je trouve ça délicieux.

– Une simple affaire de goût est devenue une opinion, renchérit son père en ouvrant un journal. Quand le premier idiot venu devrait savoir qu'il s'agit de deux choses différentes.

– Quand même, insiste Tomasz en plissant le nez, ni mon goût ni mon opinion ne sont très positifs sur ce point.

– Tu peux prendre un peu de ma part, propose Gudmund à Seth en lui tendant son assiette de pâtes au poulet et champignons, la recette préférée de Seth.

– Ou de la mienne, dit H qui lui tend la même chose.

– Eh, je veux participer, moi aussi, fait Monica en passant son assiette de l'autre côté de la table pour l'offrir à Seth, après avoir remplacé le thon par les pâtes.

– On ne m'a pas donné la même chose, s'étonne Tomasz, sa propre assiette maintenant remplie d'une mixture rouge et parfumée de viandes et de légumes. Mais ça, c'était mon plat préféré quand j'étais petit.

La mère de Seth secoue la tête.

– Tout le monde croit tout savoir. Tout le monde.

Puis une voix résonne derrière eux :

– Parfois, il faut pourtant bien réaliser qu'on s'est trompé.

Il se retourne. Régine se tient debout, un peu en retrait de la table, la lumière découpant sa silhouette à contre-jour. Elle est différente des autres. Il sent qu'elle attend quelque chose.

Qu'elle l'attend, d'une certaine façon.

Il plisse les yeux dans la lumière.

– C'est donc cela, que je suis supposé découvrir ? questionne-t-il d'une voix râpeuse, comme si elle n'avait pas servi depuis des années, des années et des années. C'est tout ce que cela signifie ?

Régine fait un pas hors de la lumière, et le fond s'obscurcit derrière elle, devient une rivière d'étoiles sur ciel nocturne, avec une étincelante Voie lactée. Elle se tient devant lui, la grosse et pataude Régine qu'il connaît si bien.

Sauf qu'elle sourit. Un sourire moqueur, ironique.

– Ne sois pas stupide, dit-elle, tandis que les voix derrière lui diminuent.

– Ce n'est pas un souvenir..., dit-il. Pas comme les souvenirs habituels.

– Manifestement.

Il se retourne vers les autres, tous en train de manger et de parler tranquillement autour de cette table unique. Tous les gens qu'il connaît. Gudmund lui lance un coup d'œil. Et sourit.

– Ça ne ressemble pas à un rêve non plus, reprend Seth, le cœur serré.

– Et voilà que tu recommences, toujours à espérer que je te donne toutes les réponses.

– Est-ce que c'est la mort ? Suis-je mort ? Enfin ?

Elle hausse juste les épaules.

– Qu'est-ce que je fais là ? continue Seth. À quoi peut bien rimer tout cela ?

– Je n'en sais fichtre rien.

– Mais tu m'as guidé jusqu'ici, non ? (Il balaye la pièce de la main, les invités attablés, Gudmund qui l'observe toujours, mais avec un regard vaguement inquiet, maintenant.) Qu'est-ce que tout cela veut dire ?

Régine étouffe un gloussement.

– Tu veux rire ? La vie réelle, c'est la vie réelle. Bordélique. Ce qu'elle signifie ? Tout dépend de ton regard. La seule chose qu'il te reste à faire, c'est de trouver une façon de la vivre.

Elle penche son visage, le colle presque contre le sien.

– Et maintenant, rentre ton foin, tête de nœud. Pendant que le soleil brille encore.

80

Il ouvre les yeux.

Il est toujours sur le trottoir. Le Conducteur toujours au-dessus de lui. Les étincelles jaillissent encore des aiguilles de son poing –

Mais elles faiblissent, se ternissent.

S'éteignent.

Seth reprend sa respiration.

Il *peut* prendre sa respiration.

Il tousse un peu de sang et doit le cracher –

Mais il peut respirer. Ses poumons humides, et lourds, comme s'il avait attrapé une terrible bronchite, mais ils fonctionnent. Il respire encore. Puis une fois encore.

Et ça devient plus facile.

– Que se passe-t-il ? demande-t-il. Je suis mort ?

Le Conducteur reste immobile. Les pointes rentrent dans ses phalanges, mais il se tient toujours au-dessus de Seth, menaçant. Seth essaye de s'écarter, et la douleur traverse sa cage thoracique. Il pose une main sur sa blessure –

Quelque chose a changé.

Il est toujours couvert de sang, mais ne se vide plus en un flot continu.

– Qu'est-ce que… ?

Le Conducteur semble le surveiller, guetter ce qu'il va faire –

Comme s'il attendait.

La souffrance est horrible quand Seth relève sa chemise ensanglantée au-dessus de l'endroit transpercé par la jambe du Conducteur, et là, sur sa peau –

La blessure apparaît, dans la courbe juste sous ses côtes. C'est effrayant à voir, cette blessure hallucinante, forcément mortelle –

Qui a l'air de se refermer toute seule.

Seth jette un regard stupéfait au Conducteur toujours immobile, toujours à l'observer, puis il baisse la tête vers sa blessure. Des étincelles s'allument à l'intérieur, *à l'intérieur* de sa chair. Il sent leurs impulsions quand elles s'électrifient –

Comme pour refermer et cautériser la plaie.

Il souffre toujours, *intensément*, mais il voit aussi les lambeaux déchirés de sa chair se rejoindre, comme des petits doigts tendus les uns vers les autres. Au bout d'un moment, il ne reste plus trace de saignement.

Il pousse un cri en sentant les étincelles progresser plus profondément dans son corps, et réalise qu'elles travaillent également sur la sortie de la blessure. Il y glisse sa main, mais la retire aussitôt, électrifié par les étincelles.

Et le Conducteur l'observe toujours. Seth ignore totalement ce qu'il peut bien observer, mais il se *sent* observé.

– Qu'avez-vous fait ? halète-t-il, à nouveau tordu par la douleur de sa blessure.

La douleur qui semble pourtant s'apaiser –

– Qu'as-tu *fait* ? répète-t-il, d'une voix bouleversée. Je ne comprends pas.

Il se plie sur lui-même, bras plaqués contre son ventre quand une nouvelle décharge lui traverse le corps, mais il découvre qu'il peut la supporter. Il relève les yeux vers le Conducteur, des yeux brouillés par les larmes.

– Pourquoi ? bafouille-t-il, puis répète : Je ne comprends pas.

Le Conducteur n'émet aucun son, aucun signe qui montrerait qu'il l'a même entendu. Il demeure plus mystérieux, plus indéchiffrable que jamais, sa figure aussi opaque et vide qu'un gouffre noir.

Les décharges qui secouent le corps de Seth semblent s'espacer. Il examine à nouveau sa blessure. La cicatrice est affreuse, violette, douloureuse au toucher. Mais c'est une *cicatrice*. La plaie mortelle s'est refermée.

Seth fixe encore le Conducteur et répète sa question :

– *Qui* es-tu ?

Le Conducteur ne répond pas. En équilibre sur sa jambe unique, il s'appuie lourdement sur la voiture garée, se redresse au-dessus de Seth et l'observe encore. Seth se lèche les lèvres, sa langue accrochant sur le sang séché. Il est trop faible pour fuir, trop faible pour reprendre le combat. Il ne peut qu'attendre et voir ce que le Conducteur va faire.

Et ça, il n'en a pas la moindre idée.

Et puis le Conducteur sursaute, tout son corps fracturé bizarrement tordu en une violente, unique secousse –

Il tend un bras comme pour atteindre quelque chose –

Mais il n'y a rien, rien à attraper, juste Seth par terre à ses pieds –

Une petite lumière jaillit au milieu de la poitrine du Conducteur, un petit point blanc d'abord, mais qui explose ensuite en une pluie d'étincelles si vives que Seth recule, malgré la douleur qui lui traverse le torse.

Le Conducteur tremble, adossé à la voiture, comme si quelque chose l'y maintenait collé. Un éclair l'entoure, plongeant dans son corps puis ressortant, provoquant une série de spasmes alors que ses jointures commencent à se désolidariser. Un bourdonnement remplit l'air, qui augmente quand d'autres éclairs jaillissent, de plus en plus violents et rapides, tissant tout un réseau électrifié autour de lui –

Seth cherche à se mettre en sécurité. Il se traîne derrière le muret où il découvre Régine toujours étendue –

Il jette un coup d'œil en arrière –

Un énorme *CRRRAC !* déchire l'atmosphère –

Le Conducteur se désintègre.

Il explose en fragments rougeoyants, fondus –

Seth se recroqueville pour éviter les éclats, se traîne jusqu'à Régine pour la protéger –

Voit le casque du Conducteur se disperser en petits morceaux, circuits et éléments méconnaissables qui ont pu être de la chair –

Et puis, juste le silence. Juste le cliquetis des fragments du Conducteur qui retombent sur le sol, comme une grêle toxique. Seth se déplie, regarde par-dessus le muret.

Le Conducteur n'est plus.

Des fragments brûlants, carbonisés, fondus, couvrent le sol –

Mais il n'est plus. Vraiment plus.

Et du siège de la voiture où s'adossait le Conducteur, Tomasz se redresse, un toupet de cheveux complètement brûlé au sommet de son crâne.

Il tient le bâton.

– Eh bien, dit-il, si je m'attendais à ça.

81

Seth se remet lentement sur pied, comme coupé en deux par la douleur. Il jette un coup d'œil sur Régine pour s'assurer qu'elle respire, puis s'avance vers Tomasz.

– J'ai rampé de l'autre côté, explique-t-il en s'extirpant de la voiture. Et je l'ai frappé dans le dos.

– Ouais, souffle Seth, toujours avec difficulté. Je vois ça.

Tomasz trébuche, encore vacillant d'avoir été projeté si loin. Il se penche pour embrasser Seth, et Seth l'étreint, observant de plus près la bande de cheveux presque régulière arrachée au crâne de Tomasz.

– Je l'ai vu te *tuer*…, marmonne-t-il, et sa voix se brise, tandis qu'il pose une main sur la chemise déchirée de Seth. Je l'ai vu faire *ça*.

– Oui, réplique-t-il. Je ne comprends pas non plus.

– Je croyais que tu étais mort.

– Moi aussi. Et peut-être que je *l'étais*…

Tomasz jette un regard de l'autre côté du muret et s'écrie :

– Régine !

Il court vers elle, Seth le suivant tant bien que mal.

– Je crois que ça l'a juste sonnée, dit-il en s'agenouillant près d'elle avec Tomasz.

Son œil droit gonfle méchamment, là où le Conducteur l'a frappée. Mais aucune autre blessure apparente, et pas de sang à l'arrière de son crâne.

– Régine ! hurle Tomasz, pratiquement au creux de son oreille –

Une grimace lui crispe le visage. Elle entrouvre les lèvres, et un gémissement sourd s'en échappe.

– *Bon sang,* Tommy, souffle-t-elle.

Puis elle ajoute quelque chose, que submergent les cris de soulagement de Tomasz. Il la serre convulsivement dans ses bras mais, au bout d'un instant, elle finit par articuler :

– Tu veux bien me lâcher, s'il te plaît ?

Seth tire Tomasz en arrière, et ils l'observent pendant qu'elle s'assied péniblement.

– Qu'est-ce qui s'est passé ? marmonne-t-elle.

– Si seulement je le savais, réplique Seth en jetant un coup d'œil aux fragments carbonisés du Conducteur éparpillés autour d'eux.

– Je l'ai tué, annonce Tomasz, mais sans trop faire le fanfaron, contrairement à son habitude. Je lui ai frappé le dos avec le bâton. (Il sort le bâton de sa poche. Complètement carbonisé, l'extrémité fissurée et cassée.) Je crois qu'il y a eu overdose.

– Le Conducteur… il est mort ? bredouille Régine, stupéfaite.

– S'il a été un jour vivant, pour commencer, dit Seth.

Elle lui jette un regard noir qui la fait grimacer.

– Je te jure que… si jamais tu me balances encore une seule remarque philosophique à la noix…

– Il m'a sauvé la vie.

Elle s'arrête net.

– Il t'a… quoi ?

– Il l'a tué, d'abord, intervient Tomasz, d'une voix encore vaguement inquiète.

– Il me l'a fait avec sa jambe, explique Seth en relevant sa chemise pour lui montrer son énorme cicatrice violette. Et puis il l'a ressortie, et il a fait… *quelque chose*. Quelque chose qui a cicatrisé la blessure.

– J'ai pas vu ça, dit Tomasz. J'étais en train de ramper dans la voiture. Je l'ai seulement vu transpercer Seth avec la chose et j'ai cru… (Sa figure se chiffonne.) J'ai cru qu'il t'avait tué. Et je ne voyais plus Régine. Et j'ai cru…

– Je sais, murmure Seth, en prenant Tomasz par l'épaule, et le laissant pleurer.

Régine secoue la tête, mais une fois seulement, aussitôt arrêtée par la douleur.

– Là, j'y comprends rien de rien.

– Non, approuve Seth. Moi non plus.

Régine s'applique une main sur la joue.

– La vache, j'ai le visage en feu.

– Et moi, tout le corps, dit Seth.

– Et moi, mes cheveux, fait Tomasz, en promenant des doigts inquiets sur sa nouvelle calvitie.

Seth garde son bras autour de Tomasz, qui s'appuie en partie contre Régine, qui presse sa jambe tendue contre celle de Seth. Et ils restent juste assis là, ensemble, meurtris, sonnés.

Mais vivants.

82

Très, très lentement, ils se redressent péniblement, s'aidant à se remettre sur pied avec une tendresse qu'ils n'ont pas besoin d'excuser. Seth leur montre les autres cicatrices infligées par le Conducteur, toujours incrédule.

– C'est comment ? demande-t-il à Régine qui examine son dos.

– Pareil que devant. Sauf que...

Elle retire quelque chose de sa peau et le lui montre. Un morceau de tissu, imprégné de sang, exactement de la même forme que la déchirure de sa chemise, devant.

– On dirait que ça a nettoyé ta blessure, aussi. J'y comprends rien. Pourquoi t'aurait-il sauvé ?

– Si c'était un gardien, peut-être qu'il était supposé nous garder en vie.

– En te transperçant avec une lance métallique ? coupe Tomasz. Tu aurais pu en mourir sur le coup.

– Et il semblait bien décidé à nous tuer aussi, Tommy et moi, ajoute Régine.

– Je n'en sais rien, reprend Seth, d'une voix assourdie, en repensant à ce qui s'est passé, au comportement du Conducteur, au fait qu'il soit mort à ce moment *précis*, là, sur ce trottoir –

Mais qu'est-ce que *cela* pouvait bien signifier ?

– La vie ne se passe pas forcément comme tu crois qu'elle devrait, dit Tomasz. Même quand tu es sûr de ce qui va se passer.

Seth devine qu'il pense à sa mère. La vie ne s'était vraiment pas passée comme ils l'attendaient. Même chose pour Régine, se dit-il, tandis qu'ils reprennent lentement le chemin de sa maison, évitant les fragments du Conducteur qui continuent à brûler et à fondre en petites flaques.

Non, la vie ne se passait pas toujours comme on l'avait imaginé.

Et parfois, elle n'avait plus aucun sens.

« La seule chose qu'il te reste à faire, c'est de trouver un moyen de la vivre », se dit-il.

– Je suppose qu'on ne trouvera pas d'analgésiques ici, dit Régine alors qu'ils remontent l'allée de sa maison.

– On peut essayer le supermarché, sinon, suggère Seth. Fouiller dans les stocks d'aspirine périmée.

– Ou de morphine périmée, se lamente-t-elle, une main plaquée sur son œil.

– Je peux essayer de t'arranger ça, fait Tomasz en brandissant le bâton. T'électrifier avec. Ça pourrait marcher.

Régine lui balance une claque au sommet du crâne.

– ... Aïe ! Dis donc, t'as l'air d'aller déjà mieux, lance Tomasz en courbant l'échine.

Ils poussent la porte. Rien n'a bougé. La fenêtre de devant toujours fracassée, la cuisine et le salon toujours encombrés par les meubles qu'ils ont poussés pour ralentir le Conducteur.

– Je n'arrive pas à croire qu'il est mort, murmure Régine tandis que Seth escalade le réfrigérateur pour aller chercher de l'eau. Et puis, comment est-ce qu'il a pu revenir ? On l'a vu brûler. Même une machine n'y aurait pas survécu.

– Et il va se passer quoi, maintenant, demande Tomasz en s'affalant dans le canapé. Qui va s'occuper de tous les dormeurs ?

Seth ne répond rien parce qu'il n'en sait rien. Il rapporte une bouteille d'eau et trois tasses, et tous s'assoient autour de la table basse.

Ils boivent en silence et se reposent.

Ils restent longtemps ainsi.

– Tu savais, pourtant, dit Régine au bout d'un moment, comme si elle reprenait une conversation, sortant Seth d'une somnolence qu'il n'a pas sentie venir.

– Savais quoi ?

– Tu as dit que le Conducteur allait lancer une dernière attaque, et c'est arrivé.

Seth fronce les sourcils.

– Je n'imaginais pas que j'allais avoir raison…, marmonne-t-il. (Et c'est plus ou moins vrai.)

Il contemple le fond de sa tasse.

– Quand tu dis que c'est rien qu'une histoire dans ta tête. Ou que nous sommes tes…

– Anges gardiens, coupe Tomasz. Elle a raison. Mais si on est vraiment des anges, je ne comprends vraiment pas pourquoi on m'a fait si petit.

– Il était *là*, non ? reprend Seth en tâtant la cicatrice sous ses côtes. Exactement comme je l'avais dit.

– Exactement comme tu l'avais dit, acquiesce Régine.

Ils le regardent comme s'il pouvait fournir une explication à laquelle ils n'auraient pas pensé. Mais il n'en a pas. Le Conducteur, qui n'avait jamais fait preuve d'aucune pitié, a fait preuve de pitié. Le Conducteur, qui l'a tué, l'a également guéri. Aucune explication ne pouvait éclaircir cela, que ce monde soit réel ou imaginaire.

Mais peut-être que rien n'a de sens, justement. Enfin, pas tout à fait, parce qu'en regardant Régine et Tomasz, il n'a pas besoin de se forcer pour y voir un sens.

« Alors, si tout cela n'existe que dans mon imagination, se dit-il, alors, peut-être – »

– Oh, oublions tout ça, lâche-t-il, puis ajoute pensivement : Après tout, personne ne sait rien.

Il lève les yeux vers le tableau accroché au-dessus de la cheminée, le cheval hurlant, terrifié, qui a passé sa vie à le terrifier lui-même, exprimant la souffrance tapie dans le monde tout entier.

Mais ce n'est qu'une peinture, non ?

Il croise les regards de Régine et de Tomasz.

– Allons-nous faire ce que nous sommes venus faire ici ? questionne-t-il.

– Tu es sûr de toi ? demande Régine pour la centième fois depuis qu'ils sont montés au grenier.

– Non, répète Seth. Mais je veux tenter le coup quand même.

– Je crois qu'on arrive au bout, fait Tomasz en enroulant la bande métallique autour du ventre de Seth, prenant soin de ne pas appuyer sur sa cicatrice.

Il leur a fallu un peu de temps pour en arriver là. Ils se sont lavés avec le bloc de liquide vaisselle et de l'eau froide, puis ils sont allés au supermarché récupérer des boîtes d'aspirine périmée, en quantités absurdement astronomiques. Puis ils se sont rendus au magasin de sport pour prendre des boîtes de bande métallique que Seth avait repérées, et aussi des ciseaux, que Régine a utilisés pour tailler ce qui restait des cheveux de Tomasz.

Seth s'est ensuite mis au travail sur son cercueil. Il n'était pas aussi abîmé que celui de Régine. Remis en marche, l'écran a posé des questions dont certaines paraissaient même logiques. Seth l'a programmé en essayant d'appliquer les procédures les plus simples possible. Après plusieurs tentatives avortées, et avec l'aide de Tomasz, il a fini par faire apparaître une case indiquant PROCESSUS DE RE-ENTRÉE PRÊT.

Il s'est changé pour enfiler un short et ils lui ont enroulé des bandelettes autour des jambes et du torse, se mettant d'accord sur un test «en comptant jusqu'à soixante, pas plus», avait insisté Tomasz, pour voir où Seth allait, dans l'autre monde. Un temps assez bref pour qu'il n'ait pas besoin de tuyaux, et aussi, pour qu'il survive au cas où le pire surviendrait.

Mais Seth n'a pas l'impression que le *pire* puisse arriver. Pour une fois.

– Si ça se trouve, ça ne marchera même pas, répète Régine pour la centième fois. En fait, ça ne marchera probablement pas.

– Très encourageant, ironise Seth en tapotant sur la lumière de son cou, qui clignote en vert depuis qu'ils ont réenclenché le cercueil. Mais tu as raison, on n'en sait rien.

– Il ne reste plus que ta tête, monsieur Seth, fait Tomasz, hésitant.

– Je m'en charge, coupe Régine en prenant les bandelettes. (Elle commence à les enrouler, puis s'arrête:) Seth…

– T'inquiète. Si ça se trouve, je ne vais même pas partir d'ici.

– Ou tu vas te réveiller au fond de la mer et mourir avant qu'on puisse te sauver.

– Ou pas.

– Ou Tommy et moi, on n'arrivera pas à te ramener, même si tout se passe bien.

– Mais vous pourriez le faire.

– Ou tu pourrais juste décider de rester là-bas et nous oublier complètement…

– Régine, dit-il doucement, bouleversé par son inquiétude, j'ignore ce qui va se passer. Mais je veux savoir. Et c'est la première fois que quelque chose sonne vrai depuis des lustres.

Elle le fixe comme si elle allait le défier, une fois de plus. Mais ne le fait pas.

– Monsieur Seth, dit Tomasz, en lui prenant solennellement la main, je te souhaite bonne, très bonne chance. Mais je souhaite aussi beaucoup, vraiment beaucoup, que tu nous reviennes.

– Et moi aussi, Tommy, réplique-t-il, avant de corriger: Tomasz.

– Ah, s'exclame le garçon avec un sourire, et c'est là que je suis supposé dire: « Tu peux m'appeler Tommy. » Sauf que j'aime comment tu dis Tomasz, et je veux que tu continues à le dire. Pendant des années, et des années encore.

Seth lui fait un signe de tête, et un autre à Régine.

– Tu es sûr? demande-t-elle, pour la dernière fois probablement.

– Sûr.

Elle attend encore un peu, puis commence à lui envelopper la tête de bandages, collant le départ sur sa tempe.

– À bientôt, murmure-t-elle, avant de lui recouvrir les yeux.

83

Voici le garçon, voici l'homme, voici *Seth*, doucement allongé dans son cercueil, guidé par les mains de ses amis.

Il n'a aucune certitude sur ce qui va se passer ensuite.

Mais il a la *certitude* que c'est précisément la question.

Que si tout se résume à une histoire inventée, alors ce sera le sens de cette histoire.

Et que si ce n'est pas une histoire inventée, alors tout prendra un sens, exactement de la même façon.

Mais pendant que ses amis engagent la phase finale, pressent des boutons, répondent aux questions posées par l'écran, il se dit qu'une certitude demeure à tout jamais : il y a toujours autre chose. Toujours.

Peut-être qu'Owen est mort, ou peut-être pas, mais, dans un sens ou dans l'autre, ses parents ont bien plus souffert qu'il ne l'imaginait, et peut-être que cela n'avait rien à voir avec lui.

Et il y a Gudmund, aussi, et H, et Monica. Ils sont faibles, et ils sont forts, et ils font des erreurs, comme tout le monde, comme *lui* en a fait. Et l'amour et la tendresse peuvent prendre bien des formes différentes, et à l'intérieur, il y a tellement de place pour la compréhension, et le pardon, et encore autre chose.

Autre chose, et plus encore.

Parfois, chez d'autres personnes, des personnes *surprenantes*, aux histoires surprenantes, inimaginables.

Des personnes qui voient le monde d'une façon complètement différente, et par là même, le *rendent* différent.

Des personnes qui pourraient devenir des amis.

Et il ne sait pas ce qui va se passer quand ces amis vont déclencher la séquence finale. Il ne sait pas où il va se réveiller. Ici. Ou là. Ou ailleurs, dans un endroit encore plus inattendu. Parce que qui sait, en fin de compte, si l'un de ces endroits est plus réel que l'autre ?

Mais quoi qu'il advienne, il sait qu'il peut vivre avec.

Et maintenant, il est temps. Il perçoit un silence, qu'il comprend comme une attente.

– Tu es prêt ? lui demandent ses amis.

Il se dit – « oui ».

Il se dit – « vas-y, fonce. »

Et il dit :

– Je suis prêt.

Patrick Ness est né aux États-Unis, dans l'État de Virginie. Passionné par la lecture et l'écriture, il y étudie la littérature anglaise. En 1999, il s'installe à Londres et enseigne pendant trois ans l'écriture à Oxford. Auteur de deux romans pour adultes, il écrit également pour la radio et travaille comme critique littéraire pour le journal anglais *The Guardian*. Pour sa brillante trilogie *Le Chaos en Marche* (2009, 2010 et 2011), Patrick Ness se voit décerner, en Grande-Bretagne, les prix littéraires les plus importants. *Quelques Minutes après Minuit* (2012), connaît également un large succès dès sa publication en Grande-Bretagne comme aux États-Unis. Acclamé par la critique, le livre a remporté de prestigieuses récompenses comme le *National Book Award* Grande-Bretagne 2011.

LE CHAOS EN MARCHE

PATRICK NESS

LIVRE 1. LA VOIX DU COUTEAU
LIVRE 2. LE CERCLE ET LA FLÈCHE
LIVRE 3. LA GUERRE DU BRUIT

C'est l'année de ses treize ans et Todd Hewitt va devenir un homme de Nouveau Monde, un monde où chacun peut entendre la pensée des autres : c'est le Bruit, incessant, obsédant.
Un jour, Todd découvre un lieu où le Bruit se tait...

Extraordinaire, bouleversante, une quête de liberté et d'amour, portée par une écriture qui vous happe.

Prix Guardian 2008
Booktrust Teenage Prize 2008
Costa Book Award 2009
Carnegie Medal 2011

« Déroutant, épatant, et surtout brillant. Très brillant. »
Le Figaro Magazine

« Il fallait oser... Cette langue rugueuse, inventive donne à La Voix du Couteau *sa saveur et sa puissance. Passionnant de bout en bout, plein de rebondissements. Éblouissant. »* Télérama

QUELQUES MINUTES APRÈS MINUIT
PATRICK NESS

d'après une idée originale
de Siobhan Dowd

illustré par Jim Kay

Depuis que sa mère est malade, Conor redoute la nuit et ses cauchemars. Quelques minutes après minuit, un monstre apparaît, qui apporte avec lui l'obscurité, le vent et les cris. C'est quelque chose de très ancien, et de sauvage. Le monstre vient chercher la vérité.

National Book Award 2011
The Red House Book Award 2011
Carnegie Medal 2012
Kate Greenaway Medal 2012, pour Jim Kay

Prix Imaginales 2013

« *Fascinant... Puissant et remarquable* » Philip Pullman

« Quelques minutes après minuit *fait partie de ces livres dont on sort grandi.* »
Télérama

Le blog officiel
des romans
Gallimard Jeunesse
Sur le web, le lieu
incontournable
des passionnés
de lecture.

ACTUS

AVANT-PREMIÈRES

LIVRES À GAGNER

BANDES-ANNONCES

EXTRAITS

CONSEILS DE LECTURE

INTERVIEWS D'AUTEURS

DISCUSSIONS

CHRONIQUES
DE BLOGUEURS...

Mise en pages : Françoise Pham

Imprimé en Italie sur les presses Grafica Veneta
Dépôt légal : novembre 2014
ISBN : 978-2-07-065015-6
N° d'édition : 268423

Le papier de cet ouvrage est composé de fibres naturelles,
renouvelables, recyclables et fabriquées à partir de bois
provenant de forêts plantées et cultivées
expressément pour la fabrication de pâte à papier.